LES VOIX DU CŒUR

Tome I

Née à Leeds, dans le Yorkshire (Angleterre), Barbara Taylor a seize ans quand elle commence dans sa ville natale une carrière de journaliste qu'elle poursuit à Londres quatre ans plus tard. En 1963, elle épouse Robert Bradford et s'installe aux Etats-Unis (1964).

Spécialiste de la mode et de la décoration d'intérieur, elle publie en 1968 The Complete Encyclopedia of Homemaking Ideas *(somme de conseils pour décorer le foyer), puis assume une rubrique,* Designing Woman *(La décoratrice), très suivie dans l'ensemble des Etats-Unis. On doit à cette journaliste bien connue quatre autres ouvrages sur le même thème, une série en quatre volumes sur* How To Be the Perfect Wife *(Comment être l'épouse parfaite), plus un certain nombre de livres pour enfants.*

Le premier roman de Barbara Taylor Bradford : L'Espace d'une vie *(titre original :* A Woman of Substance) *paraît en 1979 et connaît aussitôt un immense succès.*

Les Voix du cœur (Voice of the Heart) *est son deuxième roman.*

Les Voix du cœur (mais il est impossible de résumer un roman si riche et si dense) raconte l'histoire de deux femmes, Francesca et Katherine, toutes deux très belles, très séduisantes, au caractère indomptable, qui se rencontrent au sortir de l'adolescence. Leurs destins — comme les destins des hommes qu'elles aimeront — vont se croiser, s'interpénétrer, s'affronter, de 1956 à 1979.

Les Voix du cœur est, par excellence, le roman de l'amour et de la passion, le roman de l'amitié et, parfois, de la trahison, le roman de la réussite et de l'ambition.

Jamais titre ne fut plus justifié : voilà un roman qui parle vraiment au cœur de chacun, de chacune d'entre nous.

Paru dans Le Livre de Poche :

L'ESPACE D'UNE VIE, tome I.
L'ESPACE D'UNE VIE, tome II.

BARBARA TAYLOR BRADFORD

Les Voix du cœur

TRADUIT DE L'AMÉRICAIN
PAR MICHEL GANSTEL

Tome I

PIERRE BELFOND

Ce livre a été publié sous le titre original :

VOICE OF THE HEART

par Doubleday & Company, New York

A mon mari, Robert Bradford,
avec tout mon amour.

*« Cette voix du cœur qui seule, selon Lamartine,
sait toucher le cœur. »*

MARCEL PROUST

PROLOGUE

1978

« *Son retour, tel celui du fils prodigue...* »

WILLIAM SHAKESPEARE

1

Si je suis revenue, c'est de mon plein gré. Nul ne m'y a forcée. Et maintenant, pourtant, je voudrais fuir, chercher de nouveau refuge dans un recoin obscur, mettre un océan entre cet endroit et moi. J'y sens s'amonceler trop de mauvais présages.

Imprécises des heures durant, ces pensées finirent par s'imposer à elle avec assez de puissance pour provoquer sa peur. Elle se tordit les mains; mais ses jointures blanchies trahissaient seules sa détresse. En apparence, elle demeurait impassible. Assise très droite sur un banc, le visage masqué d'indifférence, elle contemplait l'immensité du Pacifique.

Décembre est souvent inclément en Californie. Cette journée s'annonçait cependant exceptionnellement hostile. Un plafond de nuages sombres pesait sur la mer, lui donnait la couleur du granit. La promeneuse frissonna. L'humidité s'insinuait sous son imperméable, la glaçait jusqu'aux os alors même que la sueur perlait à son front et sur sa poitrine. Elle se leva soudain, se mit à marcher, la tête baissée contre le vent, les mains enfoncées dans les poches. Déserte, sinistre d'aspect, la jetée de Santa Monica s'ouvrait devant elle. Elle s'y engagea, la parcourut jusqu'au bout.

Parvenue à l'extrémité, là où les vagues fouettées par le vent du large se lancent à l'assaut des piliers, elle s'accouda à la rambarde. Au loin, un gros navire, paquebot ou pétrolier à la silhouette indistincte dans la grisaille, ballottait comme un jouet d'enfant au gré des éléments.

Voilà ce que nous sommes, se dit-elle. De minuscules objets sans importance, perdus dans l'univers. Dans notre arrogance, nous nous imaginons irremplaçables, invincibles, affranchis des lois de la nature, à l'abri de la mort. La vérité est autre. Ces lois sont les seules qui s'appliquent à tous. La mort ignore les privilèges.

Elle s'ébroua pour chasser ces réflexions importunes, leva la tête. Les nuages d'hiver tournaient au noir. Une lumière indécise, qui s'efforçait de les transpercer, en ourlait les contours. Le vent redoublait de fureur, la tempête menaçait. La sagesse dictait à la promeneuse de regagner la limousine qui l'attendait pour la ramener à l'hôtel, avant que la pluie ne la surprenne. Mais elle était incapable de bouger ou, plutôt, la solitude de la jetée la retenait malgré elle. Car c'était là, croyait-elle, qu'elle trouvait enfin l'occasion de réfléchir, de rassembler ses pensées, de mettre un semblant d'ordre dans le chaos où se débattait son esprit.

Un soupir de lassitude lui échappa. Depuis qu'elle en avait pris la décision, elle savait que son retour constituait une imprudence et comportait des risques. Mais elle n'avait pas vu d'autre solution. Elle avait établi ses projets en conséquence et s'était embarquée pour l'Amérique, sûre d'elle-même et pleine de confiance dans la suite des événements.

Elle comprenait maintenant qu'elle avait fait un saut dans l'inconnu. Sa détresse actuelle provenait-elle de son incertitude ? Jusqu'à présent, pourtant, l'inconnu l'avait toujours tentée, stimulée. Elle y trouvait le seul défi capable d'aiguillonner son ambition, de nourrir son besoin d'entreprendre.

Mais cela appartenait au passé. Aujourd'hui, elle était différente, elle était une autre...

Une vague de panique menaça soudain de la submerger, au point qu'elle dut se retenir à la rambarde : en restant, elle risquait trop, elle remettait en jeu tout ce qu'elle avait réussi à regagner ces dernières années. Mieux valait partir, et partir sur-le-champ. Maintenant, avant de changer encore d'avis. Rien de plus facile, à vrai dire. Il lui suffisait de retenir une place d'avion pour n'importe quelle destination, la première qui lui passerait par la tête. Elle chercha des yeux la silhouette du navire, simple point presque invisible à l'horizon. Où se rendait-il ? Yokohama, Sydney, Hong Kong, Valparaiso ? Ou, pourquoi pas, Le Caire, Istanbul, Marseille ? Et elle, où irait-elle ? Qu'importe ! Nul ne s'en soucierait. Si elle partait aujourd'hui, quand elle le pouvait encore sans risque, personne n'en saurait rien. Personne n'en souffrirait, elle s'épargnerait bien des tourments.

L'idée de disparaître, de se faire oublier à jamais suscita en elle un puissant attrait et fit appel à son instinct inné pour le théâtral. Non, pourtant... Elle hésita, déchirée par ses propres contradictions. Fuir serait enfantin – car c'était bien d'une fuite qu'il s'agissait. Si nul n'en sait rien, tu le sauras, toi. Tu sauras que ta lâcheté l'a emporté. Jusqu'à la fin, tu le regretteras, tu en auras honte.

Les yeux clos, elle s'efforça d'imaginer les conséquences de ses actes, le prolongement des décisions qu'elle serait amenée à prendre. Derrière les nuages noirs bousculés par la tempête, le tonnerre se mit à gronder. Mais elle était trop absorbée par l'analyse de ses impulsions contradictoires pour prêter attention à ce qui l'entourait. Le temps seul comptait désormais. Elle ne pouvait plus se permettre de le gaspiller en hésitations. Une décision s'imposait à elle. Il fallait la prendre tout de suite et qu'elle soit irrévocable.

Cette décision se présenta enfin : en dépit de ses appréhensions et quoi qu'il lui en coûtât, elle ne devait pas fuir. D'ailleurs, avait-elle réellement le choix ? Rester représentait son seul espoir de salut. Aussitôt, son irrésolution des dernières heures l'abandonna pour la laisser apaisée. Ses traits se détendirent, son corps retrouva sa souplesse.

De lourdes gouttes de pluie vinrent s'écraser sur ses mains, son visage. Elle rouvrit les yeux, contempla un instant ses doigts encore crispés sur la rambarde. Ils ruisselaient – comme si j'avais pleuré, se dit-elle. Alors, un rire lui emplit la gorge, un rire profond, plein de gaieté. Non, elle ne verserait plus de larmes. Le temps de la souffrance était fini, et bien fini. A quoi bon souffrir, désormais ? Tu n'es qu'une idiote, Kate, se dit-elle. Kate – le surnom que lui donnait Nick lorsqu'il lui parlait de son âme d'Irlandaise marquée par la poésie, la passion, le mystère propres à la nature des Celtes...

Elle se redressa et, d'un geste de défi, rejeta la tête en arrière. Ses yeux – ni tout à fait bleus, ni tout à fait verts mais d'une nuance unique de turquoise – n'étaient plus assombris par l'incertitude ni voilés par la crainte. Ils brillaient de l'éclat d'une détermination nouvelle. Bientôt, dans quelques jours, elle retournerait à Ravenswood.

Là commencerait sa nouvelle vie. Là, peut-être, trouverait-elle enfin la paix.

EN COULISSES

1979

« Considérez longtemps ce qui vous fait
plaisir et plus longtemps encore ce qui
vous déplaît. »

COLETTE

2

FRANCESCA AVERY introduisit la clef dans la serrure et pénétra dans son appartement. Le silence du vestibule lui parut oppressant et lui fit regretter plus que jamais d'être à New York sans son mari.

Quelques jours auparavant, la secrétaire du comité de bienfaisance qu'elle présidait depuis peu lui avait téléphoné : le concert de gala organisé au bénéfice du comité rencontrait des difficultés imprévues : sa présence était indispensable; elle seule possédait les relations nécessaires. Harrison, son mari, s'était efforcé de la dissuader d'entreprendre ce déplacement : les problèmes n'étaient pas tels qu'ils ne pussent se régler par téléphone. Francesca s'était presque rangée à ses raisons lorsque le secrétariat était revenu à la charge : une journaliste avait sollicité une interview. Cette interview pouvait aider au succès du concert et Francesca n'avait eu d'autre choix que d'accepter de faire un saut à New York.

Elle tendit la main vers l'interrupteur et cligna les yeux sous l'éclat soudain de la lumière. Le vaste et imposant vestibule, malgré le luxe chaleureux de ses tapisseries et de ses meubles anciens qui luisaient sous les pendeloques du lustre, la fit frissonner. Ses pas, qui résonnaient sur le sol de marbre, lui rendirent plus pesant le silence environnant. Voilà la cause de mon inexplicable malaise, se dit-elle. Après le joyeux brouhaha de la grande maison de Virginie, peuplée de rires et de cris, où allaient et venaient constamment les petites-filles de Harrison, où se succédaient les invités en un tourbillon continuel, l'appartement désert lui paraissait sans vie. Les fillettes lui manquaient, leur compagnie, leurs confidences. Tout à l'heure, elle allait téléphoner à Harrison, lui demander de venir la rejoindre. Alors, tout reprendrait sa place.

Rassérénée, elle poussa la porte de la bibliothèque. Après l'aspect intimidant du vestibule, la pièce lui sembla plus accueillante que jamais avec ses boiseries aux tons chauds, ses canapés de chintz fleuri. Un feu flambait dans la cheminée, les lampes étaient allumées. Elle eut l'impression d'entrer dans une oasis à l'abri du froid maussade de l'hiver new-yorkais.

Sur la table-bureau, Francesca prit connaissance du message laissé par sa gouvernante, sortie faire les courses et qui serait bientôt de retour. Elle consulta rapidement la pile de courrier, mettant de côté les enveloppes où elle reconnaissait l'assortiment habituel d'invitations et de factures pour ne prendre que la dernière, postée en Grande-Bretagne, sur laquelle s'étalait l'écriture de son frère. Francesca l'ouvrit aussitôt. Kim lui parlait surtout de ses enfants, de leurs récentes vacances de Noël, donnait des nouvelles d'amis communs. Il se plaignait aussi des difficultés que soulevait l'exploitation de la propriété familiale de Langley et des tours de force que les circonstances le forçaient à accomplir. Il concluait en formulant l'espoir de voir sa sœur bientôt, les fêtes de fin d'année et leur cortège d'obligations étant passées. En post-scriptum, il ajoutait : « *Bonne année, ma chérie. Souhaitons que 1979 soit meilleure pour nous deux.* »

Francesca écarta une mèche de ses longs cheveux blonds d'un geste machinal et reprit pensivement sa lecture en s'efforçant de déchiffrer entre les lignes.

En dépit du ton volontairement insouciant adopté par Kim pour la tranquilliser, elle détecta de la mélancolie, presque de la tristesse.

Plus jeune que Kim de deux ans, Francesca l'avait cependant toujours considéré comme son « petit frère ». Elle en avait pris soin, l'avait protégé tout au long de leur enfance et de leur jeunesse, après la mort prématurée de leur mère. En ce moment, Francesca sentait plus que jamais s'éveiller ses instincts protecteurs envers Kim, se souciait de son bien-être physique et moral. Depuis que Pamela l'avait quitté, Kim n'était plus le même et Francesca ressentait avec acuité le choc subi par son frère.

Le surmonterait-il un jour ? Un « non » catégorique lui vint aussitôt à l'esprit. Infiniment plus réaliste que Kim, Francesca avait depuis longtemps compris que les cœurs brisés et les grands rêves n'existent que dans les livres. Dans la vie, on ramasse les morceaux, on les recolle tant bien que mal et l'on reprend le cours de son existence quotidienne jusqu'à ce que la douleur s'atténue et s'efface. C'était exactement ce qu'elle avait fait elle-même, des années auparavant.

Pauvre Kim ! se dit-elle. Isolé de tout dans son Yorkshire, si solitaire depuis que ses deux aînés étaient au pensionnat.

J'irai le voir vers la fin du mois, décida Francesca. Harrison ne fera pas d'objection. Il m'accompagnerait sans doute très volontiers... si ses obligations à Washington lui en laissaient le loisir. Cette dernière réflexion amena sur les lèvres de Francesca une moue d'inquiétude et de mécontentement. Depuis que, l'an dernier, son mari avait pris sa retraite d'ambassadeur, il n'avait jamais été plus débordant d'activité. Ses fonctions de conseiller de politique étrangère auprès du Président se révélaient épuisantes. Certes, il avait fort bien récupéré après ses deux attaques cardiaques et semblait jouir d'une excellente santé; mais Francesca veillait sur lui avec vigilance et le contraignait à ralentir son rythme de vie. Bien entendu, Harrison acquiesçait à tout ce qu'elle disait et n'en faisait strictement qu'à sa tête; le jeu complexe de la politique internationale lui plaisait trop pour qu'il consentît à se retirer de la mêlée si peu que ce fût.

Elle consulta son agenda. La réunion du comité était prévue à treize heures. A seize heures devait avoir lieu l'interview avec Estelle Morgan, du magazine *Now*. Ce rendez-vous lui déplaisait. Estelle avait fait preuve d'une telle insistance que Francesca n'avait pu s'y dérober. Elle se souvenait trop clairement de l'obstination dont la journaliste avait abusé par le passé et, plutôt que de provoquer des conflits inutiles, Francesca avait finalement préféré se débarrasser de cette corvée. Après tout, un peu de publicité pour une bonne cause valait bien quelques inconvénients personnels.

Estelle Morgan était en avance pour son rendez-vous avec Francesca Avery. Elle fit stopper son taxi à quelques rues de sa destination et poursuivit son chemin à pied en direction de la 5ᵉ Avenue. Il avait cessé de neiger à l'heure du déjeuner, un pâle soleil tentait vainement de percer les nuages; l'air était frais et tonifiant et la journaliste l'aspira avec plaisir. Elle se félicita aussi d'avoir pris son vison – qui ne manquerait pas de faire impression sur le portier de l'immeuble. Ces larbins sont plus snobs que les richards qu'ils servent, se dit-elle avec un sourire sarcastique.

Quelques secondes avant seize heures, elle franchit le seuil de l'imposant immeuble de la 81ᵉ Rue et se fit annoncer. Si la ponctualité n'était guère le fort d'Estelle Morgan, elle savait combien Francesca Avery était pointilleuse sur ce genre de détails et elle ne voulait pas l'indisposer inutilement. Une femme âgée, en robe noire, l'accueillit à la porte de l'appartement, lui prit son manteau de fourrure qu'elle posa sur une chaise du vestibule et l'introduisit au salon. Estelle Morgan avait, au cours de sa carrière, fréquenté bien des demeures luxueuses, mais elle n'avait encore jamais rien vu de plus somptueux que le grand hall d'entrée des Avery. Le reste – les tableaux, les meubles – lui parut encore plus fabuleux. Une fois seule, elle fit lentement le tour de la pièce.

Elle n'avait pas terminé son inventaire lorsque la porte s'ouvrit. Francesca, souriante, se tenait sur le seuil.

« Estelle ! s'écria-t-elle. Quel plaisir de vous revoir ! »

Tandis qu'elle s'avançait, la main tendue, la journaliste détailla son hôtesse. Son teint semblait toujours aussi frais, ses longs cheveux aussi soyeux que jadis. Comment fait-elle pour ne pas vieillir ? se demanda Estelle.

« J'espère ne pas vous avoir fait attendre trop longtemps, reprit Francesca en lui serrant la main.

– Pas du tout, je viens à peine d'arriver, chère amie. D'ailleurs, j'aurais volontiers attendu en admirant tout cela, dit-elle avec un geste large. Vous êtes environnée de merveilles ! »

Francesca dégagea sa main en réprimant une grimace agacée. Elle désigna le canapé disposé devant la cheminée :

« Vous êtes trop aimable. Installons-nous donc ici, nous serons plus à l'aise pour parler.

– Inutile de vous dire combien je suis ravie de vous revoir, dit Estelle avec un sourire trop radieux. Cela m'a paru des siècles !

– N'exagérons rien, cinq ans tout au plus, répondit Francesca. C'est à Monte-Carlo, si je me souviens bien, que nous nous sommes rencontrées pour la dernière fois ?

– En effet, au gala de Grace. Elle est tellement adorable ! Et Rainier, quel homme charmant ! Ce sont vraiment d'excellents amis. »

Un court instant, Francesca resta muette de stupeur devant une telle audace. L' « amitié » dont Estelle Morgan se vantait était aussi manifestement inventée que si elle déclarait elle-même qu'elle prenait quotidiennement le thé avec la reine d'Angleterre ! Plutôt que de confondre sa visiteuse en dénonçant son mensonge, elle préféra changer de sujet de conversation. Elle consulta discrètement sa montre et proposa du thé, qu'Estelle s'empressa d'accepter.

Cette dernière l'observa avec attention pendant qu'elle se dirigeait vers la porte. Pourquoi donne-t-elle toujours l'impression de voler plutôt que de marcher ? se demanda-t-elle. Comment fait-elle pour conserver cette allure ? Elle doit avoir au moins quarante-deux ans – et elle en paraît bien dix de moins...

Le retour de Francesca, chargée d'un plateau, coupa court à ses réflexions malveillantes.

Une fois le thé servi, et après quelques échanges de banalités, la journaliste tira de son sac un magnétophone qu'elle disposa sur la table basse.

« Cela ne vous ennuie pas que je me serve de cet instrument, j'espère ? demanda-t-elle.

– Non, si cela vous rend service. J'aimerais surtout vous parler du comité dont je m'occupe, puisque c'est par son intermédiaire que vous avez sollicité cette interview...

– Nous y viendrons tout à l'heure, interrompit Estelle. Je voudrais d'abord que nous parlions de vous, de la vie que vous menez, de votre carrière, vous savez, tous les détails personnels. C'est vous qui êtes interviewée, pas votre œuvre charitable, et mes lecteurs s'intéressent davantage aux personnalités que nous leur présentons qu'à des comités anonymes. »

Prise au dépourvu, Francesca hésita un instant :
« Je vois », dit-elle enfin.

Tandis que la journaliste tripotait les boutons de son appareil, Francesca alluma posément une cigarette et observa à son tour sa visiteuse. Elle se sentit gênée pour elle; Estelle s'était habillée d'une manière qu'elle croyait appropriée aux circonstances. Mais sa robe de laine rouge jurait horriblement avec sa chevelure d'un roux agressif qui était, Francesca le savait, sa couleur naturelle; mais il était non moins évident que la nuance actuelle devait tout aux artifices du coiffeur.

Francesca détourna les yeux et s'en voulut de son manque de charité. Au fond, Estelle lui faisait un peu pitié. Lorsqu'elles s'étaient rencontrées à Londres, elles avaient toutes deux vingt ans. Le temps ne s'était pas montré aussi généreux envers la journaliste qu'il avait bien voulu l'être avec elle-même. Pauvre fille, se dit Francesca, sa vie n'est sûrement pas aussi brillante qu'elle essaie de le faire croire et il lui faut sans doute lutter pour se maintenir à flot dans un milieu impitoyable. Et pourtant, Estelle avait dès le début fait preuve d'un réel talent et sa carrière s'annonçait prometteuse. Qu'est-il advenu de ses rêves de devenir un écrivain célèbre ? Mais, après tout, de quel droit la critiquerais-je ? Dans la vie, chacun fait de son mieux et espère le succès. Francesca avait toujours éprouvé une vive répugnance envers ceux qui se croient supérieurs et se permettent de juger leurs semblables. Allait-elle, à son tour, sombrer dans ce travers ?...

« Voilà, nous y sommes ! » annonça Estelle en se rasseyant.

L'interview commença. Où achetait-elle ses toilettes ? Préférait-elle les couturiers français ou américains ? Donnait-elle de grands dîners ou des réceptions intimes ? Combien de domestiques avait-elle dans ses diverses résidences ? Quels étaient ses violons d'Ingres ? Que pensait son mari de ses nouvelles fonctions auprès du Président ? Etait-il en bonne santé ? Se rendait-elle fréquemment à la Maison Blanche ? Préférait-elle vivre en Amérique ou en Angleterre ? Ailleurs peut-être ? A quoi occupait-elle ses loisirs ? Et ceux de son mari ?...

Les questions se succédaient, interminablement. Francesca s'efforçait d'y répondre franchement, aimablement. Elle s'interrompait de temps à autre pour remplir leurs tasses vides, allumer une cigarette. Mais à mesure que l'inquisition d'Estelle se faisait plus pressante, Francesca se lassa d'être soumise à de telles intrusions dans sa vie privée. Elle s'irritait surtout de constater qu'il n'avait pas encore été question de l'œuvre, prétexte à ce festival d'indiscrétions. Elle s'apprêtait à intervenir pour faire dévier le cours de l'entretien lorsque, de but en blanc, Estelle aborda le sujet de sa carrière littéraire :

« Vous n'avez rien écrit depuis un bon moment, déclara-t-elle avec assurance. Serait-ce parce que votre dernier livre sur Edouard IV et la guerre des Deux-Roses s'est mal vendu ? J'ai vraiment été navrée pour vous en lisant les critiques. Personnellement, je ne l'avais pas du tout jugé ennuyeux, verbeux et filandreux, comme ils l'ont tous prétendu. »

Francesca réprima un haut-le-corps et décocha un regard scrutateur à la journaliste. Mais Estelle arborait une expression polie et impersonnelle qui ne révélait rien. Elle ne se rend sans doute même pas compte de ce qu'elle vient de dire, se reprocha Francesca. Alors, l'étendue de sa propre naïveté la fit presque rire. Estelle savait au contraire fort bien ce qu'elle faisait : le « nouveau journalisme » s'attachait à provoquer pour obtenir des réactions inattendues, désarçonner les personnalités interrogées, leur faire faire des déclarations irréfléchies donnant de la « bonne copie ». Eh bien, je ne me laisserai pas attirer dans ce piège, se promit Francesca.

« Les critiques n'ont pas été toutes aussi mauvaises que vous le dites, Estelle, répondit-elle avec un haussement d'épaules nonchalant. Sans être un best-seller, ce livre a eu un certain succès. Quoi qu'il en soit, et pour répondre à votre question, je n'ai rien écrit depuis quelques années pour la raison toute simple que je n'ai plus trouvé de personnage historique susceptible de m'intéresser autant que les précédents. Mais je n'ai pas abandonné ma carrière et je compte bien publier quelque chose dans un proche avenir. »

Estelle sentit qu'elle avait été trop loin et se répandit en compliments sur les ouvrages de Francesca. Mais celle-ci, une fois mise en garde, ne se laissa pas désarmer par le ton mielleux de sa visiteuse. Le temps passait, Estelle ne semblait pas vouloir se retirer. Francesca sentait son irritation monter et avait hâte de se débarrasser de cette présence de plus en plus importune.

« J'aimerais vous parler enfin de l'œuvre dont je m'occupe, Estelle, déclara-t-elle fermement. D'ailleurs, l'heure avance, je suis attendue pour dîner, il faut que je me prépare. Et votre temps doit être encore plus précieux que le mien...

– Bien sûr, chère amie. Je vous écoute. Ce comité a des activités passionnantes, je brûle d'en entendre parler. »

Francesca préféra ignorer l'ironie de la réponse et se félicita d'avoir retourné la situation avec succès. Elle entreprit de décrire l'activité de son comité, donna des détails sur le concert de gala projeté, l'utilisation des fonds ainsi collectés et conclut en espérant que la presse lui ferait toute la publicité souhaitable.

Estelle Morgan abonda dans son sens, promit de « couvrir » l'événement avec enthousiasme. Mais elle restait toujours aussi fermement installée sans faire mine de vouloir partir. Epuisée, à bout de nerfs, Francesca se demandait jusqu'où irait son épreuve lorsque Estelle s'éclaircit la voix :

« Je suis venue vous voir parce que j'avais autre chose à vous dire... »

Elle marqua une pause, comme pour ménager ses effets, et lâcha finalement d'une traite :

« Katherine va revenir à New York. »

Francesca se redressa, lui jeta un regard stupéfait.

« Katherine ? répéta-t-elle.

– Oui, Katherine Tempest. La seule, la vraie. Ne me dites pas que vous ne savez pas de qui je parle.

– Bien sûr que si, je le sais. Je suis étonnée, c'est tout. J'avais complètement perdu sa trace. Mais puis-je savoir pourquoi vous me l'apprenez ? Cela ne m'intéresse en rien.

– Katherine veut vous voir. »

Francesca tenta de contrôler ses réflexes.

« Pourquoi cela ? Quelle raison aurait-elle de me revoir ?

– Je ne vois pas non plus, assura Estelle. En tout cas, elle m'a priée d'organiser une rencontre. Déjeuner, dîner, apéritif, n'importe quand à votre convenance. Elle arrivera dans une dizaine de jours. Indiquez-moi simplement une date, je la lui transmettrai. »

Une vague de colère balaya soudain Francesca. Elle n'avait jamais agi impoliment envers quiconque, mais sa patience était à bout. Avec une véhémence incontrôlée, elle s'écria :

« Jamais ! Je ne peux pas, je ne *veux* pas la voir ! Quant à vous, je crois que vous avez dépassé...

– Je sais bien que vous êtes devenues des ennemies jurées, l'interrompit Estelle, et c'est bien pourquoi je ne comprends pas Katherine. A mon avis, elle est complètement idiote de vouloir... »

Déjà Francesca lui coupait la parole :

« Je m'apprêtais à dire, quand vous m'avez grossièrement interrompue, que vous dépassiez les bornes ! Comment osez-vous vous introduire chez moi

26

sous prétexte d'une interview alors que vous ne faites que vous entremettre pour le compte de Katherine Tempest? Evidemment, j'avais tort de m'attendre à autre chose de votre part, Estelle. Je crois que vous feriez mieux de vous retirer. »

Estelle ne bougea pas. Le désarroi de Francesca lui causait un trop vif plaisir. Un sourire ironique apparut sur ses lèvres, un éclair de triomphe dans son regard :

« Je n'aurais jamais cru vous voir perdre vos bonnes manières ni manifester vos émotions d'une façon aussi vulgaire, ma chère », laissa-t-elle tomber avec un mépris appuyé.

Francesca avait trop de mal à se ressaisir pour relever cette nouvelle impertinence. Un instant plus tard, elle dit d'une voix ferme :

« Vous pouvez informer Katherine Tempest que je ne désire pas la revoir. Ni maintenant ni jamais. Je n'ai strictement plus rien à lui dire.

— D'un côté comme de l'autre, moi, vous savez, ça ne me dérange pas, répondit Estelle en se carrant dans son fauteuil. J'ai simplement accepté de rendre service à Katherine. N'empêche, Francesca, vous me surprenez. Pourquoi, une fois dans votre vie, refuseriez-vous de plier un tout petit peu, de descendre de votre piédestal? Oubliez donc le passé, nous ne sommes plus des enfants impulsifs, les uns et les autres. S'il y a quelqu'un dont Katherine attendait au moins un peu de compréhension, c'est bien de votre part.

— De la compréhension ? s'écria Francesca, incrédule. Après ce qu'elle m'a fait? Non, cette conversation est grotesque, je refuse de la poursuivre. Je vous serais reconnaissante de partir, Estelle, et je me crois fondée à estimer que vous avez abusé de ma bonne foi et de mon hospitalité. »

La journaliste haussa les épaules d'un geste fataliste, fourra son magnétophone dans son sac et se leva. Elle ne put cependant résister à l'envie d'une dernière tentative :

« Tout ce qu'elle veut, la pauvre, c'est faire la paix. Avec tout le monde. Voilà pourquoi elle m'a demandé de prendre contact avec vous et les autres. Allons, soyez gentille, acceptez...

– Non ! Sous aucun prétexte. Les autres feront ce qu'ils voudront mais moi, je refuse catégoriquement ! s'écria Francesca en pâlissant. Je ne veux plus jamais avoir affaire à elle. C'est vous qui me surprenez, Estelle. Comment pouvez-vous vous laisser manipuler de cette façon ?

– Manipulée, moi ? Elle est drôle, celle-là ! S'il y en a une que Katherine a manipulée, c'est plutôt vous... »

Estelle se mordit les lèvres, consciente de son erreur. Mais il était trop tard. Katherine l'avait pourtant mise en garde, lui avait bien demandé de ne pas laisser son antipathie envers Francesca compromettre le succès de sa mission. C'est précisément ce qu'elle venait de faire.

Un froid glacial s'était soudain abattu sur Francesca.

« Vous avez parfaitement raison, Estelle. C'est pourquoi je refuse de me laisser faire de nouveau. Veuillez sortir, je vous prie. »

Sans plus accorder un regard à la journaliste, elle traversa le salon, ouvrit la porte, attendit que l'autre la rejoignît. Avec un excès de zèle professionnel, Estelle déclara d'un ton enjoué, comme s'il ne s'était rien produit entre elles :

« Au fait, quand pourrai-je revenir avec le photographe ? Vous savez, nos articles sont toujours illustrés... »

Francesca ne se départit pas de son calme :

« Vous conviendrez que c'est désormais inutile. Vous n'avez jamais eu l'intention de faire paraître cette interview. Vous n'avez trouvé que cette ruse pour me transmettre ce message. Il aurait suffi de me le téléphoner au lieu de gâcher deux heures de mon temps. »

Sachant qu'elle n'avait dorénavant plus rien à perdre, Estelle empoigna son manteau de fourrure, le jeta sur son bras et se tourna vers Francesca, encore debout à la porte du salon :

« Vous n'avez jamais été qu'une garce et une snob ! lui lança-t-elle au visage. Ce que Katherine vous a fait ne vaut pas le dixième de ce que vous lui avez infligé, quand elle avait le plus besoin de vous ! C'est votre faute si elle a été coupée du monde depuis si longtemps ! Vous n'avez fait qu'ajouter à ses souffrances ! Et maintenant, vous refusez de vous racheter en la revoyant ! Espèce de sale garce !... »

Avec un dernier regard chargé de haine, Estelle ouvrit la porte d'entrée, fit un pas sur le palier. A la dernière seconde, elle se retourna et lâcha sa dernière flèche :

« En fait, vous crevez de frousse de revoir Katherine ! »

Là-dessus, elle claqua la porte derrière elle avec tant de violence que Francesca sursauta. Adossée au mur, les yeux clos, elle combattit de son mieux le vertige qui la faisait trembler. Les pas de la gouvernante dans le couloir la ramenèrent à la réalité. D'un sourire, elle la rassura et s'engagea dans l'escalier. Elle risquait d'être en retard pour dîner, il était temps d'aller se changer.

La porte refermée, Francesca s'était laissée tomber dans un fauteuil près de la cheminée en attendant que se calme le tremblement qui lui coupait les jambes. Elle n'avait pas l'habitude de tels déploiements de passion et exécrait les scènes. L'hypocrisie d'Estelle, la virulence de sa dernière tirade la désarçonnaient moins, à vrai dire, que la manière dont elle avait elle-même été incapable de se dominer. Son comportement lui semblait avilissant et, surtout, une preuve d'immaturité.

Les yeux clos, elle respira longuement, lentement, parvint peu à peu à retrouver son calme. La sonnerie du téléphone la tira de sa rêverie. Nelson Avery, son beau-frère, s'inquiétait du temps. Il avait recommencé à neiger et il lui envoyait sa voiture. En quelques mots, Francesca lui relata son affrontement avec la journaliste, lui apprit le retour imminent de Katherine Tempest. Nelson s'offrit aussitôt pour remplir le rôle de confident. Soulagée, Francesca raccrocha en promettant de se hâter.

Elle chassa de son esprit le souvenir de Katherine, se rendit dans sa garde-robe, se dévêtit en hâte et s'installa devant sa coiffeuse. A mesure qu'elle brossait sa longue chevelure blonde, sa colère envers Estelle la quittait. Il ne lui restait qu'une certaine pitié. Pauvre Estelle. Elle ignorait décidément tout des véritables détenteurs du pouvoir dans cette ville – et Nelson Avery, le banquier, en était l'un des plus puissants. Sur un mot de moi, il lui suffirait d'un simple coup de téléphone pour briser définitivement sa carrière. Osera-t-elle publier une interview désobligeante à mon égard ? Francesca haussa imperceptiblement les épaules. Elle n'allait pas s'abaisser à se venger d'une Estelle Morgan, et il lui faudrait donc n'en parler à Nelson qu'avec les plus grandes précautions.

Francesca donna un coup d'œil à ses flacons de maquillage, consulta son miroir, se trouva pâle, la mine défaite. Avec soin, elle étala sur son visage un fond de teint, termina sa coiffure, posa quelques gouttes de parfum sur son cou, derrière les oreilles.

Francesca avait choisi sa toilette dans la journée, aussi ne lui fallut-il que quelques instants pour s'habiller. Elle ne se para que d'un rang de perles, de boucles d'oreilles et d'un bracelet également en perles. Elle mit son trousseau de clefs et les quelques objets indispensables dans le sac de soie pêche assorti à ses chaussures et se dirigea vers la porte.

Alors, sans savoir pourquoi, elle rebroussa chemin et regagna le fond de la garde-robe. Là, sur trois côtés, les portes des penderies étaient garnies de miroirs sur toute leur hauteur. Les spots du plafond créaient, dans cet écrin de glaces, un chatoiement de lumière où son image semblait se refléter à l'infini. Debout au milieu, elle se contempla un long moment. Les sourcils froncés, elle poursuivit son examen. Quelque chose d'indéfinissable la laissait insatisfaite. Peut-être était-ce la robe, qu'elle portait pour la première fois ? Comme toutes ses autres toilettes, elle était d'une élégante simplicité, une colonne de velours pêche tombant droite, rehaussée d'un sobre drapé. Les longues manches amples en adoucissaient l'austérité, le décolleté carré mettait en valeur son cou mince et souple. A coup sûr, cette robe était belle, sans ostentation, et convenait parfaitement au caractère intime du dîner de Nelson Avery. D'ailleurs, elle n'avait déjà plus le temps d'en changer.

Elle se tourna d'un côté et de l'autre, s'examina sous tous les angles, tourna sur elle-même, se recula pour multiplier sa réflexion. Une centaine, un millier de Francesca toutes identiques dans leur toilette de velours... C'est alors seulement qu'elle comprit. Pêche. Pêche de la tête aux pieds. Incrédule, troublée, elle se rapprocha du miroir central, scruta intensément l'image qu'il lui renvoyait d'elle-même.

Non, ce n'était pas la forme de la robe qui l'avait frappée mais sa couleur. Pêche. Elle n'avait plus porté de toilette pêche depuis plus de vingt ans...

Du fond de sa mémoire, où il était resté enfoui, un souvenir qu'elle croyait oublié revint lentement à la surface. Une scène se reconstitua sous ses yeux avec clarté et précision et la projeta dans le passé. Elle se revit telle qu'elle était alors...

Un ciel nocturne, parsemé d'étoiles scintillantes. Une nuit méditerranéenne. Une brise embaumée mêlant les senteurs salées de la mer à l'arôme du chèvrefeuille et du jasmin. La douce lueur des bougies. Francesca assise sur la terrasse dallée de marbre au Cap-Martin. Francesca en larmes. Katherine penchée vers elle, pleine de sollicitude, la couvrant d'excuses pour sa maladresse. Mais ne faisant rien pour réparer sa faute, rien que protester de son innocence. Francesca ne l'écoutait pas. Elle contemplait avec horreur la tache de vin rouge, la tache qui s'étendait du corsage à la jupe. Une tache d'un rouge violent, comme du sang. Sa belle robe de bal irrémédiablement souillée, perdue. Une roube somptueuse, légère comme un rêve, coûteuse – son père la lui avait offerte sans avoir les moyens d'une telle extravagance. Sa belle robe gâtée avant même le début du bal. Elle revit Kim, élégant dans son smoking, se précipitant à son secours avec de l'eau et une salière, et Nicolas Latimer arrivant à ce moment-là, qui lui séchait ses larmes, s'efforçait de la distraire avec des plaisanteries sur les héroïnes de tragédie. Son père, affolé et incapable de réparer le désastre. Et Doris Asternan, les traits crispés par la colère, réussissant à camoufler les dégâts avec une guirlande de fleurs fraîches cueillies dans le jardin. Oui, les fleurs, trop vite fanées pour dissimuler la tache. Francesca en larmes, inconsolable car, ce soir-là, elle avait voulu être belle. Belle pour Victor. Victor qu'elle attendait. Victor qui n'était pas venu. Un bruit de verre brisé sur le marbre. Le cœur de Francesca en miettes...

Elle ferma brutalement les yeux pour effacer ces images. Non, elle ne voulait plus se rappeler le passé. Le passé était mort, inutile. Nuisible. Il n'avait plus d'importance. Il fallait l'oublier. Oublier...

Un instant plus tard, elle rouvrit les yeux et s'écarta du miroir où elle ne voyait plus qu'une femme de quarante-deux ans, celle qu'elle était devenue. Encore belle, toujours élégante. Et infiniment plus sensée que jadis.

Elle tourna brusquement le dos à son image.

Le sommeil la fuyait.

De retour chez elle, elle n'avait fait que se retourner dans son lit sans trouver le repos. Les yeux ouverts dans la pénombre, elle ne pouvait maîtriser la ronde obsédante de ses pensées. A la fin, excédée, elle se leva et descendit à la cuisine se faire chauffer du lait. Remontée dans sa chambre, elle s'installa dans son fauteuil préféré au coin de la cheminée, but son lait à petites gorgées et passa le reste de la nuit à réfléchir, inconsciente du temps qui s'écoulait et de la morsure du froid.

Lentement, soigneusement, Francesca analysa avec objectivité les événements de l'après-midi, reconstitua les dialogues échangés pour en venir à la conclusion logique : seule, la nouvelle de l'arrivée imminente de Katherine Tempest et de son désir de la rencontrer avait été capable de lui faire perdre sa maîtrise d'elle-même.

Pourquoi avoir réagi ainsi ? Elle s'attacha alors à examiner les causes de son comportement. Aucun élément extérieur ne devait venir troubler sa vie paisible, cette vie qu'elle avait pris tant de soin à organiser autour de Harrison Avery et de sa famille. Il fallait la protéger à tout prix. Tout à l'heure, Nelson avait eu raison en jugeant sommairement son ancienne amie : Katherine Tempest soulevait toujours des problèmes sur son passage. Non, elle ne pouvait pas permettre à Katherine de revenir s'immiscer dans sa vie et de la bouleverser.

Katherine et elle avaient pourtant été si proches, autrefois. Des années durant, elles avaient été inséparables – jusqu'à l'horrible scène où leur amitié s'était défaite à jamais. Elles ne s'étaient plus revues depuis ce soir-là, plus de dix ans auparavant; et, pendant ce laps de temps, Francesca s'était contrainte à ne plus penser à Katherine. Elle avait réussi à atteindre son objectif, elle avait pardonné à Katherine, depuis longtemps. Cependant, elle découvrait qu'elle n'avait jamais véritablement oublié.

Blottie dans son fauteuil, perdue dans ses réflexions, Francesca entendait à peine le tic-tac du cartel sur la cheminée, le crépitement du grésil sur les vitres, les gémissements du vent dans les arbres dénudés de Central Park. Une bûche consumée s'écroula dans l'âtre, mêlant ses braises aux cendres refroidies. Elle ne s'en rendit pas même compte.

Une nouvelle vague de souvenirs la submergea, qu'elle s'efforça vainement de repousser. Ces souvenirs lui étaient trop douloureux, car ils ravivaient des sentiments encore à vif, ramenaient sur le devant de la scène la trahison de Katherine. Et pourtant, Katherine n'avait pas toujours été ainsi – pas au début, du moins. A l'époque, elle était tout autre. Ils étaient tous différents...

A l'époque. Francesca se répéta l'expression. Existe-t-il véritablement un passé, un présent, un avenir ? Le temps comporte-t-il des limites clairement définies ? Einstein a démontré que le temps n'est rien d'autre qu'une dimension. La quatrième dimension.

Tel un film au ralenti, les années défilèrent devant elle en se fondant l'une dans l'autre. Deux décennies coulèrent ainsi puis les images s'inscrivirent sur l'écran de sa mémoire. Des images incroyablement nettes, précises, des personnages aussi clairement définis qu'ils l'étaient *alors*. 1956 fut aussi réel, aussi actuel qu'il l'était vingt-trois ans auparavant.

Il n'y avait plus de passé. Le présent revivait.

ACTE I

1956

« *Les actes les plus décisifs de notre vie... sont, le plus souvent, des actes inconsidérés.* »

ANDRÉ GIDE

3

« ALLONS, Francesca, ne joue pas les rabat-joie ! Je sais que tu ne sors pas ce soir, tu viens de me le dire. »

Adossé au chambranle, Kim Cunningham arborait son sourire le plus enjôleur en contemplant sa sœur, assise devant le vaste bureau encombré de papiers qui trônait dans le cabinet de travail de leur père. Francesca posa sa plume avec résignation. Elle adorait son frère, soit; mais ce jour-là, pour une fois, elle ne se sentait pas d'humeur à lui céder. Elle s'était attelée à sa tâche dès le matin, elle était épuisée et avait, surtout, le désir de terminer avant la nuit ce qu'elle avait entrepris. L'arrivée inopinée de Kim l'avait prise au dépourvu, mais sa répugnance à lui accorder la faveur qu'il sollicitait la surprenait plus encore. D'habitude, elle passait sans rechigner par toutes ses volontés.

Elle secoua la tête et répondit d'une voix ferme :

« Je ne demanderais pas mieux que de te rendre service, Kim, mais c'est absolument impossible. Il faut que j'aie terminé le dépouillement de mes notes avant la nuit.

— Toi et tes bouquins poussiéreux ! s'exclama Kim en feignant l'exaspération. Tu deviens un véritable rat de bibliothèque. Crois-moi, ma vieille, tu perds ton temps. Qui s'intéresse encore à un général mort depuis plus de cent ans ? »

Francesca Cunningham avait, en effet, entrepris d'écrire la biographie du général Gordon, héros de la conquête du Soudan et du siège de Khartoum.

Ainsi piquée au vif sur un sujet qui lui tenait au cœur, la jeune fille réagit avec indignation :

« D'abord, il n'est mort que depuis soixante et onze ans ! Et puis, il y a beaucoup plus de gens que tu ne crois qui se passionnent pour les personnages historiques. Papa est entièrement d'accord avec moi et c'est lui qui m'encourage à poursuivre mon étude. Et maintenant, mon frère chéri, fais-moi plaisir et fiche-moi la paix. Allez, ouste ! Laisse-moi travailler. »

Etonné d'une véhémence aussi inhabituelle, Kim se rendit compte pour la première fois combien Francesca tenait à ce projet, dont elle parlait depuis des mois et qu'il n'avait pas pris au sérieux. Il l'avait blessée bien involontairement et en eut des remords. Francesca n'était pas seulement sa sœur; elle était surtout sa meilleure amie, sa confidente. Depuis l'enfance, ils étaient inséparables.

La voyant au bord des larmes, il s'efforça de se faire pardonner sa bévue et lui adressa un sourire irrésistible.

« Excuse-moi, ma chérie, je n'ai pas voulu te faire de peine. Je n'y connais rien, tu le sais bien. Je ne suis qu'un paysan inculte. L'intellectuelle de la famille, c'est toi. A partir de maintenant, je te soutiendrai moralement, promis, juré. On fait la paix ? »

Francesca parvint à lui rendre son sourire mais préféra ne rien dire pour ne pas trahir son énervement, que seule la fatigue justifiait. Tandis qu'elle se replongeait dans ses dossiers, Kim traversa la pièce prudemment, sans rien ajouter, et alla se planter devant la cheminée, le dos au feu, les mains dans les poches de sa veste de tweed. Visiblement coupée par un tailleur de Savile Row, celle-ci avait connu des jours meilleurs. Et pourtant, Kim Cunningham possédait une telle élégance naturelle que son vêtement élimé passait inaperçu.

Plus connu sous le surnom de Kim, Adrien Charles Cunningham, quatorzième vicomte d'Ingleton et douzième comte de Langley, ne justifiait sans doute pas le qualificatif de « beau garçon » tel qu'on l'entend communément; l'on ne pouvait cependant pas le confondre avec le vulgaire. Le teint frais sous sa chevelure châtain clair, sa physionomie aimable reflétait une personnalité sensible et foncièrement bonne. Ses lèvres souriaient volontiers, ses yeux gris avaient plus souvent des lueurs de gaieté et de bienveillance que des éclats de colère. Son élégante minceur dissimulait des muscles d'acier et une résistance physique héritée de ses ancêtres, redoutables guerriers qui s'étaient illustrés au temps de la guerre des Deux-Roses. En véritable aristocrate, il ignorait le snobisme et traitait tout le monde avec la même courtoisie. A vingt et un ans, il campait un jeune homme de fort belle allure dont le charme et la bonne humeur attiraient sans effort l'attention des femmes.

C'est à l'une d'elles en particulier qu'il pensait tout en attendant que sa sœur reprît contenance. Il se demandait surtout comment convaincre Francesca de seconder les projets qu'il avait formés pour la soirée. Ayant réfléchi à ce problème, dont la solution s'était trouvée compromise par sa faute, il se décida enfin à rompre le silence qui s'éternisait :

« S'il faut que tu travailles, je ne t'en empêcherai évidemment pas. Mais nous sommes samedi soir, et j'avais pensé que cela t'amuserait de faire la connaissance de cette fille. D'ailleurs, tu me dis toujours que tu adores faire la cuisine et que cela te détend. »

Francesca sursauta :

« Quoi ! Tu veux aussi que je prépare le dîner et que je joue les maîtresses de maison ? Tu ne manques pas de culot ! Et avec quoi veux-tu que je donne des réceptions ? Il ne me reste pratiquement plus rien de l'argent du mois. Je croyais que tu avais accepté l'invitation de tante Mabel et je ne comptais pas sur toi avant demain ou après-demain. Et te voilà qui arrives en pays conquis et me donnes des ordres comme à ta cuisinière ! »

Kim préféra ne pas relever les accusations de sa sœur et affecta une douleur comique :

« Où as-tu pris l'idée que j'irais m'enfermer dans un trou avec cette vieille toquée de tante Mabel ? Non, ma chérie, pour une fois que je séjourne à Londres, j'y reste. Allons, Francesca, ajouta-t-il en souriant, sois gentille, dis oui. Cela fait des siècles que tu ne t'es accordé aucune distraction. Change-toi les idées, cela te fera le plus grand bien, voyons !

— Ton charme ne prend pas, répliqua-t-elle, l'air buté. Je t'adorais peut-être quand nous étions petits, mais sûrement pas ce soir. Tiens-le-toi pour dit.

— Mais si, tu m'adores, dit Kim avec un large sourire. Tout comme je t'adore. D'ailleurs, je t'adorerai toujours, tu le sais bien. »

Il alla se percher sur un coin du bureau et la dévisagea avec affection. En la regardant de plus près, il vit que Francesca avait l'air plus fragile que jamais. Ses traits fins semblaient tirés par la lassitude, son teint particulièrement pâle. Peut-être son gros tricot de marin et sa coiffure défaite accentuaient-ils sa vulnérabilité ? Ce jour-là, Francesca avait ramené sur le dessus de sa tête ses longs cheveux blonds en un gros chignon qui dégageait son cou et le rendait plus gracile. Des mèches folles, échappées aux peignes, retombaient en désordre sur son front et ses épaules. Kim se pencha et, d'un doigt précautionneux, tenta de les remettre en place.

« Voilà, dit-il en l'embrassant sur la joue, c'est mieux comme cela. Tu as aussi une tache d'encre sur la nuque... Que puis-je faire pour te décider, Francesca ? »

Elle l'écarta d'un geste impatient, reprit sa plume :

« Rien ! Il faut que j'aie fini pour ce soir et il n'est absolument pas question que je prépare le dîner. Arrête de m'empoisonner, si tu m'aimes autant que tu le prétends. »

Il en fallait davantage pour décourager Kim :

« Ecoute, Francesca, je ne te demanderais pas ce service s'il ne s'agissait pas d'une fille sensationnelle. Elle l'est, je te le garantis ! Elle te plaira énormément – et à papa aussi, du moins je l'espère. Je compte bientôt l'emmener dans le Yorkshire pour la lui présenter. Voilà d'ailleurs pourquoi je voulais que tu fasses d'abord sa connaissance. Ce soir. »

Francesca fut stupéfaite par cette déclaration inattendue et considéra son frère avec un intérêt renouvelé. C'était la première fois qu'elle entendait Kim proposer d'emmener à Langley une de ses innombrables conquêtes. Une telle exception à la règle changeait tout ! En s'efforçant de ne pas dévoiler sa curiosité, elle répondit :

« Tu veux dire que... tu es sérieux ?

– Sérieux n'est peut-être pas le mot, dit-il pensivement. Disons plutôt... extrêmement attiré. Il ne faudrait pas grand-chose pour que je devienne effectivement sérieux sous peu. »

Ces quelques mots suffirent à balayer toute autre préoccupation de l'esprit de Francesca. Les sentiments presque maternels qu'elle portait à son frère la poussèrent d'abord à lui faire observer qu'il était trop jeune pour penser « sérieusement » à une jeune fille, mais elle se retint à temps. Mieux valait ne pas le buter d'emblée, le pousser plus sûrement dans les bras de cette inconnue. Sous ses dehors placides, Kim pouvait se montrer impulsif et il était inutile de le provoquer en créant une situation dont il serait difficile de se dégager.

« Qui est-ce ? demanda-t-elle en affectant l'indifférence. Comment s'appelle-t-elle ? »

Kim rougit légèrement et eut un sourire béat :

« Katherine. Katherine Tempest. »

Voyant que sa sœur ne manifestait aucune réaction, il insista :

« Mais si, voyons, Katherine Tempest. La seule. La vraie.

— Désolée, je ne vois pas du tout de qui il s'agit. Suis-je censée le savoir ?

— Non, c'est vrai, tu gardes perpétuellement le nez dans tes bouquins ! répondit Kim en pouffant de rire. Tu es décidément incorrigible, ma pauvre Francesca ! Apprends donc que Katherine Tempest est une fabuleuse jeune actrice qui fait un triomphe tous les soirs dans une pièce dont elle est la vedette. Elle est ravissante, elle a énormément de talent, de charme, d'intelligence. Bref, elle est...

— Trop parfaite pour être vraie, l'interrompit Francesca en réprimant un sourire amusé.

— Oui, je sais, tu me prends pour un imbécile, dit Kim d'un air faussement contrit. Si seulement tu la voyais, tu pourrais juger par toi-même. Elle est sensationnelle, je te le jure !

— Je te crois sur parole. Je me demande simplement si notre père partagera ton point de vue et l'accueillera à bras ouverts. Une actrice, te rends-tu compte ? Tu connais ses principes... Mais revenons-en à ce que nous disions. Si elle joue au théâtre tous les soirs, comment peux-tu l'inviter à dîner ?

— Elle viendra à la fin de la pièce.

— A onze heures ou à minuit ? C'est toi qui es incorrigible !

— Enfin, quand nous allons au théâtre avec papa, nous soupons toujours après. Qu'est-ce que cela a d'extraordinaire ? »

Francesca poussa un grognement irrité :

« Ecoute, je suis morte de fatigue. Je ne me sens vraiment pas capable de faire un tel effort ce soir. Mais je veux bien te proposer un compromis. Après ce que tu m'en as dit, j'ai envie de faire sa connaissance. Je préparerai un petit repas froid, je la recevrai le temps de boire un verre et je disparaîtrai aussitôt après. D'ailleurs, cela te conviendra infiniment mieux, j'en suis sûre. Un romantique petit souper à deux...

— A trois, j'en ai peur, l'interrompit son frère. Elle amène un ami avec elle et c'est pourquoi je t'ai demandé de rester, pour que nous soyons quatre.

— Et me voilà maintenant condamnée à faire de la cuisine pour quatre ! Tu en as de bonnes, toi ! Et puis, qui est cet ami ? Quel est l'individu que je suis censée séduire au beau milieu de la nuit pour que tu roucoules à ton aise ? Pourquoi faut-il qu'elle le traîne derrière elle ?

— Parce que cet « individu », comme tu le qualifies, ne connaît personne à Londres et qu'elle lui sert de cornac. Et quand je t'aurai dit de qui il s'agit, poursuivit-il d'un air mystérieux, promets-moi de ne pas t'évanouir.

— Tu es exaspérant ! s'écria-t-elle. Pourquoi voudrais-tu que je m'évanouisse ?

— A ta place, beaucoup de femmes le feraient. Car ce fameux « individu » n'est autre que Victor Mason — ne me dis pas que tu ne sais pas qui c'est, au moins !

— Oui, bien sûr, répondit Francesca avec indifférence. Tout le monde connaît Victor Mason, ou en a entendu parler. Mais, dis-moi, je ne te reconnais plus. Une comédienne, une star de cinéma... Tu *vas* les inviter ? Ou tu l'as déjà fait ? »

Kim se racla la gorge avec embarras, hocha la tête :

« Euh... Ce ne serait guère poli de les décommander à cette heure-ci, tu sais... »

Francesca se laissa retomber contre le dossier de sa chaise, accablée :

« Ecoute, Kim, je n'aime pas le rôle de rabat-joie, mais te rends-tu compte de la situation où tu me mets ? Papa n'en a pas davantage conscience, à vrai dire, il ne s'intéresse qu'à Langley. L'argent qu'il me donne tous les mois suffit à peine à me nourrir... Ne le lui répète surtout pas ! s'écria-t-elle en prévenant l'interruption de son frère. Il fermerait la maison et me ferait revenir à Langley. Je vous aime bien, toi et lui, mais je ne me vois pas enterrée en permanence au milieu des landes du Yorkshire, alors que j'ai absolument besoin d'aller tous les jours à la bibliothèque du British Museum. Et puis, il a bien assez de soucis comme cela, le pauvre... Je t'en parle simplement pour que tu comprennes.

– Oh ! je comprends, je comprends !... »

Avec un soupir, Kim se jeta dans un fauteuil, la mine découragée :

« Elle est dans de beaux draps, l'aristocratie britannique ! s'écria-t-il. Douze quartiers de noblesse et même pas de quoi inviter deux amis à dîner... C'est lamentable. »

Navrée du désespoir de son frère, Francesca réfléchit.

« Attends ! dit-elle. Tout n'est pas perdu. »

Son tempérament combatif avait repris le dessus. En quelques minutes, toute tristesse oubliée, le frère et la sœur firent l'inventaire de leurs ressources, explorèrent la cave et le garde-manger, exhumèrent des bouteilles oubliées, complétèrent leur approvisonnement dans les boutiques du quartier. Une heure plus tard, assis dans la cuisine, Kim suivait avec admiration les évolutions de Francesca qui s'affairait au fourneau.

« Tu es une magicienne ! Victor Mason lui-même

va être impressionné. Il n'aura jamais fait un tel festin à Hollywood.

– J'y compte bien ! »

Kim alluma une cigarette :

« A propos de l'Amérique, papa t'a-t-il parlé de Doris, ces derniers temps ?

– Non, pourquoi ?

– Je ne l'ai pas revue à Langley depuis un moment et je me demandais s'ils ne s'étaient pas brouillés... »

Francesca se retourna vers lui, les sourcils froncés :

« Je n'en sais rien. J'ai parlé à Doris pas plus tard que la semaine dernière. Elle partait pour le Midi de la France.

– En février ? Drôle d'idée. Que va-t-elle y faire ?

– Elle cherche à louer une villa pour cet été, assez grande, m'a-t-elle dit, afin de nous y recevoir tous. Tu vois bien que papa et elle ne sont pas brouillés.

– Alors, se décidera-t-il à l'épouser, à ton avis ? »

Francesca ne répondit pas tout de suite. Il lui arrivait fréquemment d'envisager cette possibilité, car Doris Asternan paraissait occuper une place quasi permanente dans la vie de leur père. Kim et elle éprouvaient la plus sincère affection pour cette Américaine, restée veuve encore jeune. Leur père était un homme séduisant, doté comme son fils d'un caractère aimable et d'un charme naturel auquel il était difficile de résister. Son titre, l'ancienneté de son lignage constituaient sans doute un attrait supplémentaire pour une Américaine. Mais lui, se demanda Francesca, qu'en pense-t-il vraiment ? La mort de sa femme, la mère de Kim et de Francesca, l'avait profondément affecté et il en avait gardé le deuil de longues années – avant que ne surgisse une suite ininterrompue de femmes qui semblaient perdre rapidement de leur intérêt. Jusqu'à Doris...

« Franchement, Kim, je n'en sais rien, répondit-elle enfin. Papa ne me fait pas de confidences et Doris non plus.

– Elle vaut mieux que la plupart de celles qui se sont succédé, en tout cas, affirma Kim. Et puis, elle, au moins, a une montagne de dollars...

– Comme si cela pouvait l'influencer ! dit Francesca en riant. Tu devrais le connaître, il ne recherche que l'amour parfait !

– A son âge ? Tu plaisantes.

– Papa n'a que quarante-sept ans ! protesta-t-elle. Comment oses-tu le faire passer pour un vieillard ? Et puis, assez bavardé. Rends-toi utile, il est tard. Va ranger les courses pendant que je mets la table. Autant faire les choses convenablement, puisque tu m'y as forcée... »

Kim se leva, s'arrêta avant d'atteindre la porte :

« Tu sais, ma petite sœur, je suis vraiment touché de tout le mal que tu te donnes pour moi. Et puis, ajouta-t-il avec un sourire malicieux, tu sauves l'honneur de la noblesse britannique. Sans toi, nous aurions eu l'air de vivre dans la misère !

La maison de Chesterfield Street, où Francesca vivait la plus grande partie de l'année, appartenait à la famille Cunningham depuis 1890, date à laquelle son arrière-grand-père l'avait acquise. C'était une de ces typiques maïsons du quartier de Mayfair, à la façade identique aux autres, haute, étroite et simple de style. A l'intérieur, toutefois, les pièces étaient notablement plus spacieuses que ne le laissait présager la largeur de la façade. Elle comportait au rez-de-chaussée d'élégants salons de réception, hauts de plafond, éclairés par de larges fenêtres et ornés de cheminées de marbre ou de bois sculpté. Sur le vestibule carré ouvraient le grand salon, une belle bibliothèque et une vaste salle à manger. Un escalier à rampe de chêne ouvragé menait aux étages supérieurs. A mesure que l'on montait, les chambres devenaient plus exiguës, sans pour autant perdre leur charme. Derrière la salle à manger, la cuisine avait conservé son aspect suranné malgré le réfrigérateur dernier cri dont l'avait dotée Francesca. « Je lui trouve un aspect incongru », avait hasardé son père en voyant pour la première fois l'appareil étincelant. Fière de son innovation, Francesca ne s'était pas laissé intimider : « Peut-être, papa, mais il fonctionne ! » Le comte avait prudemment battu en retraite et cherché refuge dans son cabinet de travail avant de repartir, dès le lendemain, pour ses terres du Yorkshire. L'équipement de la cuisine ne constituait que la première étape des rénovations entreprises par Francesca dans toute la maison, au mépris des souhaits paternels. Mis au courant, il s'y était opposé, les jugeant somptuaires et beaucoup trop coûteuses.

Toute sa vie, David Cunningham, onzième comte de Langley, avait dû lutter pour joindre les deux bouts. Il s'était résigné, jeune encore, à ne jamais pouvoir reconstituer la fortune dilapidée par le neuvième comte, son grand-père; comme tous les familiers du Prince de Galles, le futur Edouard VII, ce joyeux viveur ne concevait la vie que peuplée de maîtresses dispendieuses, de chevaux de sang et de bancos à tout va. Le dixième comte s'était vainement efforcé de regarnir l'escarcelle familiale grâce à des spéculations hasardeuses qui faillirent balayer ce qui restait. Saisi de regrets tardifs, il avait légué en mourant un bon conseil à son fils : « Préserve ce qui nous reste. » David Cunningham ne s'écarta plus jamais de cette sage ligne de conduite.

Mais les droits de succession, l'exploitation ruineuse des fermes du Yorkshire, l'éducation de Kim et de Francesca, le maintien, même restreint, d'un train de vie compatible avec son rang mettaient constamment David Cunningham au bord du gouffre. Propriétaire de biens fonciers considérables, ses liquidités étaient presque nulles. Pour mettre fin à cette situation paradoxale, il lui suffisait de vendre une parcelle de terre, un meuble ancien dont le château regorgeait, un bijou de famille, voire l'une des dizaines de toiles de maîtres acquises par ses ancêtres. Les dispositions testamentaires prises par sa mère et sa grand-mère, rendues prudentes par la prodigalité des hommes de la famille, le lui interdisaient : le onzième comte aurait d'ailleurs répugné à se renflouer en pillant un patrimoine dont il ne voulait être que le dépositaire.

Dès leur plus jeune âge, Kim et Francesca avaient donc été élevés dans des principes très stricts et on leur avait inculqué l'économie, vertu devenue pour eux une seconde nature. De même, ils étaient pleinement conscients des responsabilités inhérentes à leur nom et à l'ancienneté de leur famille, et avaient toujours un comportement irréprochable.

Aussi était-il parfaitement inutile, aux yeux de leur père, de restaurer la maison de Londres quand les toitures du château ancestral, les bâtiments et le matériel agricole exigeaient des soins plus urgents. Sur ce point, Francesca n'était pas d'accord : en 1955, la maison prenait l'allure d'un taudis. A force de temporiser, elle serait irréparable. Le vingt et unième anniversaire de Kim approchait, leur père aurait à le lancer dans le monde et la maison de Londres servirait donc plus qu'auparavant. Il devenait impératif de la rendre présentable, sinon de lui redonner son lustre d'antan. Elle décida de passer outre à l'indifférence et à l'opposition de son père. Elle possédait un diamant légué par ses ancêtres maternelles qui échappait aux interdits frappant la fortune de son père. Ce bijou dormait dans un coffre; elle le vendit pour financer ses projets.

Son père protesta comme elle s'y attendait mais ne put rien faire pour prévenir cette « folie ». Francesca se jeta avec ardeur dans ses travaux. Elle fit restaurer les plus belles pièces du mobilier, les tapisseries, les tentures. Elle rafraîchit lambris et plafonds, retapissa le salon et fit tant et si bien que son père, stupéfait à la vue du miracle, lui prodigua les preuves de sa gratitude. Pour mieux marquer le retour en grâce de l'insoumise, il lui confia même un collier d'or et de topaze exécuté en 1766 pour la sixième comtesse, son aïeule, et que Francesca aurait le droit de porter jusqu'à sa mort. La paix était signée.

En cette soirée de février, un an plus tard, Francesca admirait une fois de plus son œuvre et en souriait de contentement. Le grand salon resplendissait. Kim avait allumé une flambée dans la cheminée. Les rideaux étaient tirés, les abat-jour des lampes chinoises de jade vert filtraient une lumière douce et intime. Les bois précieux du mobilier luisaient sous les reflets dansants du feu dans l'âtre.

Fancesca tapota les coussins, remit quelques bûches sur les chenets, vérifia les coffrets à cigarettes. Elle inspecta ensuite la salle à manger; elle allait entrer à la cuisine lorsque Kim la rejoignit. Avec un long sifflement admiratif, il la prit par la main et la fit tournoyer sur elle-même :

« Absolument ravissante ! s'écria-t-il à la fin de son examen.

– Merci. Mais tu ne me trouves pas un peu trop habillée ?

– Pas du tout, tu es parfaite. D'ailleurs, Katherine ne viendra pas en haillons, tu peux me croire. »

Francesca sourit de plaisir. Elle avait choisi, pour la circonstance, un chemisier de jersey gris perle et une jupe de taffetas du même ton, qu'un jupon empesé faisait bouffer comme une crinoline. Elle seule savait que sa garde-robe sortait, dans sa quasi-totalité, de ses propres mains ou de celles de Nelly, sa vieille gouvernante. La mine perplexe de son frère refroidit tout à coup son plaisir :

« Qu'as-tu à me regarder ainsi, Kim ? Ma tenue ne te plaît pas, en fin de compte ?

– Non, au contraire. Mais ta coiffure... Avec tes cheveux relevés, ton cou a l'air plus long que d'habitude. Ne peux-tu rien mettre autour, un collier, quelque chose ?

– Euh... non, rien qui aille vraiment avec ce que je porte, répondit-elle en levant instinctivement la main vers sa gorge. A moins que je ne mette le collier ancien, tu sais... Qu'en penses-tu ?

– Excellente idée, il complétera ta toilette à merveille. Mais l'heure passe, dit-il en consultant sa montre, il faut que j'aille chercher Katherine. »

Ils sortirent ensemble dans le vestibule. Kim jeta un coup d'œil par la fenêtre et fit la grimace :

« Il tombe des cordes ! Je comptais y aller à pied, mais je ferais mieux de prendre la Mini. A tout à l'heure, beauté ! »

Il empoigna son imperméable, un parapluie, posa un baiser hâtif sur la joue de sa sœur et sortit en sifflotant. Une fois seule, Francesca grimpa l'escalier et courut à sa chambre. Dans un tiroir de sa commode, elle trouva un écrin au cuir noir lustré par l'usage, le posa sur sa table et l'ouvrit.

Un long moment, elle contempla le collier de sa quadrisaïeule d'un regard admiratif. Le délicat réseau de chaînettes d'or mat était incrusté de topazes projetant des milliers d'éclairs dorés sous la lampe. Elle fixa le collier autour de son cou, se regarda dans la glace. Kim avait raison : elle était transformée, sa toilette simple rehaussée d'une touche inimitable. Satisfaite de son examen, elle remit en place d'un geste machinal une mèche folle et se hâta de redescendre à la cuisine terminer ses préparatifs.

Tout en s'affairant, elle s'efforça de deviner l'aspect de Katherine Tempest. Elle avait questionné Kim sans en obtenir rien de précis. Francesca connaissait cependant assez son frère pour avoir compris qu'il était beaucoup plus amoureux qu'il ne voulait l'avouer. A le pensée de son père, son cœur se serra. Dépourvu de tout snobisme, bienveillant de nature, il était néanmoins fort conscient des différences sociales et, plus encore, des devoirs qu'elles imposaient. Pour lui, il allait de soi que Kim se choisirait une épouse d'un milieu et d'une éducation compatibles avec les leurs et partageant les mêmes vues et les mêmes valeurs morales. Une actrice ne correspondait guère à ce modèle idéal et Francesca craignait la réaction de son père. Si Kim, comme elle le devinait, envisageait sérieusement d'épouser Katherine, il s'exposait à bien des problèmes.

Son inquiétude mal apaisée par la curiosité, Francesca poursuivit sa tâche et attendit avec impatience l'arrivée de cette Katherine Tempest dont elle ignorait jusqu'à l'existence quelques heures auparavant.

4

Sur la dernière réplique, le rideau tomba dans un tonnerre d'applaudissements – le type même d'ovation dont rêve tout comédien, dont il alimente son cœur et son esprit. Le rideau se releva, la troupe revint saluer, s'incliner. Les rappels se succédèrent, les vedettes firent un pas vers la rampe pour recueillir l'hommage des spectateurs enthousiastes.

Portée par cette vague d'adoration qui montait vers elle, Katherine Tempest débordait de joie, une joie mêlée de fierté : une fois encore, elle éprouvait ce soulagement, plus intense qu'aucun plaisir, d'avoir déjoué tous les pièges, évité tous les écueils. La discipline, le travail, les efforts constants qu'elle s'était imposés trouvaient leur justification et leur récompense dans ces quelques précieux instants où, chaque soir, son public lui prouvait qu'elle avait su l'émouvoir. Elle ne désirait pas plus prestigieux honneur.

Avant de s'effacer pour laisser ses compagnons recueillir leur dû, elle lança un dernier baiser vers la salle, s'inclina, fit un sourire éblouissant puis se tourna vers Terrence Ogden, la vedette masculine, et John Layton, premier second rôle, leur faisant partager son triomphe. Après le quatrième rappel, le rideau resta enfin baissé. Ce soir encore, ils s'étaient tous surpassés.

Katherine se hâta de quitter la scène sans échanger, comme elle le faisait d'habitude, quelques plaisanteries avec ses compagnons. Elle était impatiente de regagner sa loge; elle souffrait de la chaleur et, pendant le dernier acte, elle avait abondamment transpiré, ce qui ne lui arrivait pour ainsi dire jamais. Sa gorge la brûlait; couvait-elle une grippe? Fallait-il plutôt en rendre responsables les efforts excessifs qu'elle s'imposait depuis ces derniers jours? L'acoustique de la salle imposait de forcer la voix. Katherine se promit de reprendre ses exercices de respiration et d'articulation, de surveiller sa technique. Elle avait durement travaillé pour cultiver sa voix, la faire porter loin et, surtout, se débarrasser de son disgracieux accent américain, si choquant lors de son arrivée en Angleterre. Elle ne se satisfaisait que de la perfection.

Terrence Ogden la rattrapa dans les coulisses :

« Alors, Minouche, tu as l'air bien pressée ce soir ?

— Je suis crevée, Terry. D'habitude, je tiens le coup quand il y a deux représentations, comme aujourd'hui. Mais, ce soir, je ne sais pas ce que j'ai, je suis morte de fatigue.

— Je te comprends, crois-moi. N'empêche que tu t'es surpassée, aussi bien en matinée qu'en soirée. Bravo !

— Tu es trop gentil, Terry. Tu ne t'en es pas mal tiré, toi non plus, tu sais. »

Elle accompagna son compliment d'un sourire tellement adorable que Terrence Ogden sentit son cœur battre plus vite. Il émanait de Katherine une fragilité mêlée d'une telle vitalité qu'il devait parfois faire effort pour refréner l'élan qui le poussait à la prendre dans ses bras.

« Tu es gentille de me le dire, répondit-il d'un air dégagé. La plupart du temps, je l'avoue, je ne suis pas mauvais. Mais ce soir j'ai eu un trou impardonnable. Comment ai-je pu sauter cette réplique du deuxième acte ? Elle est essentielle !... »

Katherine n'avait pas compris, elle non plus, cet incident inconcevable. Terrence Ogden, aux dires des critiques, était l'un des comédiens les plus prometteurs de la scène britannique. Adoré du public, qui ne pouvait se lasser d'admirer son charme encore presque juvénile et son irrésistible blondeur, il défrayait la chronique du récit de ses innombrables conquêtes, sans pour autant que ses frasques compromettent sa réputation professionnelle. Les écarts de sa vie privée, pardonnés avec indulgence par le public, ne l'empêcheraient pas un jour ou l'autre d'être anobli par la reine, comme Sir Laurence Olivier l'avait été avant lui. De fait, tout le monde voyait en lui le dauphin du grand homme, dont il s'enorgueillissait d'être le protégé. A trente ans, le fils de l'humble mineur de Sheffield pouvait à bon droit considérer l'avenir avec confiance et une légitime fierté. Ses rivaux s'inclinaient eux-mêmes de bonne grâce devant sa supériorité.

Katherine s'adossa à un portant. Elle revit en un éclair le regard de panique qu'il lui avait lancé, tout à l'heure, lorsqu'il s'était trouvé inexplicablement muet au beau milieu de la scène.

« C'est vrai, Terry, dit-elle enfin. Que t'est-il arrivé ? Venant de toi, c'est incompréhensible. »

Le souvenir de sa défaillance amena dans son regard un éclair de colère rétrospective :

« Je voudrais bien le savoir, crois-moi ! Cela ne m'était pas arrivé depuis que j'étais gamin et je te garantis que cela ne se reproduira plus. En tout cas, tu m'as sauvé la mise avec ton improvisation. Je t'en serai éternellement reconnaissant, chérie. Tu es la meilleure actrice avec qui j'aie jamais travaillé. Tu iras loin. »

Un tel compliment fit oublier à Katherine sa fatigue et son malaise. Bouleversée, elle balbutia un remerciement et reprit sa marche vers l'escalier des loges. La chaleur et le bruit, l'odeur si particulière des coulisses faisaient vite disparaître l'effet bénéfique de sa brève euphorie. Brusquement, une violente quinte de toux la saisit.

Terry Ogden, qui parlait à deux autres acteurs, interrompit sa phrase et se précipita vers Katherine, alarmé :

« Minouche, que se passe-t-il ? »

Incapable de proférer une parole, elle montra la porte du doigt et s'y dirigea de son mieux, soutenue par Terry. Il l'aida à descendre les marches, la guida dans le couloir, ouvrit à la volée la porte de sa loge, la première de la rangée, en intimant l'ordre à son habilleur de quérir un verre d'eau. En même temps, il forçait Katherine à s'asseoir et resta devant elle, la mine de plus en plus inquiète. L'accès se calma enfin, Katherine reprit peu à peu sa respiration. Son compagnon lui tendit un mouchoir pour essuyer ses yeux ruisselant de larmes.

« Mon pauvre chou, je croyais te voir mourir étouffée sous mes yeux ! Vas-tu mieux, au moins ?

– Oui, Terry, merci. Je ne comprends pas ce qui s'est passé. La poussière de la scène, peut-être. J'avais la gorge sèche et irritée... »

Elle se releva, respira profondément pour reprendre contenance :

« Je me sentirai tout à fait bien quand je me serai débarrassée de ce costume et de cette fichue perruque, je crois. »

Ogden hocha la tête, encore visiblement inquiet.

« Que fais-tu, ce soir ? J'ai invité quelques amis à souper. Veux-tu te joindre à nous ? »

Katherine formula son refus avec le plus grand soin pour ne pas froisser Terrence Ogden : une invitation de sa part constituait une faveur si rare que, pour beaucoup, elle équivalait presque à une convocation à la Cour.

« Tu es vraiment trop gentil de penser à moi, conclut-elle. Mais j'ai accepté depuis plusieurs jours de dîner avec Kim et sa sœur et ce serait impoli de lui faire faux bond à la dernière minute.

– Victor Mason sera lui aussi de la fête, n'est-ce pas ? »

Décontenancée, Katherine réprima un sursaut :

« Oui, Victor viendra, lui aussi, en effet. Mais pourquoi me dis-tu cela ? Nous nous connaissons à peine.

– Bah ! j'ai entendu dire qu'il te tournait autour ! répondit-il en haussant les épaules. Tu connais le métier aussi bien que moi, les moindres potins se répandent à toute vitesse. »

Cette fois, Katherine ne chercha plus à dissimuler son étonnement :

« Il n'y a pourtant pas de quoi colporter des potins ! Victor et moi sommes amis, un point c'est tout. Les mauvaises langues en sont pour leurs frais... »

Arrivée à la porte, elle se tourna vers l'habilleur, le remercia pour le verre d'eau.

« Amuse-toi bien ce soir », dit Terry sèchement.

Surprise de cette soudaine froideur, dont elle ne comprenait ni les raisons ni la justification, Katherine lui rendit son salut et s'éclipsa en direction de sa loge.

C'est avec un profond sentiment de soulagement qu'elle y entra et referma la porte derrière elle. Adossée au chambranle, elle respira à plusieurs reprises, contempla avec satisfaction l'ordre rigoureux qui régnait dans la petite pièce, contrairement au fouillis qui triomphait partout ailleurs. Les costumes étaient impeccablement alignés dans la penderie, les perruques sur une étagère, les pots et les tubes de fard sur la grande table de maquillage. Le miroir lui-même, entre ses ampoules, était dépourvu de l'assortiment de cartes et de télégrammes de félicitations qui décorent traditionnellement les loges après une première. En fait, Katherine n'en avait reçu que trois, à l'occasion de la générale, un télégramme de Terry Ogden, un de son imprésario, un de son professeur de diction. Personne d'autre au monde ne lui avait souhaité bonne chance.

L'austérité de sa loge ne faisait cependant que refléter sa passion maladive pour l'ordre et la propreté. La fraîcheur apaisante de cette pièce agissait sur Katherine comme un baume, après la chaleur étouffante, l'éclat éblouissant et le tohu-bohu de la scène et des coulisses. Ce soir, elle l'appréciait plus que jamais. Son habilleuse était absente pour des raisons de famille et Katherine fut heureuse de se retrouver seule. Elle en avait besoin pour se ressaisir.

Elle ôta son costume, souleva de sa tête la perruque qui l'accablait et éprouva aussitôt une délicieuse sensation de liberté. Assise devant son miroir, elle entreprit le rituel de sa toilette du soir. Tout en s'habillant, elle regretta que ce souper ne fût pas pour le lendemain. Les deux représentations de la journée l'avaient fatiguée plus qu'à l'accoutumée; alors qu'elle se sentait généralement débordante d'énergie en sortant de scène, elle n'avait qu'une envie, ce soir, se coucher et dormir. Il lui fallait pourtant surmonter son abattement, affecter la gaieté, distraire son public quelques heures encore. Kim l'attendait probablement déjà à l'entrée des artistes et elle avait donné directement rendez-vous à Victor chez les Cunningham. Il était trop tard pour reculer.

Elle avait pourtant soigneusement tout calculé pour cette rencontre. Si seulement ma gorge ne me faisait pas si mal! se dit-elle, inquiète. La perspective d'un rhume risquant de la rendre aphone la terrorisait. Elle déboucha une bouteille de sirop pectoral, en avala une cuillerée avec une grimace de dégoût. Penchée devant son miroir, elle s'examina d'un œil critique.

Rien, dans son aspect, ne dénotait son malaise. Elle mettrait tout en œuvre pour conserver sa bonne santé. Les semaines à venir avaient trop d'importance pour qu'une indisposition vînt contrecarrer ses projets patiemment édifiés. Rien ni personne n'aurait le droit de les contrecarrer si peu que ce fût.

Préoccupée par ses pensées, elle se poudra distraitement, brossa rapidement ses cheveux, qu'elle retint à l'aide de deux peignes d'écaille. Après un dernier regard au miroir, elle se leva enfin, enfila sa robe noire à la coupe stricte dont elle n'atténua l'austérité que d'une simple écharpe turquoise nouée autour du cou. Elle prit son sac de daim noir et se dirigea vers la porte.

Un instant, la main posée sur la poignée, elle inspira à plusieurs reprises, força ses muscles à se détendre. Puis, faisant appel à toutes les ressources de son énergie, elle se redressa, rejeta la tête en arrière. En actrice consommée, elle savait imprimer à ses traits l'expression voulue; elle adopta une physionomie désinvolte, une allure pleine de gaieté. D'un pas décidé, elle s'engagea enfin dans le couloir et gravit l'escalier.

Kim était sur le seuil de l'entrée des artistes et bavardait avec le portier. En voyant Katherine approcher, il se précipita à sa rencontre :

« Tu n'as jamais été si ravissante ! » s'écria-t-il en l'embrassant sur les joues.

Elle lui fit son plus séduisant sourire, lui serra affectueusement le bras :

« Flatteur ! Excuse-moi de t'avoir fait attendre.

– Aucune importance. Heureusement, la pluie s'est arrêtée. Dépêchons-nous avant qu'elle ne recommence. »

Katherine salua cordialement le portier, Kim la prit par le bras et la porte se referma derrière eux.

« Terrence Ogden m'a parlé quelques instants en s'en allant, dit Kim pendant qu'ils se hâtaient vers la voiture. Il m'a fait des compliments dithyrambiques à ton sujet. Il m'a aussi demandé avec curiosité ce que nous comptions faire ce soir et m'a même invité à le rejoindre avec ses amis. »

Katherine dissimula la surprise que lui causait cette nouvelle imprévue.

« Oui, il soupe avec quelques camarades », dit-elle d'un air détaché.

Kim s'éclaircit la voix, hésita avant de poursuivre :

« J'ai bien l'impression qu'il est amoureux de toi. »

Elle ne put retenir l'éclat de rire que provoquait cette manifestation de jalousie. A la lueur indécise du réverbère, elle remarqua pourtant la mine déconfite de Kim et le rassura aussitôt :

« Bien sûr que non, voyons ! Il m'a adressé des compliments ce soir car je l'ai sauvé d'un trou de mémoire au deuxième acte. Quant à son invitation, elle n'était que de simple politesse, sans plus », affirma-t-elle sans vraiment croire à ce qu'elle disait.

Et si Kim avait raison ? se dit-elle. Cela expliquerait la froideur subite de Terry lorsqu'elle avait décliné son invitation, tout à l'heure. Il ne fallait cependant rien dire qui puisse renforcer les soupçons de Kim et agir, au contraire, pour les faire disparaître.

« De toute façon, reprit-elle d'un ton péremptoire, Terry a en ce moment une liaison tapageuse avec Alexa Garrett. Tout le monde en parle, tu dois être au courant.

— Oui, c'est vrai », répondit-il sans conviction.

Il avait, en effet, lu quelques entrefilets à ce sujet dans la presse. Mais Terry lui avait parlé de Katherine avec tant d'enthousiasme qu'il ne pouvait s'empêcher d'en être troublé.

« Et puis, insista-t-il, pourquoi se permet-il de

t'appeler Minouche à tout bout de champ ? C'est d'une familiarité abusive. »

De plus en plus stupéfaite, Katherine faillit rétorquer que les sobriquets étaient monnaie courante dans le monde du théâtre, que l'intimité obligatoire des coulisses engendrait la familiarité, mais elle retint les paroles ironiques qui lui venaient aux lèvres. Kim avait vraiment l'air malheureux et jaloux.

« Quand j'étais encore élève au Conservatoire royal, expliqua-t-elle, Terry m'a vue jouer Cléopâtre dans *César et Cléopâtre* de Shakespeare. Il m'avait trouvé une allure féline, sans doute, et m'avait surnommée Minouche. L'habitude lui est restée. »

D'abord interloqué, Kim se reprit :

« Je ne savais pas que tu le connaissais depuis si longtemps. Je croyais que vous vous étiez rencontrés à l'occasion de cette pièce.

– Que veux-tu dire par « si longtemps », Kim ? Je suis sortie du Conservatoire il y a deux ans. A t'entendre, on me prendrait pour une vieille cabotine décrépite ! » dit-elle en riant.

Ils étaient arrivés à la voiture. Kim lui lâcha le bras pour lui ouvrir la portière, s'installa au volant. Jusqu'à Piccadilly, il conduisit sans mot dire. Katherine rompit enfin le silence, lui effleura le bras :

« Sois raisonnable, Kim. Terry ne s'intéresse pas du tout à moi, de ce point de vue-là tout au moins. C'est vrai.

– Je te crois... »

Il s'en voulait, au fond, de tenir rigueur à Katherine des propos cavaliers de Terry Ogden, dont elle n'était évidemment pas responsable. Comment se faire pardonner ?

Katherine, de son côté, souhaitait de toutes ses forces faire passer cet accès de jalousie. Kim devait rester de bonne humeur, ce soir surtout. Elle ne pouvait courir le risque de le voir se comporter désagréablement vis-à-vis de Victor Mason ou, plus simplement, en sa présence.

« Ecoute, reprit-elle, qu'il s'imagine amoureux de moi ou non n'a aucune importance pour la bonne raison que je ne m'intéresse pas du tout à Terrence Ogden. Je connais trop bien les acteurs et leur vanité, ajouta-t-elle avec un rire dédaigneux. Pour rien au monde, je ne voudrais m'y trouver mêlée. Et puis, tu sais que je t'aime, mon chéri. Comment pourrais-je jeter un instant les yeux sur Terry ou quelqu'un d'autre alors que je ne pense qu'à toi ? »

Le sourire de Kim parut l'illuminer.

« Tu ne pouvais pas me rendre plus heureux, ma chérie ! » parvint-il à proférer.

Depuis des mois, il lui faisait une cour assidue sans obtenir d'elle un encouragement concret. Pour la première fois, il l'entendait avouer qu'elle partageait ses sentiments. C'était peu, mais amplement suffisant pour le moment. En un clin d'œil, Kim retrouva son aisance insouciante. Trop ému pour poursuivre une conversation aussi délicate, il préféra se lancer dans le récit circonstancié d'une opération de reboisement en cours à Langley. Katherine se carra dans son siège et l'écouta distraitement. Elle était trop absorbée dans ses propres réflexions pour prêter attention à des problèmes dont elle ignorait tout.

Victor Mason tiendrait-il sa promesse ? Pour la première fois, elle douta de la solidité de ses projets. Car ils reposaient tous sur un seul point d'appui, c'est-à-dire sur Victor. S'il la trahissait, pour une raison ou pour une autre, tout s'écroulerait, ses efforts auraient été vains. Elle s'apercevait que sa méticuleuse construction comportait un point faible, et il était essentiel : elle n'avait jamais tenu compte du fait que Victor Mason pourrait changer d'avis.

La personnalité de Katherine formait un curieux mélange de naïveté et de rouerie. Son manque d'expérience dû à sa jeunesse se trouvait compensé par une extrême acuité d'intuition et une étonnante sûreté de jugement. Ce dernier trait de caractère, dont elle connaissait la valeur, la rassura quelque peu. Sa première opinion sur Victor s'était révélée exacte. Il n'allait pas manquer à la promesse qu'il lui avait faite quelques semaines auparavant. Ce ne serait peut-être ni par amitié ni par grandeur d'âme, mais pour une raison autrement puissante : il avait besoin d'elle – comme elle s'en était rendu compte dès le début. Elle avait donc manœuvré en conséquence.

Rassurée, elle se sentit également mieux physiquement. La fatigue éprouvée en sortant de scène s'était miraculeusement dissipée. L'air vivifiant de la nuit lui avait nettoyé les poumons. Sa gorge ne la faisait presque plus souffrir, elle se demanda même si l'origine de son malaise n'était pas simplement nerveuse.

La voix de Kim la tira de sa rêverie :

« Ces nouvelles plantations sont si prometteuses que j'envisage de m'attaquer aux taillis du Grand-Pré...

– Ce serait une excellente idée », répondit-elle automatiquement.

Dès qu'il était question de ses terres, Kim était intarissable et Katherine s'efforçait toujours de lui témoigner de l'intérêt, non sans une certaine sincérité. Elle avait compris l'attachement du jeune homme pour ses racines; la terre lui tenait à l'âme. Sa vie gravitait autour de Langley.

Quelques instants plus tard, la voiture stoppa devant la maison de Chesterfield Street. Katherine se tourna vers Kim :

« Tu ne m'as rien dit de ta sœur, sauf qu'elle est jolie.

– Je ne lui ai pas non plus dit grand-chose sur toi. Cela vaut mieux. Vous n'aurez pas d'idées préconçues l'une sur l'autre.

« – Sait-elle au moins que je suis comédienne ?

– Oui, bien sûr.

– Et elle, que fait-elle ? Travaille-t-elle ? »

Katherine ne ressentait aucune appréhension, mais elle doutait de pouvoir nouer une amitié avec la sœur de Kim. A ses yeux, une Lady Francesca Cunningham devait se présenter comme l'une de ces « débutantes » snobs et hautaines si nombreuses parmi la noblesse britannique. Kim constituait une exception au sein d'une classe figée dans ses privilèges périmés, mais rien ne prouvait qu'il en fût de même pour les autres membres de sa famille. Mais Katherine ne demandait pas davantage qu'une certaine camaraderie courtoise, pour mener ses projets à bien.

« Tu ne me réponds pas et j'en déduis qu'elle vit de ses rentes », dit-elle avec amusement.

Kim la retint quand elle posa la main sur la poignée de la portière :

« Elle n'a pas d'emploi mais elle travaille énormément. Elle veut devenir écrivain et, pour le moment, elle poursuit des recherches approfondies au British Museum. Elle a un tempérament très artiste et je suis sûr que vous vous entendrez fort bien. Ne t'inquiète pas.

– Rien ne m'inquiète jamais, Kim. Ne le savais-tu pas ? »

Kim sourit à ce qu'il pensait être une boutade. En fait, il en fallait beaucoup pour démonter Katherine Tempest.

5

Dès qu'elle eut franchi le seuil du salon, Francesca ne put détacher son regard de Katherine Tempest. Tout en se levant pour accueillir la visiteuse, elle dut faire appel à toutes les ressources de son éducation pour maîtriser sa surprise.

L'éblouissante jeune fille qui s'avançait vers elle d'une démarche dansante et pleine de grâce avait sensiblement le même âge qu'elle. Sa tenue, d'une simplicité confinant à l'austérité, n'était relevée d'aucun autre ornement qu'un foulard vivement coloré; mais ce qui choquait de prime abord se révélait, à l'examen, admirablement calculé pour mettre en valeur la beauté peu commune, éclatante et fragile à la fois, qui produisait sur Francesca une profonde impression.

Kim les présenta l'une à l'autre et Francesca contempla à loisir le visage le plus parfaitement dessiné qu'il lui eût été donné d'admirer. Le regard frappait avant tout; les yeux, ni tout à fait bleus, ni tout à fait verts mais d'une unique nuance turquoise, possédaient une intensité magnétique. Enfoncés sous l'arcade sourcilière, frangés de longs cils soyeux, largement écartés, ils irradiaient une lumière qui baignait le visage tout entier.

Les traits étaient finement ciselés : un front lisse, un nez droit, des pommettes hautes et légèrement saillantes, un menton au modelé irréprochable. L'opulente chevelure châtain cascadait jusqu'aux épaules en ondulations brillantes. Le teint pâle accentuait le tracé des lèvres pleines. Moins sensuelles que chargées d'une innocence encore enfantine, elles s'épanouissaient en un sourire qui donnait une impression de fragilité. Muette d'admiration, Francesca détaillait sa voisine et s'émerveillait chaque instant davantage.

La première, Katherine rompit le silence pour remercier Francesca de son hospitalité. Elle la considérait avec un intérêt égal, où l'amitié grandissait. Consciente de sa propre beauté et de l'effet qu'elle produisait, Katherine était cependant dépourvue de vanité. Prompte à se sous-estimer, elle recherchait au contraire chez les autres tout ce qui pourrait justifier sa propre admiration. Kim n'avait manifestement pas rendu justice à la beauté de sa sœur. Francesca incarnait admirablement la beauté anglaise classique, blonde, le teint doré, la silhouette élancée et pleine d'une inimitable élégance infiniment touchante dans sa simplicité. Une rose, se dit-elle.

Francesca lui adressa un sourire chaleureux :

« Vous êtes ici chez vous, Katherine. Installez-vous près du feu, mettez-vous à l'aise. Kim, qu'attends-tu pour servir le champagne ?

– C'est vrai, je suis impardonnable ! »

Il se battit un instant avec le bouchon rétif et disparut dans la cuisine en annonçant qu'il allait chercher une serviette. Restée seule avec Francesca, Katherine fit usage de son charme, qu'elle savait plus irrésistible encore que sa beauté. Elle la remercia de la recevoir à une heure aussi tardive :

« Les comédiens vivent à l'envers, que voulez-vous ! dit-elle en faisant tinter son rire. Si l'on veut bien de ma compagnie, il faut malheureusement se résoudre à en subir les inconvénients. Et si mes amis refusent de passer des nuits blanches par ma faute, je suis la dernière à le leur reprocher. Mes bavardages ne méritent pas qu'on leur sacrifie une nuit de sommeil.

– Ce n'est pas du tout un sacrifice ! protesta Francesca. D'ailleurs, nous sommes demain dimanche, nous pourrons nous lever tard. »

Tout en parlant, Katherine regardait autour d'elle. Elle admira la beauté du cadre, l'atmosphère à la fois chaleureuse et intime et ne put s'empêcher de comparer ce luxe discret à la froideur de son petit appartement. Elle n'en ressentait aucune jalousie, au contraire : l'atmosphère lui rappelait son enfance, les années heureuses pleines d'amour et de tendresse vécues avant la maladie de sa mère et le début de ses propres épreuves. Elle retrouvait, dans cet élégant salon londonien, la même sensation de permanence et de sécurité ressentie alors, derrière des murs qui l'abritaient d'un monde hostile. Un sourire mélancolique lui monta aux lèvres :

« J'adore cette pièce, Francesca. Elle est belle, on s'y sent protégé.

– Oui, et réconforté aussi, n'est-ce pas ? »

Cette preuve d'intuition toucha profondément Katherine. Les regards des deux jeunes filles se croisèrent, restèrent longtemps fixés l'un à l'autre. Elles constataient simplement qu'elles éprouvaient l'une pour l'autre le plaisir d'une amitié naissante. Leur silence se poursuivit, sans embarras, tandis qu'elles apprenaient à se juger et s'apprécier.

Le bruyant retour de Kim mit fin à ce moment d'intimité. Elles échangèrent un sourire déjà complice. Katherine reprit la parole d'un ton dégagé :

« Je tiens aussi à vous remercier d'avoir invité Victor Mason. Il vous plaira beaucoup, j'en suis sûre. Il n'est pas du tout tel qu'on l'imagine.

– Je n'ai rencontré aucune star de cinéma et je n'imagine rien, répondit Francesca en souriant. A vrai dire, je n'ai vu que deux ou trois de ses films, j'ai honte de l'avouer.

– Victor sera ravi, au contraire ! Il est l'un des seuls acteurs que je connaisse à détester parler de lui-même et de sa carrière. »

En fait, Katherine se demandait avec inquiétude pourquoi Victor n'était pas encore arrivé.

– Vous le connaissez depuis longtemps ? demanda Francesca.

– Non, quelques mois à peine... Par moments, il me donne l'impression d'être très seul. »

Etonnée de cet apparent coq-à-l'âne, Francesca ne sut comment y répondre. Kim lui épargna l'embarras de se rabattre sur une banalité :

« Le bouchon a enfin capitulé ! Mesdemoiselles, vous êtes servies. »

Il leur tendit une flûte à chacune, alla prendre son propre verre sur la console et revint près de Katherine. Il ne la quittait pas des yeux et Francesca constata, comme elle s'en était doutée, qu'il avait l'air profondément épris. Gêné du regard de sa sœur, il voulut faire diversion :

« T'ai-je dit que je reste en ville la semaine prochaine ? Je rentrerai à Langley avec papa dimanche en huit.

– Il vient à Londres ? Il ne m'en a rien dit quand nous nous sommes téléphoné hier.

– Tu le connais, toujours dans les nuages. Cela ne m'étonnerait pas qu'il ait déjà oublié, dit Kim en pouffant de rire. Il a je ne sais quelle affaire à régler et il compte arriver demain soir.

– Dans ce cas, tu ferais bien de l'appeler dès demain matin pour lui rafraîchir la mémoire. Kim prétend que notre père est dans les nuages, poursuivit-elle en se tournant vers Katherine, mais c'est l'histoire de la paille et de la poutre ! Il est encore pire que lui. Il le sait depuis jeudi et il ne m'en a soufflé mot ! Les hommes sont vraiment tous pareils...

– Absolument », approuva Katherine en riant.

Elle avait soigneusement écouté cette brève

conversation et profita de l'occasion offerte par le hasard :

« Dites-moi, reprit-elle, si votre père vient à Londres, je serai ravie de vous inviter tous ensemble à voir ma pièce. Mais si, j'insiste ! Je vous réserverai des places.

– Je suis très touchée, Katherine, et cela me ferait très grand plaisir, en effet. A papa aussi, ajouta-t-elle sans conviction. En tout cas, je le lui demanderai dès son arrivée. »

Comment son père allait-il réagir ? Certes, il ne pourrait faire autrement que se laisser séduire par le charme de la jeune fille, sa beauté, sa gentillesse. Mais rien ne garantissait qu'il aille jusqu'à approuver le choix de son fils. Il est si démodé, parfois ! se dit Francesca avec une pointe d'agacement. Katherine ferait peut-être une épouse idéale pour Kim... Soudain consciente de son long silence et du regard interrogateur que Katherine posait sur elle, elle se hâta de reprendre :

« Je voulais voir cette pièce depuis longtemps. Il s'agit de l'histoire d'Hélène de Troie, si je ne me trompe ?

– En effet. »

Avec animation, Katherine raconta en quelques mots le sujet de la pièce et conclut, avec un plaisir évident :

« C'est un des plus gros succès de la saison. Nous jouons à guichets fermés depuis le début et il faut s'y prendre des semaines à l'avance pour trouver une place. Pour nous, bien entendu, il ne peut rien y avoir de plus agréable.

– Katherine oublie de préciser ce que les critiques ont écrit sur son compte, intervint Kim. Ils ne tarissent pas d'éloges à son égard, et c'est bien la moindre des choses, si je puis me permettre une opinion. »

Le rôle d'Hélène convenait admirablement à la

beauté de celle qui l'incarnait sur la scène, et Francesca ne chercha plus à refréner son admiration :

« Vous devez en effet posséder un talent exceptionnel pour faire une telle unanimité dans votre premier grand rôle ! s'écria-t-elle. Ce doit être merveilleux de devenir une vedette à votre âge ! »

Venant de toute autre, un tel compliment aurait semblé excessif et peu sincère. Katherine comprit cependant que Francesca était incapable de dissimulation et fut émue de cette preuve d'enthousiasme.

« C'est merveilleux, je l'avoue. Merci de me le dire, Francesca. Nous avons tous tant travaillé au cours des répétitions que le succès de la pièce nous récompense de nos efforts. Mais cela ne résout pas tout ni pour toujours, vous vous en doutez. Nous n'échappons pas au trac et il nous faut tous les soirs l'accueil du public pour nous rassurer, nous prouver que nous faisons de notre mieux.

– Je le crois sans peine ! Les gens s'imaginent que le métier de comédien est facile et le théâtre un monde de rêve, mais je crois savoir au contraire qu'il exige des efforts continuels. Si l'on veut interpréter la pensée de l'auteur, exprimer de façon convaincante les sentiments des personnages, cela exige énormément d'intelligence et un travail acharné. Pour ma part, j'en serais bien incapable ! »

Une telle compréhension des difficultés du théâtre chez une profane comme Francesca renforça l'estime et l'amitié que Katherine lui portait déjà. Avec un sourire chaleureux, elle répondit :

« On n'aurait pu mieux le dire ! Vous avez raison, Francesca. Le théâtre n'a rien d'un monde de rêve. Il impose un travail épuisant. Malgré tout, je le trouve exaltant et il réserve parfois d'immenses satisfactions... Mais nous ennuyons ce pauvre Kim avec nos bavardages. »

Katherine rayonnait. Les dernières traces de sa

lassitude s'étaient évaporées dans l'atmosphère amicale créée par Francesca.

« Pas du tout ! protesta Kim. Je suis ravi que vous
m'empêchiez de proférer mes niaiseries habi-
tuelles. »

Il était en effet enchanté de voir Katherine et
Francesca se plaire si manifestement et de manière si
spontanée. Leur amitié augurait bien de la rencontre
– qu'il envisageait avec appréhension – de son père
avec la jeune comédienne. Francesca prendrait son
parti et contribuerait à arrondir les angles.

De son côté, Katherine s'étonnait d'avoir si mal
préjugé de Francesca. Celle-ci l'avait aussitôt accep-
tée, sans la moindre réticence apparente – et Katherine Tempest ne s'épanouissait que dans l'affection.

Déjà, ses projets prenaient corps et elle voulut
pousser son avantage :

« Pourquoi ne viendriez-vous pas au théâtre lundi
soir ? Nous pourrions souper ensuite. Le lundi est
notre meilleur jour, nous nous sommes reposés le
dimanche et... Mon Dieu ! Il suffit que je vous le dise
pour que vous tombiez sur notre plus mauvaise
représentation !

– Je serais enchantée d'y aller lundi, à condition
que papa soit d'accord pour ce soir-là. Et toi, Kim,
as-tu des projets ?

– Moi ? J'irais tous les soirs si on me le propo-
sait ! Encore un peu de champagne ? »

Pendant qu'il s'éloignait pour remplir les verres,
Francesca demanda :

« Kim m'a dit que vous êtes américaine. Habi-
tez-vous l'Angleterre depuis longtemps ? »

Elle hésita imperceptiblement avant de répondre :

« Quelques années. J'ai passé deux ans au
Conservatoire, puis j'ai fait des tournées en pro-
vince... Ah ! voici Kim ! Viens à côté de moi et parlons d'autre chose. On n'entend que moi, ce soir !

70

— Je ne me lasserai jamais du son de ta ravissante voix, ma chérie. »

Francesca les observait avec un sourire amusé. Elle comprenait pourquoi son frère était aussi épris de la jeune fille et succombait elle-même à son charme, sans vouloir s'en défendre. En serait-il de même pour leur père ? Elle se surprit à souhaiter qu'il voie Katherine avec les yeux de Kim.

Katherine tourna alors son attention vers Francesca :

« Il paraît que vous voulez devenir écrivain et que vous faites en ce moment des recherches pour un ouvrage historique. Voilà qui est infiniment plus passionnant que le théâtre et sûrement plus difficile encore que mon métier de comédienne. »

Francesca dirigea un regard interrogateur vers son frère, qui se borna à hausser légèrement les épaules sans cesser de sourire. Un peu gênée, elle répondit enfin :

« Il est vrai que je rassemble des éléments pour écrire la biographie du général Gordon. Mais de là à prétendre au titre d'écrivain !... Je n'ai pas de lecteurs, je n'ai même encore rien écrit... »

Elle s'interrompit, but une gorgée de champagne en cherchant comment détourner une conversation qui lui déplaisait. Elle saisit le premier sujet qui lui passa par la tête et demanda innocemment :

« L'heure tourne. Victor Mason ne devrait-il pas déjà être ici ? »

Kim l'avait complètement oublié. Ainsi rappelé à l'ordre, il se redressa en fronçant les sourcils :

« Je lui ai téléphoné avant d'aller chercher Katherine et il m'a confirmé qu'il arriverait en même temps que nous. Cela fait une heure que nous parlons ! Je devrais peut-être appeler son hôtel, voir ce qu'il fait.

— Il est universellement connu pour ses retards. Nous allons le voir arriver d'un instant à l'autre », déclara Katherine avec une assurance qu'elle était loin d'éprouver.

Depuis un long moment déjà, l'absence de Victor l'inquiétait et elle se demandait s'il s'agissait simplement d'un retard de sa part. S'il ne venait pas, cela voudrait dire qu'il n'osait pas lui annoncer en face l'échec de ses projets. Pour dissimuler sa nervosité, elle alluma une cigarette avec une maladresse dénotant son manque d'habitude. Kim ne se rendit compte de rien.

« As-tu faim ? lui demanda-t-il.

— Non, pas vraiment. Il me faut toujours une heure ou deux pour me détendre après la représentation. Sortir de la peau de mon personnage.

— Eh bien, moi, je me sens un appétit féroce ! Que sont donc devenus les amuse-gueule que tu parais avoir oubliés, Francesca ?

L'interpellée se leva en balbutiant des excuses. Katherine l'avait si bien fascinée qu'elle avait négligé ses devoirs de maîtresse de maison. Seule avec Kim, Katherine se tourna vers lui en s'efforçant de dominer l'anxiété que lui causait l'inexplicable retard de Victor Mason :

« Ta sœur est extraordinaire, dit-elle.

— Je suis sûr que tu l'as séduite elle aussi. Quant à moi... »

Il passa un bras autour d'elle, posa des baisers de plus en plus tendres sur sa nuque, dans ses cheveux. A chaque fois qu'il réussissait à se rapprocher d'elle ainsi, la tiédeur, la douceur de sa peau, le parfum délicat qui en émanait le faisaient trembler d'émotion.

« Je t'aime tant », murmura-t-il en enfouissant son visage au creux de son épaule.

Katherine lui caressa doucement la tête sans répondre. Pour le moment, une seule pensée l'obsédait : comment Victor avait-il pu la trahir ainsi ? Jamais elle n'avait manqué à ses promesses, elle ! Les hommes étaient bien tous les mêmes, volages, infidèles. Comme son père... Elle ferma les yeux pour chasser cette évocation importune et se dégagea avec douceur de l'étreinte de Kim. Un sourire tendre accompagna son geste, pour en compenser l'effet.

« Pas maintenant, Kim chéri, chuchota-t-elle à son oreille. Si ta sœur nous surprenait ainsi... »

Kim se redressa en affectant une intense douleur :

« C'est ta faute, tentatrice ! Tu sais bien que je suis incapable de te résister ! Que vais-je devenir ?

— Tu vas surmonter tes souffrances, te lever et me remplir mon verre ! »

Il sourit avec bonne humeur et obtempéra.

« Ah ! la bouteille est déjà vide. Je vais en chercher une autre et la mettre dans le seau à glace, si Victor se décide à nous rejoindre — ce dont je commence sérieusement à douter. Je reviens dans un instant, ne bouge pas. »

Katherine hocha la tête sans répondre, la gorge nouée par l'inquiétude. Kim venait d'exprimer à haute voix la crainte qui la rongeait depuis une heure. Les yeux fixés sur les braises, elle eut un instant de découragement. A l'âge de douze ans, elle avait décidé de prendre sa destinée en main et de ne faire confiance à personne d'autre qu'à elle — surtout pas aux hommes. Avec Victor Mason, elle transgressait cette règle pour la première fois. Elle avait cru en sa bonne foi. Quelle erreur !...

Francesca la tira de sa rêverie en posant devant elle un plateau chargé de choses appétissantes. Kim revenait à son tour avec une bouteille pleine et se précipita sur les petits fours salés. La sonnerie stridente de la porte d'entrée interrompit la boutade qu'il s'apprêtait à lancer.

Francesca consulta les deux autres du regard :

« Serait-ce enfin notre invité ? »

Katherine s'était levée d'un bond.

« Je vais lui ouvrir ! s'écria-t-elle. Il mérite une bonne leçon et je vais la lui donner sans témoin ! »

Avant qu'on ait pu la retenir, elle s'élançait vers la porte.

« Où diable étais-tu passé ? »

Le regard furieux, Katherine apostrophait véhémentement le retardataire.

« Charmant accueil ! Puis-je entrer ou dois-je prendre la fuite ? répondit Victor Mason avec un large sourire.

— Entre, bien entendu ! »

Elle l'agrippa par la manche, le tira à l'intérieur.

« Je croyais que tu ne viendrais plus. Ton retard est inexcusable. Ignores-tu donc l'usage du téléphone ? C'est un instrument fort commode qui permet aux gens polis...

— Epargne-moi les sermons, de grâce ! l'interrompit-il en riant. Prends plutôt ceci. »

Katherine jeta un regard soupçonneux sur le paquet qu'il lui tendait :

« Qu'est-ce que c'est ?

— Un modeste présent en gage de paix. Une bouteille de champagne, à tout hasard.

— Si tu crois te faire pardonner en nous enivrant ! »

Le regard accusateur de Katherine et son accueil glacial ne démontaient nullement Victor Mason. Sans rien perdre de sa cordialité, il s'approcha d'elle et lui dit en souriant :

« Ecoute, Katherine, je suis profondément navré d'arriver avec un tel retard mais je n'y pouvais rien. Il fallait que j'attende une communication importante de Los Angeles et tu connais le décalage horaire. Allons, sois gentille et montre-toi compréhensive, veux-tu ? »

La sincérité de ses excuses fit fondre le ressentiment de la jeune fille qui lui rendit son sourire malgré elle. Elle sentait également qu'il serait imprudent de provoquer Victor Mason. S'il avait besoin d'elle, elle n'en avait pas moins besoin de lui et sa bonne volonté devait lui rester acquise. Et puis, s'il était venu, c'est sans doute parce qu'il allait tenir sa promesse... Le sourire s'épanouit sur ses lèvres, l'éclat des yeux turquoise se fit plus charmeur.

« A mon tour de te demander pardon, Victor. Je ne voulais pas me montrer aussi désagréable. Mais tu sais comment sont les Anglais quand on touche aux convenances, et tu avoueras que j'avais lieu de m'inquiéter... Tiens, reprends ta bouteille, tu l'offriras toi-même à notre hôtesse. Et maintenant, viens vite.
– Je te suis. »

Victor emboîta le pas à Katherine, déjà sur le seuil du salon.

A l'entrée des arrivants, Kim et Francesca cessèrent de parler. Victor perçut immédiatement le regard fasciné qu'ils lui décochaient mais ne s'en étonna pas. Célèbre dans le monde entier depuis de longues années, il avait l'habitude de susciter la curiosité à chacune de ses apparitions et s'en accommodait avec aisance.

S'il s'arrêta net à quelques pas de la porte, ce fut à cause d'une vision qui le frappa, celle de la jeune fille en gris assise au coin du feu et qui se levait pour l'accueillir. Un courant magnétique l'attira vers elle avec une puissance incompréhensible. Il sentait soudain le besoin de se précipiter vers elle, de la prendre dans ses bras, de découvrir sa personnalité dans ce qu'elle avait de plus secret. Au prix d'un effort énorme, il parvint à maîtriser cette réaction instinctive et, heureusement, Kim s'approcha de lui avant que son trouble n'apparût de manière trop évidente. La main tendue, le sourire aux lèvres, il saisit la main de Victor et se présenta sans attendre l'intervention de Katherine.

« Ravi de faire votre connaissance ! »

Victor s'excusa de son retard, expliqua pourquoi il avait été retenu. Kim l'interrompit :

« N'en parlons plus ! Vous êtes ici, c'est l'essentiel. Je vous présente ma sœur. »

Kim prit familièrement Victor Mason par le bras et l'entraîna vers la cheminée. Sur un nouveau sourire, il s'éloigna vers la console pour servir à boire.

« Je suis très heureuse de vous connaître, cher monsieur », dit Francesca.

Leurs mains se touchèrent, une expression de surprise, mêlée d'un sentiment de reconnaissance, se refléta simultanément sur leurs visages. Je la vois pour la première fois et pourtant je la connais, se dit Victor avec stupeur. Je la connais depuis toujours... Un sourire fugitif joua sur les lèvres de Francesca. Momentanément décontenancé, Victor parvint à se ressaisir :

« C'est un grand plaisir pour moi, mademoiselle... »

Une subite rougeur colora ses pommettes, :

« Appelez-moi Francesca, voyons ! s'écria-t-elle en dissimulant mal son propre embarras.

– Volontiers, si vous promettez de m'appeler Victor. »

Elle fit un signe de tête et dégagea doucement sa main, qu'il tenait toujours serrée, avant de se rasseoir. Victor se rappela tout à coup la bouteille qu'il tenait sous le bras et la lui tendit sans mot dire, en regrettant de ne pas lui offrir quelque chose de moins banal – une brassée de lilas fraîchement cueillis, par exemple. Pourquoi cette image lui venait-elle à l'esprit ? Sans qu'il sût pourquoi, elle évoquait le lilas; elle en avait la délicatesse et la fraîcheur...

« Voilà pour me faire pardonner mon retard, dit-il sans conviction.

– Merci, vous êtes trop aimable », répondit-elle, un peu surprise.

Elle baissa la tête, dénoua le ruban. Victor l'observait, agité d'un frémissement intérieur dont il s'expliquait mal la cause. Malgré son trouble, il avait cru la sentir réagir, elle aussi. En ce moment, pourtant, elle paraissait sereine... S'était-il trompé ? Non, il n'avait pas imaginé le regard de surprise qu'ils avaient d'abord échangé. Mais ce n'était sans doute qu'une expression de curiosité à la rencontre d'une star comme lui. L'attirance éprouvée n'était que de son fait à lui. Il prenait ses désirs pour la réalité...

Victor ne pouvait deviner que Francesca avait ressenti un profond bouleversement en posant les yeux sur lui. Totalement inexpérimentée, elle ne savait comment maîtriser l'émoi subit qui l'avait envahie et elle s'était retranchée derrière une façade d'impassibilité.

Bouleversée, elle l'était encore, sinon davantage. Mais à mesure qu'elle en prenait conscience elle redoubla d'efforts pour endiguer cet emballement du cœur et des sens. Certes, Victor Mason possédait un charme irrésistible, sa beauté avait de quoi tourner les têtes les mieux faites. Mais allait-elle se laisser désarçonner par un séducteur professionnel ?

Sans lui accorder un nouveau regard, Victor se détourna et alla rejoindre Kim près de la console. Du coin de l'œil, Francesca l'observa pendant qu'il bavardait avec Kim comme s'ils étaient de vieux camarades. Comment pouvait-il se montrer si désinvolte ? N'existait-elle déjà plus, n'avaient-ils pas échangé, à peine quelques instants plus tôt, ce regard pénétrant et comme chargé de passion ? Peut-être se conduisait-il toujours ainsi avec les femmes rencontrées pour la première fois. Cela faisait partie de son rôle de séducteur, de ce que l'on attendait de lui... Sans être cinéphile assidue, Francesca connaissait la réputation de Victor Mason ; dans le monde entier, des millions de femmes l'idolâtraient. Il pouvait donc choisir à son gré parmi des créatures infiniment plus séduisantes, plus belles, plus attirantes qu'elle... Non, décidément, elle n'avait pas eu droit, tout à l'heure, à un traitement de faveur. A quel titre, d'ailleurs, aurait-elle pu y prétendre ?

Francesca détourna son regard de Victor Mason et le reporta sur Katherine Tempest, dont le rire clair tintait dans la pièce. Elle avait rejoint les deux hommes et Francesca les observa avec curiosité. Victor se penchait vers Katherine en riant à son tour; celle-ci dressait vers lui son visage, répondait à ses taquineries...

Francesca froissa le papier et se leva. A la porte, elle cria sans se retourner qu'elle allait mettre la bouteille au frais et servir le dîner. Personne ne sembla remarquer son départ.

Lorsqu'elle revint, quelques minutes plus tard, Victor et Katherine admiraient un tableau en écoutant attentivement les commentaires de Kim. Francesca préféra ne pas se joindre à eux et retourna s'asseoir près de la cheminée après avoir tisonné les braises et remis quelques bûches. De son poste d'observation, elle reprit discrètement son examen de Victor Mason. L'image qu'elle avait gardée de ses films revint à la surface : celle d'un homme trop beau, trop séduisant, apprêté comme une statue sous un vernis factice. Elle ferma les yeux un instant, les rouvrit sur la réalité et se rendit compte aussitôt combien cette image était fausse.

Victor Mason était beau, nul n'en pouvait douter. Mais cette beauté n'avait rien d'apprêté. Ses traits rudement modelés, presque taillés à la serpe, ne devaient rien à la fadeur du jeune premier. Ils dénotaient la force virile d'un homme marqué par l'expérience de la vie, impression que renforçait le réseau de fines rides autour des yeux. Le hâle ne pouvait se confondre avec le bronzage superficiel d'une plage à la mode; il trahissait une existence au grand air. Le nez fortement arqué, les lèvres pleines ouvrant sur de belles dents blanches, les sourcils broussailleux, la chevelure drue et noire rejetée en arrière, tout dans sa personne possédait une vitalité éclatante et accusait une personnalité sans trace de mièvrerie. Grand, large d'épaules, la taille fine, il imposait une présence dominatrice.

Le seul excès de perfection chez Victor Mason se trouvait dans sa mise. Francesca détailla d'un œil critique la coupe irréprochable de la veste en cachemire, le pli impeccable du pantalon, la chemise de soie bleu pâle et la pochette assortie. Lorsqu'il leva la main pour allumer une cigarette, elle perçut l'éclair des boutons de manchette en saphir, l'or du bracelet-montre. Pauvre Kim, se dit-elle en souriant. Il a l'allure d'un clochard à côté de lui ! Son complet de flanelle anthracite, pourtant presque neuf, donnait l'impression d'avoir été porté des années sans mériter le moindre coup de fer... Jamais, elle en était convaincue, un Victor Mason n'aurait l'air d'avoir dormi tout habillé.

Mais à mesure que se poursuivait son examen Francesca découvrait une nouvelle cause au trouble qu'elle ne cessait d'éprouver. En un sens, elle se sentait menacée par cet homme. Pourquoi ? Il ne lui fallut pas longtemps pour le définir. Beauté, célébrité, fortune, il possédait tout cela et tout se réduisait à un mot : le pouvoir. Or, tout pouvoir est dangereux, quelle qu'en soit l'origine. Victor Mason irradiait une sûreté de soi, une arrogance qui la fit brièvement frissonner. Mieux valait se tenir sur ses gardes.

Si Francesca avait poussé plus loin son analyse, elle aurait compris qu'elle avait moins peur de Victor Mason que d'elle-même. En outre, son jugement était erroné : s'il possédait une puissance indéniable, il était totalement dénué de l'arrogance qu'elle lui prêtait abusivement. Ce qu'elle prenait pour une excessive sûreté de soi n'était que le reflet d'une autorité naturelle, d'une personnalité puissante au charisme irrésistible. Ces dons lui conféraient un magnétisme magique qui avait fait de lui l'une des plus grandes vedettes de son époque. Victor était d'ailleurs le premier à le reconnaître, car il n'avait guère d'illusions sur son talent d'acteur – jugement sévère et injustifié, au demeurant. Il possédait au plus haut point la discipline, la souplesse d'adaptation et la sensibilité qui font les véritables professionnels. Sur un plateau, il savait utiliser au mieux les ressources de la caméra.

Sensible, intuitif, Victor ne l'était pas seulement dans sa vie professionnelle mais, plus encore, dans ses rapports avec autrui. Sans avoir besoin de se retourner, il était parfaitement conscient de la présence de Francesca à l'autre bout de la pièce et de l'examen auquel elle le soumettait. D'instinct, il sentit que celui-ci lui avait été défavorable – et cela le fit sourire. Il bavarda encore quelques instants avec Kim et Katherine puis, le plus naturellement du monde, s'écarta pour se diriger vers la cheminée.

Lorsqu'elle le vit s'approcher, Francesca tressaillit, se leva d'un bond et se précipita vers la porte en bredouillant une excuse accompagnée d'un petit sourire. Il lui rendit un signe de tête courtois et s'assit en souriant de plus belle – sans d'ailleurs bien savoir ce qui l'amusait davantage, de Francesca ou de lui-même. Elle venait de s'enfuir comme une pouliche effarouchée pour éviter de se retrouver seule avec lui. De son côté, il s'était conduit comme un écolier lorsqu'il avait jeté les yeux sur elle pour la première fois – il était bien en peine, en ce moment, de s'expliquer pourquoi. Bien sûr, Francesca était jolie, fraîche, attirante, mais ce n'était pas du tout son genre de s'intéresser aux fillettes. Sa vie avait toujours été peuplée de jolies femmes et, comme le disait volontiers son ami Nick Latimer, un homme comme lui en trouvait toujours à la pelle. Avec son physique, son renom et sa fortune... Victor réprima un soupir de lassitude. Ces dernières années, deux épouses légitimes et d'innombrables aventures féminines l'avaient quelque peu blasé sur le chapitre de la beauté. Plus encore il se méfiait des problèmes que les femmes provoquaient immanquablement dans sa vie. Six mois auparavant, il avait fait le serment de ne plus « courir les jupons » et, lors de son départ pour l'Angleterre, il s'était juré de ne plus se soucier que de sa carrière. Il n'était donc nullement question de contrevenir à ces règles de conduite, même pour une Francesca Cunningham. Victor ne se nourrissait pas d'illusions. Toujours honnête avec lui-même, il admettait avoir été momentanément secoué par l'apparition de la jeune fille et tenté de succomber à l'extraordinaire attirance éprouvée pour elle. Manifestement, ce sentiment n'était pas réciproque. Il n'était pas d'humeur à passer outre et à la poursuivre de ses assiduités, surtout si elles n'étaient pas les bienvenues.

Une autre pensée le fit réfléchir : il avait trente-neuf ans, bientôt quarante. Francesca ne paraissait pas en avoir plus de dix-huit. Une gamine. Serait-il déjà atteint de sénilité précoce, pour s'intéresser ainsi à des enfants, à des nymphettes ? Nick Latimer, toujours lui, avait déclaré récemment que son ami Victor souffrait d'un incurable complexe de don juan. Il en avait bien ri – sachant surtout que l'accusateur était un incorrigible satyre. Cela n'était cependant pas dénué de vérité. La mort de sa première femme avait plongé Victor dans une douleur que rien ne semblait pouvoir atténuer. Puis, au fil des années, il n'avait pas même cherché à dissimuler son libertinage ni le nombre de ses conquêtes. Mais de là, aujourd'hui, à passer pour un vieillard lubrique !... Non, il n'en était pas encore à courtiser les toutes jeunes filles.

Katherine vint l'arracher à ses réflexions en s'asseyant à côté de lui :

« Que fais-tu lundi soir ?

– Rien. Tu devrais le savoir, puisque tu t'es chargée d'organiser toutes mes occupations. Pourquoi me poses-tu la question ?

– Parce que j'ai invité Francesca, Kim et leur père à venir assister à ma pièce. Cela ne te tente sûrement pas, tu l'as déjà vue plusieurs fois. Mais j'ai pensé que ce serait peut-être gentil que nous les invitions à dîner ensuite, pour leur rendre la politesse.

– Bien sûr, excellente idée... »

Kim intervint et lui coupa la parole en regardant Katherine, l'air fâché :

« Voyons, Katherine, il n'est pas question de se rendre des politesses ! Je ne voudrais pas imposer à Victor toute notre tribu.

– Au contraire ! protesta Victor. L'idée de Katherine est excellente, comme je viens de le lui dire, et je serais ravi de vous avoir tous à souper. Où allons-nous les emmener, Katherine ?

– Je ne sais pas, Victor, je n'y ai pas encore réfléchi... »

Elle fit mine de chercher, tout en sachant parfaitement qu'il importait d'être vue dans un endroit élégant et fréquenté par le Tout-Londres. Un instant plus tard, l'air innocent, elle feignit d'être frappée d'une inspiration subite :

« Pourquoi pas les Ambassadeurs ? s'écria-t-elle. Je n'y suis pas retournée depuis une éternité. Qu'en penses-tu, Kim ? »

Kim n'avait jamais mis les pieds dans ce restaurant et s'était contenté d'en entendre parler par les journaux. Il hocha la tête comme si cela allait de soi et remercia Victor de son amabilité. Tout en buvant une gorgée de champagne, il se demandait pourtant comment son père accepterait l'idée de se montrer dans un endroit à la mode en compagnie de personnalités du show-business... Et pourquoi pas, après tout ? se dit-il avec un sursaut d'impatience. Il s'exhibait bien partout lui-même aux côtés de Doris Asternan, notabilité du « jet-set » international. D'ailleurs, la présence de Victor serait probablement bénéfique et préviendrait tout risque d'esclandre. Intuitive comme elle l'était, Katherine y avait sans doute elle-même pensé, ce qui expliquait la manière cavalière dont elle avait forcé la main de Victor. Rasséréné, Kim lui décocha un sourire épanoui.

Victor avait poursuivi sa conversation avec elle :

« Cela m'arrange de dîner tard lundi, lui disait-il. J'ai plusieurs appels téléphoniques à New York et sur la Côte Ouest et je serai obligé d'attendre à cause du décalage horaire. Je réserverai au restaurant pour vingt-trois heures et je vous y retrouverai directement. Cela te convient-il ? »

La voix de Francesca les fit se retourner. Elle les invitait à passer à table.

Katherine se leva aussitôt et alla la rejoindre. Pendant que les deux jeunes filles traversaient le vestibule, Katherine informa sa nouvelle amie des projets qui venaient d'être mis au point :

« J'espère sincèrement que votre père sera libre lundi et voudra bien se joindre à nous. Nous allons passer une excellente soirée, vous verrez ! »

Francesca se mordit les lèvres :

« Oui, certainement », dit-elle en hésitant.

Elle se surprenait à souhaiter ardemment que son père soit déjà retenu ailleurs et décline l'invitation. Tout à l'heure, elle s'était fait une fête d'aller voir Katherine au théâtre; maintenant, sans qu'elle s'avouât pourquoi, la perspective de cette soirée en compagnie de Victor Mason ne l'attirait plus du tout.

6

Trop vaste pour leur petit groupe, la salle à manger aurait paru intimidante si l'éclairage n'en avait réduit les proportions en créant une atmosphère intime. Des bougies blanches, dans des candélabres d'argent disposés sur les consoles et sur la table, projetaient une lumière douce. L'acajou verni de la grande table brillait comme un miroir où se réfléchissaient l'éclat assourdi de l'argenterie et du cristal, le scintillement de la fine porcelaine dont les filets d'or étaient ornés des armoiries de la famille de Langley.

Francesca fit asseoir ses invités et s'apprêta à servir le potage. Victor l'observait avec une discrétion attentive. Il admirait surtout son élégance innée, qui ne devait rien à sa toilette simple et s'accordait à la beauté du cadre qui l'entourait. Voilà, se dit-il, ce qu'aucune fortune au monde ne pourra jamais acquérir...

Le repas débuta par une conversation animée mais banale sur les portraits de famille et les tableaux de maîtres ornant les murs. Kim, en dépit des regards courroucés de sa sœur, mentionna la collection de Langley qui s'enorgueillissait d'œuvres de Constable, Reynolds, Gainsborough et autres peintres illustres :

« J'espère que vous pourrez venir bientôt à Langley et admirer ces œuvres par vous-même ! s'écriat-il avec enthousiasme. Mon père sera enchanté de vous en faire les honneurs, n'est-ce pas, Francesca ? »

Ainsi mise au pied du mur, elle se raidit imperceptiblement et se borna à répondre un « Oui » fort sec. Décidément, Kim n'en ferait jamais d'autres ! Où avait-il la tête pour lancer de telles invitations de sa propre autorité ? Si, comme elle le craignait, Katherine déplaisait à leur père, il faudrait la décommander et elle aurait de bonnes raisons de s'en froisser. Heureusement, se dit Francesca, la pièce l'accapare six jours par semaine et il lui sera impossible d'entreprendre le voyage dans le Yorkshire...

Au même moment, Katherine répondait à Kim en faisant preuve d'un enthousiasme non moins débordant :

« Oh ! Kim, cela me ferait si grand plaisir ! Bien sûr, avec les deux représentations du samedi, je ne vois pas comment... »

Elle s'interrompit, dépitée, réfléchit brièvement et retrouva son sourire en reprenant :

« A moins que ton chauffeur, Victor, ne nous prenne à la sortie du théâtre un samedi soir ! Nous pourrions rentrer le lundi dans l'après-midi. Ce serait parfait ! Pouvons-nous organiser cela un de ces week-ends, Victor ? »

Victor se contenta d'approuver d'un signe de tête. L'attitude réservée de Francesca l'avait amusé jusqu'à présent, mais il commençait à ressentir une gêne certaine. Il n'était pas coutumier de ce genre de manières et s'en trouvait décontenancé. Il s'efforça de concentrer son attention sur Katherine, dont il ne pouvait s'empêcher d'admirer l'aisance. Partout, elle semblait dans son élément. D'où vient-elle vraiment ? se demanda-t-il avec curiosité. Il ne la connaissait que depuis trois mois et ignorait tout d'elle. Elle s'était montrée avare de détails sur elle-même; Victor savait seulement qu'elle était née à Chicago et qu'elle vivait en Angleterre depuis près de six ans. Qu'elle était orpheline, aussi... Sa classe naturelle lui venait pourtant de quelque part ou de quelqu'un. Ces choses-là ne s'apprennent pas, on vous les inculque très jeune...

Ce soir-là, il est vrai, Katherine se sentait parfaitement bien. L'arrivée de Victor avait effacé son anxiété et la manière spontanée dont il avait accepté sa suggestion d'inviter les Cunningham à souper le lundi suivant lui avait fait oublier toutes ses appréhensions précédentes. Son sourire, sa gaieté dissimulaient à son entourage le reste de nervosité dont elle n'avait pas encore réussi à se débarrasser totalement.

A mesure que le repas avançait, Katherine prit sans effort la direction de la conversation. La star, c'était elle – et elle leur donnait une représentation éblouissante. Elle captivait. Elle distrayait. Elle pétillait. Tous les sujets furent abordés de manière si naturelle, si vivante, du théâtre à la politique, des arts aux sports, que tous les convives s'en trouvaient stimulés et se présentaient, presque malgré eux, sous leur jour le plus favorable.

Emporté par ce tourbillon de gaieté, Victor se détendit à son tour. Il découvrit à Kim une personnalité chaleureuse et sympathique. De plus, il savait écouter. Victor se laissa entraîner à lui parler longuement de son ranch en Californie, de ses chevaux, de ses terres, sujets pour lesquels ils avaient un intérêt commun. Il lui était cependant impossible de ne pas remarquer l'attitude pensive de Francesca, ses silences prolongés. Elle semblait vouloir rester à l'écart et ce comportement l'étonnait, tant il contredisait les principes de son éducation et son amabilité naturelle.

De son côté, Francesca n'était que trop consciente de la manière déplorable dont elle s'acquittait de ses devoirs de maîtresse de maison, qu'elle laissait

Katherine assumer à sa place. Elle ne voulait pas, toutefois, diriger son apparente froideur contre Victor; plus simplement, elle ne croyait pas apporter de contribution intéressante à la conversation et, plutôt que de proférer des banalités, préférait garder le silence. Cet excès de réserve constituait en fin de compte une sorte de discourtoisie, inexcusable à ses propres yeux.

Elle fit un effort pour se joindre aux autres et, ne sachant que dire, se tourna vers Victor :

« Comptez-vous faire un film pendant votre séjour ici ? »

Surpris d'entendre enfin le son de sa voix, Victor resta d'abord bouche bée et dévisagea Francesca. Il se reprit enfin :

« Euh... oui... »

Le sourire amical de la jeune fille l'engagea à poursuivre :

« En fait, je compte surtout produire un film. Il s'agit de ma première tentative dans ce domaine, un défi à relever en quelque sorte, et j'en suis enchanté, je l'avoue. »

Aux premiers mots de Victor, Katherine retint son souffle.

« Pouvez-vous nous en dire quelque chose, demanda Francesca, ou vos projets sont-ils encore secrets ?

— Pas le moins du monde. Ils sont ambitieux, cependant : je m'attaque à une nouvelle version d'une des plus belles histoires d'amour de la langue anglaise et j'espère la réussir aussi bien que la précédente...

— Vraiment ? s'exclama Kim. Quel en est le titre ?

— *Les Hauts de Hurlevent.* Nous commençons le tournage dans deux mois environ », répondit Victor en souriant.

Francesca le dévisageait avec étonnement :

« Une histoire d'amour ? s'écria-t-elle. *Les Hauts*

de Hurlevent sont tout sauf une histoire d'amour !
Le roman ne dépeint que la haine, la vengeance, la
violence, l'obsession de la mort ! Comment pouvez-
vous confondre cela avec une histoire d'amour ? »

La véhémence du ton de Francesca réduisit tout le
monde au silence. Livide, Katherine serrait les dents
pour réprimer sa fureur : et si Victor se laissait
influencer par ce jugement péremptoire ? S'il décidait d'abandonner le projet ? Pour ne pas proférer
une impolitesse, elle baissa les yeux vers son assiette
et préféra ne rien dire.

Le premier, Kim brisa le silence embarrassé qui
s'était abattu :

« Tu exagères, Francesca », dit-il sèchement.

Sa sœur soutint sans broncher le regard réprobateur qu'il lui décochait et se tourna vers Victor :

« Veuillez me pardonner, lui dit-elle. Je ne voulais pas être impolie, mais je ne cherche pas à m'excuser pour mes opinions. Je suis sincèrement
convaincue de ne pas me tromper sur cette interprétation du livre – je ne suis d'ailleurs pas la seule de
cet avis. Avec bien d'autres critiques, je vois dans ce
roman un véritable hymne à la mort. Emily Brontë
en a été obsédée toute sa vie. Si vous ne me croyez
pas sur parole, je vous prêterai volontiers quelques
études sur ce sujet ainsi que des essais critiques sur
Les Hauts de Hurlevent. Il ne s'agit pas du tout
d'une histoire d'amour. J'ai moi-même soutenu une
thèse sur l'œuvre des sœurs Brontë et je sais de quoi
je parle. »

Katherine souhaitait que Francesca se taise une
bonne fois pour toutes. Cette idiote ne se rendait-elle
pas compte à quel point elle manquait de tact ? Pour
la première fois de sa vie, Katherine restait muette.
Elle affectait de boire une gorgée de vin. Kim jouait
avec sa fourchette. Victor fronçait les sourcils, la
mine pensive. Seule, Francesca paraissait ne rien

remarquer des conséquences de ses propos sur son auditoire.

Victor ne s'était pas formalisé de sa sortie inattendue. Il avait aussitôt compris que la jeune fille n'avait pas cherché à offenser qui que ce fût; elle était trop franche, trop directe pour ne pas exprimer sans nuances son opinion sur un sujet auquel elle attachait de l'importance. De plus, elle était encore si jeune... Au bout de quelques instants, il leva les yeux vers elle :

« Il est inutile de vous excuser et je respecte votre point de vue. Vous avez d'ailleurs probablement raison en ce qui concerne le roman. Mais il n'en est pas moins vrai que le premier film tiré des *Hauts de Hurlevent* a été traité comme une histoire d'amour, et c'est ainsi que je compte le tourner moi-même. Mon seul désir est de le réaliser aussi bien que Sam Goldwyn en 1939...

— Oh ! je n'en doute pas un instant ! » se hâta de dire Francesca.

Elle venait de remarquer enfin la mine de Katherine, le regard furieux de Kim. Inexplicablement, elle les avait vexés alors que Victor semblait aussi impassible. Sans comprendre la cause de ce petit drame, Francesca sentit qu'il importait d'en effacer la pénible impression.

« Il faut me pardonner mon jugement trop hâtif et mes opinions excessives, dit-elle en levant son verre. Je propose donc un toast au tournage des *Hauts de Hurlevent* et au succès de son producteur et de sa vedette, Victor.

— Merci, répondit-il en souriant.

— Et qui jouera le rôle de Catherine Earnshaw ? poursuivit Francesca.

— La décision n'est pas définitive. Bien entendu, toutes les actrices qui se croient du talent meurent d'envie d'avoir ce rôle, mais... »

Il s'interrompit, étouffa un rire de bonne humeur.

« Pour ma part, reprit-il, j'espère qu'il sera attribué à notre charmante voisine. Oui, ma chère Katherine, poursuivit-il avec un regard affectueux, j'ai organisé un bout d'essai – et en couleurs ! Si tu t'en sors bien et que mes commanditaires soient d'accord, le rôle sera pour toi. »

Frappée de stupeur, Katherine hésitait entre le rire et les larmes. La gorge nouée par l'émotion, elle parvint à répondre :

« C'est... c'est vrai, Victor ? Oh ! merci ! Merci... Je ne sais comment t'exprimer ma reconnaissance... »

Transfigurée par le bonheur, elle rayonnait, se troublait, rougissait. Victor l'observait en souriant.

« En tournant un bon bout d'essai, mon chou. Tu ne peux rien m'offrir qui me fasse plus plaisir. »

Francesca commençait à comprendre la cause de la détresse que Katherine avait montrée quelques instants auparavant et s'en voulut amèrement de son étourderie.

« C'est un rôle qui vous convient admirablement, Katherine ! s'écria-t-elle avec un enthousiasme sincère. Vous y serez parfaite, je le sens déjà. N'est-ce pas, Kim ?

– Absolument ! Félicitations, Katherine !

– Il est encore trop tôt pour me féliciter. Attendons le bout d'essai, attendons surtout de savoir si j'obtiendrai vraiment le rôle, dit-elle avec une modestie un peu forcée.

– Tu l'obtiendras, nous n'en doutons pas ! s'écria Kim. Une aussi grande nouvelle mérite de nouveaux toasts. Mais nous avons fini de dîner et je vous propose d'aller au salon célébrer l'événement avec un vieux cognac. »

Katherine ne pouvait contenir sa joie. Ainsi, Victor avait tenu sa promesse. Elle ne l'avait pas mal jugé. Transportée de bonheur, elle se sentait légère et marchait littéralement sur un nuage. L'inquiétude, les doutes qui l'étreignaient ces dernières semaines étaient définitivement évanouis. Elle attendit Victor à la porte du salon, le prit par le bras et le serra affectueusement, les yeux brillants de reconnaissance.

« Je disais vrai tout à l'heure, Victor. Je ne sais comment te remercier... »

Le regard sérieux qu'il lui rendit démentait le sourire qui flottait toujours sur ses lèvres :

« Mais si, tu sais comment », répondit-il à mivoix.

Katherine hocha la tête. Une subite poussée d'inquiétude lui serra de nouveau le cœur.

« Je suis confuse que vous soyez resté m'aider à faire la vaisselle, dit Francesca en posant les derniers verres dans l'égouttoir.

— C'était le seul moyen de faire rentrer Katherine chez elle. Elle était morte de fatigue, ce qui n'a rien d'étonnant après deux représentations dans la même journée.

— J'ai quand même bien peur qu'elle ne dorme guère cette nuit. La perspective du bout d'essai l'a surexcitée.

— C'est vrai. J'espère que tout se passera bien et que nous ne serons pas déçus par les résultats...

— Que voulez-vous dire ? Katherine est ravissante, elle incarnera admirablement le personnage et tout le monde dit qu'elle est une excellente actrice.

— Bien sûr, vous avez raison... »

Victor regrettait d'avoir pensé à haute voix. Sa remarque inconsidérée allait provoquer des questions auxquelles il n'était guère d'humeur à répondre à une heure si tardive. Il se demandait surtout avec effarement pourquoi il se retrouvait là, dans une cuisine de Londres, un torchon à la main, en train d'essuyer la vaisselle avec une gamine qui n'avait pas encore vingt ans...

« Expliquez-moi, ce que vous avez voulu dire, insista Francesca. Pourquoi ce pessimisme, tout à coup ?

– N'en parlons plus, voulez-vous ? répondit-il en soupirant. Katherine fera un excellent bout d'essai... Reste-t-il encore des verres à essuyer ? »

Francesca fit signe que non. Victor baissa ses manchettes.

« Il est grand temps que je m'en aille », dit-il en sortant.

Francesca le suivit dans le vestibule :

« Je n'aime pas insister, mais je voudrais quand même que vous m'expliquiez votre réflexion de tout à l'heure. Pourquoi lui faire tourner ce bout d'essai si vous doutez d'elle ? »

Victor s'arrêta, eut un geste de lassitude.

« Puisque vous y tenez. Allons, offrez-moi le coup de l'étrier, j'essaierai de vous faire comprendre.

– Et moi, je ferai de mon mieux pour suivre les détours de votre pensée », répliqua Francesca.

Victor versa le cognac dans deux verres, s'approcha de Francesca assise auprès du feu et lui en tendit un. Elle avait retrouvé son expression butée, les lèvres serrées. Sans la regarder, Victor s'installa en face d'elle et commença :

« Katherine Tempest est meilleure actrice que moi et pourtant je pratique le métier depuis infiniment plus longtemps qu'elle. Elle a l'instinct, la présence qui fait les grandes vedettes – sur la scène. Mais les plus grandes comédiennes de théâtre ne deviennent pas toujours des vedettes à l'écran.

– Pourquoi ?

– Parce que le jeu de l'acteur, au théâtre, doit nécessairement être un peu outré, plus appuyé pour passer la rampe. A l'écran, c'est tout le contraire. Il faut jouer en dessous, en moins, si je puis dire. Une caméra peut être mortelle, en un sens. Oui, mortelle, répéta-t-il, et pour une raison très simple : elle photographie vos pensées, vos intentions. Parfois, elle met votre âme à nu. Au cinéma, il faut user de toute son intelligence, de sa sensibilité, de nuances subtiles, discernables seulement de tout près. Au théâtre, les acteurs ne reçoivent pas du tout la même formation... »

Il s'interrompit, trempa ses lèvres dans son verre tout en réfléchissant :

« Un grand metteur en scène, Fred Zinnemann, répète sans cesse aux acteurs qu'il dirige : « Il faut que la caméra vous aime. » Il a cent fois raison. Si la caméra ne vous aime pas, si la sauce ne prend pas, rien ne va plus. Vous me suivez ?

– Parfaitement. En fait, vous craignez que la « sauce » ne prenne pas pour Katherine, que la caméra ne soit pas amoureuse d'elle comme il le faudrait. Est-bien cela ?

– Exactement. Je sais qu'elle a énormément de talent, une voix parfaitement posée, un visage très photogénique, mais rien de tout cela ne suffit. Jouer devant la caméra nécessite une technique très particulière. J'ai eu la chance de toujours entretenir de bons rapports avec l'objectif, mais je ne crois pas être capable de passer la rampe comme Katherine si je me retrouvais sur une scène. Beaucoup de vedettes de cinéma ont d'ailleurs échoué pitoyablement en voulant monter sur les planches.

– Katherine doit certainement être au courant de cette technique particulière dont vous parlez. C'est une professionnelle...

– Je n'en sais rien, à vrai dire. Nous n'avons jamais eu l'occasion d'en parler. J'aurais dû, bien entendu, mais je voulais d'abord organiser le tournage du bout d'essai... Je discuterai sérieusement avec elle la semaine prochaine. J'ai choisi un metteur en scène qui la dirigera avec beaucoup de soin et la guidera pas à pas pendant toute sa scène.

– Je l'espère bien ! » s'écria Francesca.

Son exclamation fit sourire Victor.

« Dites-moi, Francesca, pourquoi vous intéressez-vous tant à la carrière de Katherine Tempest ?

— Parce qu'elle m'est fort sympathique et je sais que ce bout d'essai a pour elle une très grande importance. J'étais furieuse contre moi-même, après ma sortie intempestive à table sur l'interprétation du roman. Vous ne me demandiez pas mon opinion et je n'avais pas besoin de vous la donner de cette manière. J'ai compris trop tard pourquoi Katherine en a été bouleversée. Vous deviez être furieux contre moi, vous aussi...

— Pas le moins du monde. Il faut simplement que je vous tienne soigneusement à l'écart de mon scénariste. Je ne voudrais pas que vous lui mettiez de pareilles idées en tête.

— Jamais je n'oserais, voyons !

— Evidemment, je plaisantais. Nick en sait probablement autant que vous sur la question.

— Nick ? Qui est-ce ?

— Nicolas Latimer.

— Le célèbre romancier ?

— Lui-même. Le nouveau petit génie de la littérature américaine. Si j'en crois votre expression choquée, vous vous demandez pourquoi je demande à un Américain d'adapter un classique de la littérature anglaise et mon sacrilège vous semble impardonnable.

— Pas du tout !

— Je tiens quand même à vous rassurer. Nick Latimer a suivi d'excellentes études à Oxford. Je n'ai pas besoin de vous rappeler son talent d'écrivain.

— J'en suis une admiratrice convaincue.

— Vous avez donc bon goût. »

Victor lampa la dernière goutte au fond de son verre, se leva :

« Maintenant que je vous ai éclairée sur les mystères du cinéma, il est grand temps que je vous laisse enfin dormir. »

Dans le vestibule, il prit son manteau, le jeta sur son bras et se retourna pour la saluer. Alors, d'un seul coup, l'étrange sensation de déjà-vu éprouvée au moment de son arrivée le saisit de nouveau. Sa silhouette parut à Victor extraordinairement familière – pourtant, il le savait, jamais auparavant il n'avait jeté les yeux sur elle. Il se rapprocha d'un pas, pour confirmer son impression, et ressentit un désir impérieux, un besoin irrépressible de la prendre dans ses bras, de l'écraser contre lui... Pendant un bref instant, il se crut incapable d'y résister.

Quand il parvint à se dominer, il se surprit à demander d'une voix un peu rauque :

« Quel âge avez-vous, Francesca ? »

Elle leva vers lui son regard lumineux où ne se lisait aucun étonnement :

« Dix-neuf ans.

– Je m'en doutais... Merci encore de cette excellente soirée. Bonsoir, Francesca.

– Bonne nuit, Victor. »

Il se détourna, sortit. Un long moment, Francesca garda les yeux fixés sur la porte refermée. Lentement, elle éteignit les lumières, inspecta toutes les pièces. Et elle se demandait pourquoi, inexplicablement, elle se sentait déçue.

7

Assis à une table de travail dans le salon de son appartement du Claridge, Victor Mason étudiait le budget de son film. Avec le souci du détail qui lui était coutumier, il revenait sur les colonnes de chiffres, vérifiait, soupesait, remettait en cause la moindre dépense. Au bout de deux heures d'un travail approfondi, il était parvenu à économiser 400 000 dollars.

Le visage éclairé par un sourire de satisfaction, il reposa son stylo et contempla les chiffres. Ce n'était pas assez, sans doute, mais c'était un début. Le budget lui avait toujours semblé trop élevé. Comme Jake Watson, son régisseur général arrivé la veille de Hollywood, le lui avait fait remarquer, s'en tenir aux trois millions de dollars du devis initial était à la fois utopique et suicidaire. A deux millions, on passait sans mal. Mais où réaliser de nouvelles économies ?

Victor ôta ses lunettes d'écaille, se frotta les yeux d'un geste las. Pour se dégourdir les jambes, il se mit à arpenter la pièce. Il lui fallait du repos ou, plutôt, un changement d'air. Si seulement il pouvait se transporter, d'un coup de baguette magique, jusqu'à son ranch californien ! Une promenade à cheval lui aurait fait le plus grand bien. Habitué à vivre au grand air la plupart du temps, Victor se sentait mal à l'aise confiné dans un bureau – même s'il aimait jongler avec les chiffres. Car, au contraire des autres comédiens, Victor Mason possédait un instinct infaillible pour les délicats montages financiers propres à l'industrie cinématographique. Il saisissait sans mal les complexités qui rebutaient si souvent ses collègues. Simple figurant à l'âge de vingt ans, il avait gravi un à un les échelons de la carrière, tout en s'imposant d'apprendre les divers aspects de son métier. Il l'avait fait pour assurer ses arrières; lorsque le temps viendrait où il ne pourrait ou ne voudrait plus affronter la caméra, il aurait ainsi acquis une seconde profession, celle de producteur.

Intelligent, ambitieux, sachant juger les hommes et les situations, négociateur habile, Victor était réaliste. Il gardait l'œil constamment fixé sur l'essentiel : le bilan final, le profit ou la perte. Longtemps avant son entourage, il avait su prévoir l'évolution inéluctable de l'industrie cinématographique et la fin du règne des grands studios. Une à une, les stars secouaient le joug que ceux-ci leur avaient si longtemps imposé et refusaient les contrats à long terme qui les liaient aux studios. Les autres suivirent l'exemple : producteurs, réalisateurs, scénaristes, tous souhaitaient désormais jouir de leur indépendance et conserver le contrôle de leur propre carrière, sans plus accepter les films qu'on leur imposait.

Dès 1952, à la fin de son contrat avec le studio qui en avait fait une star de premier ordre, Victor Mason avait fondé sa société de production. Jusqu'à maintenant, il avait fait appel à des producteurs indépendants pour prendre en charge les films dont il était la vedette et dont sa société, *Bellissima Productions*, assurait le financement. Pour la première fois, à l'occasion du *remake* d'un vieux classique, il allait se trouver à la fois devant la caméra et derrière, aux postes de commande. Pour la première fois, c'était vraiment pour lui la liberté – mais la liberté se paie en lourdes responsabilités...

La sonnerie du téléphone le tira brutalement de ses réflexions. Il se retourna avec irritation : il avait oublié de demander au standard de l'hôtel de filtrer ses communications. Il hésita et dut finalement céder à la sonnerie persistante.

Il décrocha, dit « Allô » ! » d'une voix assourdie qu'il s'efforça de déguiser. Un éclat de rire salua sa tentative infructueuse :

« A t'entendre, tu as encore passé la nuit sur le trottoir, vaurien ! Je ne te dérange pas, au moins ? Tu dors encore, à cette heure-ci ? Scandaleux ! Peut-être n'es-tu pas seul ? »

Victor avait immédiatement reconnu la voix de Nicolas Latimer et rit à son tour. Ils affectionnaient tous deux ce genre de boutades, car ils avaient l'habitude de se lever aux aurores, quels qu'eussent été leurs excès de la veille.

« Nick, c'est toi, vieille canaille ? Bien sûr que je suis seul ! Comment ça se passe à Paris ?

— Comment veux-tu que je le sache ? Je n'ai vu que les quatre murs de ma chambre d'hôtel. A part cela, tout va pour le mieux.

— A la bonne heure ! Quand reviens-tu ?

— Bientôt, répondit Nick avec laconisme.

— Toujours le même ! Que veut dire « bientôt » ? Donne-moi une date, il faut que je te voie, que je te parle. Quand arrives-tu ?

— Je te l'ai dit, bientôt. Dès que j'aurai fini de revoir le scénario. Les problèmes sont résolus et je crois que la nouvelle version te plaira.

— La précédente n'était déjà pas si mauvaise, autant que je m'en souvienne.

— Je sais qu'elle te convenait, mais pas à moi. La fin était trop lente. En tout cas, je suis sur la bonne voie. Au fait, as-tu des nouvelles de Mike Lazarus ? »

Victor perçut immédiatement le changement de

ton, la pointe d'inquiétude dans l'intonation de son ami.

« Non, pas depuis quelques jours, répondit-il. Pourquoi ?

– Oh ! pour rien de particulier ! Je sais que cet enquiquineur voulait avoir le scénario en main.

– Ne t'inquiète pas, je suis assez grand pour m'en occuper. Prends tout le temps qu'il te faudra, Nick. Tu sais bien que nous ne pouvons pas commencer le tournage avant deux mois.

– Très juste. Bon, je me dépêche, j'ai un rendez-vous. A bientôt, vieux frère. Plus tôt même que tu ne le penses ! »

Sur une dernière plaisanterie, Victor raccrocha le combiné. Il appela aussitôt le standard, pria qu'on ne lui fît plus passer d'appels; il demanda du café puis se replongea dans l'étude du budget. Il fallait que tout soit prêt pour la réunion du lendemain avec le directeur de production. Mais il n'arrivait pas à se concentrer sur sa tâche. L'appel de Nick Latimer l'avait distrait et Victor pensa à son ami dont l'absence lui pesait. Le scénariste avait quitté Londres pour Paris, afin de « s'enfermer quelque part et réécrire en paix », avait-il déclaré. Son amitié fidèle, son sens de l'humour, la clarté de son raisonnement manquaient à Victor plus qu'il ne voulait l'admettre.

Ils avaient fait connaissance six ans auparavant lorsque le jeune auteur, alors âgé de vingt-trois ans, venait de faire, avec son premier roman, une entrée fracassante sur la scène littéraire américaine. Présentés l'un à l'autre au cours d'un cocktail, ils s'étaient immédiatement découvert des affinités. Ils éprouvaient le même ennui envers les futilités et le bavardage insignifiant qui les entouraient et s'étaient donc réfugiés dans un bar tranquille de Malibu. Ils s'étaient livrés à des confidences, avaient beaucoup ri, énormément bu. En quelques jours, une solide amitié s'était nouée – que leurs proches jugeaient pour le moins surprenante. Rien, en effet, n'aurait dû rapprocher le prestigieux « macho » hollywoodien et le jeune intellectuel de la Côte Est, dont la personnalité et les antécédents différaient radicalement. Victor et Nick ne firent que rire de ces opinions et continuèrent à se voir assidûment.

Car ils savaient, eux, sur quelles bases s'édifiait leur amitié. Ils se comprenaient l'un l'autre et avaient conscience que leurs diversités mêmes les rendaient plus proches, en quelque sorte complémentaires. « Et puis, avait observé Nick avec son ironie habituelle, regardons les choses en face : un Rital et un Youpin doivent former une équipe imbattable ! » Victor n'avait pu s'empêcher de rire. L'irrévérence de son ami, sa propension à se moquer de lui-même constituaient des traits de caractère que Victor appréciait d'autant plus qu'ils étaient les siens et qu'il y attachait du prix. Aussi, loin d'être différents, Nicolas Latimer et Victor Mason auraient pu être frères.

Depuis, Nick faisait partie intégrante de la vie de son ami. Il avait ses habitudes au ranch de Santa Barbara, voyageait souvent en compagnie de Victor lorsque celui-ci tournait à l'étranger. Il se mit aussi à écrire des scénarios qui lui étaient spécialement destinés et dont l'un d'eux valut aux deux inséparables un oscar chacun. Nick conseillait également Victor sur la valeur des scénarios qui lui étaient soumis et devint actionnaire de *Bellissima Productions*. Quand ils ne travaillaient pas ensemble, ils ne se séparaient pas pour autant. Ils allaient chasser le canard ou pêcher le saumon dans l'Oregon, skier à Klosters, faire les quatre cents coups de Paris à la Côte d'Azur ou à Rome en laissant dans leur sillage bouteilles vides et cœurs brisés. Au fil des années, leur amitié n'avait cessé de grandir et leurs liens étaient devenus indissolubles.

Oui, se disait Victor, Nick est mon meilleur, non,

mon seul ami. Le seul que j'aie jamais eu... Une correction s'imposa aussitôt à lui : le seul à l'exception d'Ellie. Car Ellie, sa première femme, avait aussi été l'amie la plus proche, la plus sûre de sa vie. Des années après sa mort, il ne cessait de la regretter.

Un soudain accès de mélancolie assombrit son regard. Seule Ellie aurait mérité de partager sa célébrité, sa fortune et les privilèges qu'elle impliquait, car Ellie avait travaillé dur pour l'aider à y parvenir. Elle n'avait pas vécu assez longtemps pour profiter de ces récompenses. Souvent, Victor trouvait un goût amer à cette vie dont Ellie avait trop tôt été arrachée. En un sens, son succès était immérité; il avait perdu toute valeur dès qu'avait disparu celle qui avait partagé ses débuts difficiles, accepté des sacrifices, consenti l'effort indispensable pour réussir une carrière. Un effort, d'ailleurs, que Victor ne pouvait pas relâcher; le plus rude était sans doute là – s'accrocher à la réussite. L'on est toujours seul au sommet – d'une solitude parfois insoutenable. Bien des années auparavant, quand il n'était encore que Vittorio Massonnetti, petit ouvrier du bâtiment né dans un faubourg de Cincinnati au sein d'une famille d'immigrants italiens, il riait de ce genre de déclarations. Maintenant, il savait combien c'était vrai.

Cette évocation le fit soupirer. Depuis la perte d'Ellie, sa vie avait été un désert. Ses deux autres épouses ne comptaient pas, sauf pour les épreuves qu'elles lui avaient infligées. Aucune, en tout cas, n'avait réussi à lui faire oublier le souvenir de la première, encore moins à prendre sa place. D'Ellie, il lui restait au moins les jumeaux, James et Steven – et cette simple pensée le réconforta. Si Ellie les voyait d'un autre monde, elle savait que ses deux garçons seraient aimés et protégés tant que lui, Victor, veillerait sur eux, c'est-à-dire aussi longtemps qu'il vivrait...

Des coups bruyants frappés à la porte le firent revenir à la réalité. Le service devient extraordinairement rapide, se dit-il en se levant. Il ouvrit et resta bouche bée : adossé au chambranle, Nicolas Latimer le dévisageait en souriant.

« Plus tôt que je ne pensais ? Tu en as de bonnes, toi !... » s'écria Victor en feignant la désapprobation.

Son sourire épanoui démentait ses paroles.

« Je sais, inutile de me faire des reproches ! Encore une de mes plaisanteries stupides... »

Ils se serrèrent la main, se donnèrent l'accolade.

« Ne reste pas là, andouille ! Entre, dit Victor en poussant son ami à l'intérieur.

— Je suis arrivé tout à l'heure par le premier avion de Paris. Quand je t'ai parlé, j'étais déjà dans ma chambre, au bout du couloir, expliqua Nick. Je n'ai pas pu résister à cette plaisanterie... »

Tout en parlant, il s'était laissé tomber dans un canapé. Il jeta négligemment une épaisse enveloppe sur la table basse et poursuivit :

« J'ai essayé de t'appeler hier soir mais tu étais sorti. Alors, je me suis décidé à venir moi-même et à te faire la surprise.

— Tu as rudement bien fait ! Tu ne peux pas savoir le plaisir que tu me fais. J'ai commandé du café. Veux-tu autre chose, as-tu déjeuné ?

— Rien qu'un peu de café, merci Victor. »

Pendant que Victor téléphonait pour modifier sa commande, Nick se débarrassait de sa veste. Ses yeux bleu clair, habituellement pétillants de malice, paraissaient sombres et le sourire espiègle qui d'habitude éclairait son visage d'une gaieté encore juvénile en était absent. Il tourna la tête vers Victor, la mine songeuse. Nick ne regrettait pas son départ précipité pour Londres. Dans un cas comme celui-ci, deux têtes valaient mieux qu'une pour réfléchir. Comment Victor prendrait-il la nouvelle qu'il était sur le point de lui assener ? Avec calme ou dans une explosion de son tempérament méditerranéen, jamais tout à fait maîtrisé ? Dans le doute, il préféra s'aventurer prudemment sur un terrain miné.

Revenu près de lui, Victor jeta un coup d'œil sur l'enveloppe :

« Qu'est-ce que c'est ? Les corrections du scénario ?

– Oui. Il me reste encore cinq ou six pages à retoucher, mais je le ferai demain. Entre-temps, délecte-toi de ma prose. »

Nick s'interrompit, alluma une cigarette, tira quelques longues bouffées pour se donner une contenance.

« Je suis revenu plus tôt que prévu parce que je voulais te parler, dit-il d'un ton sérieux.

– Tu n'as jamais entendu parler d'un instrument qu'on appelle le téléphone ? répondit Victor ironiquement. Non, manifestement, il s'agit de quelque chose d'important. Tu ne pouvais pas abandonner – comment s'appelle-t-elle, déjà ? – ah ! oui. Nathalie. Tu ne pouvais pas laisser tomber ta dernière conquête pour une broutille. A moins que tu ne l'aies apportée dans tes bagages ?

– Ni l'un ni l'autre. Elle n'est déjà plus à Paris, elle a dû repartir pour Hollywood la semaine dernière... »

Nick s'interrompit de nouveau, jeta un coup d'œil sur la table roulante chargée d'un assortiment de bouteilles :

« Toute réflexion faite, je n'ai pas envie de café. Malgré l'heure matinale, je préférerais quelque chose de plus fort. Et toi ?

– Bah ! pourquoi pas ? Les pubs sont déjà ouverts, répondit Victor en consultant sa montre. Qu'est-ce que je te prépare ?

– Un jus de tomate avec beaucoup de vodka. Et mélange-toi quelque chose de tassé, tu en auras besoin. »

Déjà devant le bar, Victor se retourna, les sourcils levés :

« Vraiment ? Et pourquoi cela ? »

Nick essaya de sourire :

« Nous avons un petit problème en perspective... Mike Lazarus est à Paris.

– Lazarus ? Je l'ai eu au téléphone avant-hier, à son bureau de New York ! Non, c'était mercredi dernier... »

Victor revint avec les deux verres pleins et s'assit en face de Nick. Ce dernier but une longue gorgée avant de répondre :

« Hier, en tout cas, il était installé comme chez lui au Plaza-Athénée. Tu le connais, il est partout à la fois, cet animal. A la tienne ! »

Machinalement, Victor leva son verre.

« J'ai vaguement l'impression que tu te prépares à m'annoncer que Lazarus est sur le sentier de la guerre, n'est-ce pas ? Eh bien, que veux-tu que ça me fasse ? Je te l'ai déjà dit, je n'ai pas peur. J'ai de quoi lui répondre.

– Laisse-moi finir, Vic. Il s'apprête à venir à Londres dans quarante-huit heures...

– Comment fais-tu pour être si bien informé de ses faits et gestes ? »

Nick réfléchit avant de répondre :

« Le monde est petit et réserve parfois des surprises. Te rappelles-tu Hélène Vernaud, cet ancien mannequin de Dior avec qui je suis sorti pendant un moment ?

– La belle grande brune avec des jambes époustouflantes ? Oui, bien sûr. »

Nick ne put s'empêcher de rire; on pouvait toujours faire confiance à Victor pour se souvenir des jolies filles.

« Elle-même. Mais il n'est pas question de ses jambes pour l'instant, et d'ailleurs elle est beaucoup plus intelligente que bien d'autres. Bref, nous sommes restés en bons termes après nous être quittés et je lui ai fait signe quand je suis arrivé à Paris il y a trois semaines. Nous avons déjeuné ensemble, évoqué les vieux souvenirs, tout ça. Elle m'a demandé sur quoi je travaillais en ce moment et je lui ai répondu que je terminais le scénario des *Hauts de Hurlevent* pour ton compte. Elle a eu l'air choquée, ce qui m'a étonné, et m'a appris qu'elle voyait beaucoup celui qui finançait le film, c'est-à-dire Mike Lazarus. Elle m'a ensuite fait jurer de ne pas divulguer notre rencontre. Lazarus est apparemment jaloux comme un tigre...

— Qu'est-ce qu'une fille jolie, intelligente et distinguée comme Hélène peut bien fabriquer avec une ordure comme Lazarus ? s'exclama Victor.

— Dieu seul le sait... Quoi qu'il en soit, nous avons fini de déjeuner et je n'y ai plus pensé. Jusqu'à hier. Hélène m'a appelé pour me fixer un rendez-vous chez sa mère. Son ton mystérieux, ces précautions invraisemblables m'auraient rendu méfiant venant de n'importe qui. Mais je connais assez Hélène pour savoir qu'elle a la tête sur les épaules. Pour nous résumer, elle déjeunait avec Lazarus au Plaza-Athénée vendredi dernier quand il a reçu un coup de téléphone des Etats-Unis. Elle n'a pas su s'il venait de New York ou de Los Angeles et Lazarus n'est pas le type à discuter ouvertement affaires devant une de ses petites amies. Heureusement, Hélène a l'esprit vif, et malgré les mystères et les tournures de phrases sibyllines de Lazarus, elle a plus ou moins reconstitué l'essentiel de la conversation, bien que ni nos noms ni le titre du film n'aient jamais été ouvertement mentionnés...

— Alors, comment est-elle si sûre de ce qu'elle avance ?

— Ce n'est pas sorcier. Lazarus s'est répandu en commentaires désobligeants sur un certain romancier illisible ayant fait des études classiques à

Oxford. Il a également dit pis que pendre d'un certain acteur de cinéma qui souffre de la folie des grandeurs et se prend pour un grand producteur. Cela ne te rappelle rien ?

– Bon... Vas-y, je t'écoute.

– En deux mots, Lazarus veut faire réécrire le scénario par quelqu'un d'autre. Il désapprouve formellement le choix d'une comédienne inconnue dans le premier rôle féminin. Il considère que le budget est astronomique et qu'il est en train de se faire dévaliser comme au coin d'un bois. En conclusion, il a annoncé son intention de congédier le producteur si ce dernier refusait de se plier à ses volontés et déclaré que ledit producteur ferait mieux de se limiter à ce qu'il sait faire, jouer la comédie. Voilà.

– L'enfant de salaud ! gronda Victor entre les dents. De quel droit irait-il me « congédier » alors que c'est mon propre film ? J'y travaille depuis près d'un an...

– Parce qu'il ne manque pas de culot et qu'il tient les cordons de la bourse, répondit Nick sans élever la voix. C'est la raison pour laquelle il se croit tout permis, tu le sais très bien.

– Non ! Lazarus sait très bien, au contraire, qu'il ne peut pas, je le répète, qu'il n'a pas le *droit* de me priver de mes fonctions de producteur, même s'il braille et me menace de ses foudres. S'il veut m'intimider, il en sera pour ses frais. C'est moi, et moi seul, qui ai pouvoir de décision sur le scénario.

– Tu as peut-être raison, mais il te fera quand même des ennuis pour le rôle de Catherine Earnshaw... »

Nick s'interrompit, hésita avant de poursuivre :

« Ecoute, ce n'est peut-être pas une très bonne idée, tout compte fait, de choisir une inconnue. Ton nom à l'affiche est amplement suffisant pour attirer le public, je te l'accorde, mais Lazarus n'a pas tout à fait tort non plus. Pourquoi te fatiguer à faire tourner un bout d'essai à Katherine Tempest ? Engage un nom et évite de provoquer Lazarus.

– Inutile, Nick. Je l'ai promis à Katherine, je ne reviens pas sur ma parole. »

Nick n'insista pas. Il se demanda si Victor et Katherine avaient noué des rapports autres que professionnels. Il jugea aussitôt cette idée hautement improbable, sinon absurde. Victor avait trop d'expérience, il était trop homme d'affaires pour se laisser entraîner dans un tel piège. Sa curiosité l'emporta néanmoins sur la prudence et il interrogea :

« Dis-moi, pourquoi sembles-tu tant tenir à ce bout d'essai ?

– Parce que, comme je viens de te le dire, je le lui ai promis et elle le mérite, à mon avis. Bien entendu, ce n'est pas la seule raison. La plus importante, c'est que je suis persuadé qu'elle sera absolument parfaite dans le rôle, au moins aussi bonne que Merle Oberon l'avait été, probablement meilleure. Si le bout d'essai est bon, c'est elle qui jouera dans le film et mes commanditaires peuvent aller au diable si ça leur chante... Ce n'est pas tout, poursuivit-il avec un sourire. Je compte la prendre sous contrat. J'ai l'impression, vois-tu, que la petite Katherine Tempest sera un jour une très grande star – ne le répète pas, j'attends quand même de la voir sur l'écran avant d'en être sûr. Alors, Nick, fais-moi confiance, je sais où je vais. Dès l'instant où je l'ai vue, j'ai compris qu'elle possédait cette qualité inimitable qui fait les vraies stars. Si elle peut la transmettre à la pellicule, comme je l'en crois capable, elle ira très loin. Sinon... Eh bien, elle restera quand même une bonne comédienne. Au théâtre. Je m'étonne, d'ailleurs, que tu ne l'aies pas déjà remarqué toi-même.

– Mais si, Victor... Seulement, la question n'est pas là. Future star ou pas, Katherine Tempest est inconnue du public et Lazarus va te chercher noise.

J'ai d'ailleurs le pressentiment qu'il va débarquer à Londres et te tomber dessus à l'improviste. »

Victor se leva, alla remplir les verres, revint lentement vers son siège.

« Autant que je te l'annonce, Nick, mais j'envisage sérieusement depuis un bout de temps de me débarrasser de Mike Lazarus, déclara-t-il avec une nonchalance affectée. C'est un dictateur au petit pied, un mégalomane. Il s'imagine capable de produire un film parce qu'il dirige une multinationale, mais il est loin du compte ! Si je le laisse mettre de l'argent dans ce film, je me prépare de sérieuses migraines et je n'en ai plus du tout envie. En fait, je me demande comment j'ai été assez bête pour me fourrer dans les pattes de cet individu. Ce que tu viens de m'apprendre à son sujet me renforce dans ma décision. Il faut que je le largue, et le plus vite possible.

– Ce serait sensationnel. Mais comment vas-tu t'y prendre ? Je croyais que vous aviez signé un contrat...

– Le contrat est prêt mais je ne l'ai pas encore signé. J'y avais relevé plusieurs clauses qui me déplaisaient et je l'ai envoyé à mes avocats de Beverly Hills pour qu'ils l'étudient. J'attends leurs observations avant de signer quoi que ce soit. En plus, Mike Lazarus n'a pas encore déboursé un sou. Il n'a donc absolument aucun droit sur rien. C'est toujours moi le patron. »

Nick ne partageait pas l'optimisme qui faisait sourire son ami.

« Comment vas-tu t'arranger pour le financement ?

– Franchement, je n'en sais encore rien. Mais tout vaut mieux qu'un Lazarus. La Metro pourrait s'intéresser au projet, qu'en penses-tu ? »

Nick fronça les sourcils, de plus en plus soucieux :

« Je n'en pense rien, Vic. A priori, cela ne les

exciterait guère de faire un *remake* des *Hauts de Hurlevent*. Les distributeurs ne sont généralement pas fanatiques des énièmes moutures...

– Allons, vieux frère, permets-moi plutôt de me soucier de ces questions-là ! s'écria Victor en riant. Ce que t'a raconté ton amie Hélène te fait voir tout en noir. Mais nous n'allons pas perdre le sommeil à cause d'un type comme Lazarus. Si nous sortions un peu ? Le grand air me ferait du bien. On pourrait déjeuner dans un endroit sympathique, se changer les idées.

– Pourquoi pas ?... »

La mine toujours soucieuse, Nick se leva, alla machinalement vers le bar, se retourna :

« Puis-je te poser une question, Victor ? »

La main déjà sur la porte de la chambre, il se retourna, conscient du ton sérieux de son ami :

« Je t'écoute.

– Admettons que tu laisses vraiment tomber Lazarus. Que feras-tu si tu n'obtiens pas le financement de la Metro ou de la Fox, par exemple ?

– C'est simple, j'annule le projet. Je n'ai pas le choix, n'est-ce pas ? Mais, rassure-toi, *Bellissima* ne sera pas en faillite pour autant. Je pourrais même faire passer mes pertes en déduction de mes bénéfices imposables... »

Sur un haussement d'épaules fataliste, Victor entra dans sa chambre pour se changer.

Resté seul, Nick garda les yeux fixés sur l'endroit que son ami venait de quitter. Annuler le projet, comme cela, après le temps qu'ils y avaient tous deux consacré !... Passe encore pour les dépenses de pré-production, mais gaspiller ainsi une année de leur vie ! Nick savait pourtant que Victor n'avait pas parlé à la légère. Cette éventualité, il l'avait certainement envisagée, soupesée, il en parlait en pleine connaissance de cause.

Un regret lui serra la gorge à la pensée du scénario sur lequel il avait tant peiné. Serait-il condamné à rester à jamais dans un tiroir ? Il ne serait pourtant pas le seul à être déçu, et Victor le serait tout autant. Depuis longtemps, Victor rêvait de tenir le rôle de Heathcliff, de relever le défi d'un tel personnage, de prouver qu'il était capable d'autre chose que de séduire les foules sur un écran...

Pour eux deux, ce ne serait pas un drame. Ils oublieraient vite leur déception. Les techniciens se retrouveraient absorbés par d'autres productions. Ils s'en tireraient sans trop de dommage. Mais Katherine Tempest ? Elle jouait toute sa carrière sur ce bout d'essai. Le film représentait une chance unique de se lancer, de prétendre d'un seul coup, et d'une manière relativement aisée, à la tête d'affiche. Sans Victor, sans film, il lui faudrait sans doute attendre des années pour retrouver une pareille occasion. En perdant celle-ci, Nick le pressentait, elle accuserait durement le coup. S'en relèverait-elle aussi facilement que les autres ?

Sur le plan professionnel, Nick partageait les vues de Victor à son égard. La jeune actrice était manifestement promise à une brillante carrière. En revanche, il restait insensible à ses qualités personnelles. Son charme et sa beauté ne le captivaient pas, au contraire. Derrière une façade éblouissante, Nick n'avait décelé qu'une immense froideur. Sa sensualité n'était qu'une apparence dissimulant, croyait-il, une profonde frigidité. Au cours des rares fois où Nick s'était trouvé en sa compagnie, il avait remarqué certains autres traits de caractère qui, à divers degrés, lui déplaisaient. En fait, Katherine, paraissait dotée d'une double personnalité et cette dualité le mettait mal à l'aise. Gaie et chaleureuse par moments, elle se montrait distante, insensible à certains autres. Elle semblait douée de la faculté de se dissocier d'elle-même comme pour observer autour d'elle avec une grande indifférence. Est-ce du détachement ? se demanda-t-il. N'est-ce pas plutôt un désintérêt pour toute autre personne qu'elle-même ?

Décidément, je me laisse emporter par mon imagination ! se dit-il. Cette fille n'a rien d'anormal. Ambitieuse à l'excès, soit, mais qui ne l'est pas dans un métier comme le sien ? En dépit de ses efforts pour la considérer avec plus d'objectivité, Nick ne pouvait se défaire d'une certaine antipathie. En réalité, dut-il admettre, il ne l'aimait guère.

Surpris d'éprouver des sentiments si intenses envers une étrangère, encore plus étonné de lui consacrer aussi longtemps ses pensées, Nick vida son verre et se força à dévier le cours de ses réflexions. Un instant plus tard, il se prêtait de nouveau tout entier au plaisir de l'amitié et ne pensait plus qu'à Victor.

8

Dans la cuisine de son appartement de Lennox Gardens, Katherine attendait que l'eau commençât à bouillir. Pendant ce temps, elle mit deux toasts à griller, posa une tasse, une assiette, le beurre et la confiture sur un plateau avec des gestes vifs, et comme toujours, gracieux.

La minuscule cuisine étincelait de propreté et reflétait l'ordre rigoureux cher à sa propriétaire. De la fenêtre, l'on jouissait d'une vue plongeante sur le square bordé d'imposantes demeures victoriennes. En ce matin de février, le squelette noirci des arbres dénudés donnait au jardin public une apparence désolée. Les branches se détachaient pourtant sur l'un des plus beaux ciels que Katherine ait contemplé depuis longtemps. Un vélum d'un bleu translucide, où le soleil prenait des éclats cristallins, était tendu sur la ville.

Une matinée de printemps, se dit Katherine avec un sourire joyeux. La clémence inattendue de cette journée lui donna aussitôt l'envie de se rendre à pied à son rendez-vous de treize heures, pour le déjeuner. Le sifflement de la bouilloire l'arracha à sa contemplation; elle versa l'eau dans la théière et emporta le plateau vers le petit salon.

Le soleil qui pénétrait à flots dans la pièce ne parvenait pas à lui faire perdre sa froideur impersonnelle. Murs, moquette, rideaux, meubles, tout était blanc, d'une rigueur clinique accentuée par l'acier chromé et le verre de la table basse et des étagères. Les seules notes colorées se limitaient au noir ou au gris sombre. Nulle part l'on ne relevait la présence de photos, de souvenirs, de ces objets insignifiants et familiers témoins d'une vie personnelle. L'ensemble donnait l'impression d'une cellule monastique, que l'on retrouvait dans la chambre à coucher, encore plus dépouillée. Katherine adorait cette atmosphère immaculée où elle ne voyait que beauté, élégance et recherche.

Elle but son thé à petites gorgées. Ce jour-là, elle se sentait merveilleusement bien. La semaine s'était écoulée dans une euphorie exaltante; chaque journée depuis le samedi précédent lui paraissait avoir été un triomphe. Francesca et son père l'avaient trouvée admirable sur scène; le souper aux Ambassadeurs, où Victor tenait à la perfection son rôle de maître de maison, une soirée inoubliable. Mieux encore, le comte avait succombé sans réticences à son charme; Katherine ne prévoyait donc aucune opposition de sa part, ni de problèmes dans ses rapports avec Kim. Pour finir, Victor les avait tous emmenés danser dans une boîte à la mode. L'ambiance avait été chaleureuse sans la moindre fausse note. Katherine s'était comportée avec une perfection digne de son talent de comédienne.

Le lendemain, elle avait déjeuné en tête-à-tête avec Victor qui voulait lui parler plus en détail de son bout d'essai. Il lui avait donné d'excellents conseils, dont Katherine lui était profondément reconnaissante. Le tournage du bout d'essai devait avoir lieu le vendredi de la semaine suivante. Demain soir, après la représentation, elle sortait dîner avec les Cunningham au grand complet avant que Kim et son père ne retournent dans le Yorkshire.

Katherine ne put retenir un sourire de contentement : tout s'enchaînait comme prévu, tous ses projets se réalisaient. Elle allait épouser Kim et devenir vicomtesse d'Ingleton; et elle serait une star de cinéma à la renommée mondiale. Ses rêves se concrétiseraient un par un. Elle ne connaîtrait plus jamais le chagrin ni la douleur. A partir de maintenant, tout lui réussirait dans la vie. Car elle ne doutait pas du résultat de son bout d'essai : elle y serait si éblouissante que Victor ne pourrait faire autrement que de lui attribuer le premier rôle dans son film.

Victor Mason lui avait confirmé que le tournage débuterait en avril, ce qui convenait parfaitement à Katherine. Son contrat avec le théâtre se terminait à la fin de mars; il lui suffirait de ne pas le renouveler. Le film l'occuperait environ douze semaines, les extérieurs étaient prévus dans le Yorkshire, les intérieurs dans l'un des plus grands studios londoniens. Victor comptait obtenir la « copie zéro » dès le mois de septembre, ce qui permettrait de tirer quelques copies supplémentaires pour organiser des projections aux Etats-Unis avant la fin de l'année, à temps pour les oscars de 1956. Même si la distribution générale ne devait intervenir qu'au printemps 1957, Victor ne voulait pas laisser passer une chance de concourir dans cette prestigieuse compétition.

Et si elle obtenait un oscar ?... Cette seule idée donna à Katherine le vertige. Avec ou sans cette récompense, elle était sûre de se trouver catapultée au firmament de la gloire grâce à ce film. Elle croyait à sa réussite, une réussite qui lui apporterait plus encore que la gloire : la fortune – et la puissance qui en découle.

Un regret l'attrista soudain, assombrit son visage rayonnant. Il était trop tard pour sauver sa mère. Heureusement, elle pourrait encore faire quelque chose pour Ryan, son frère tant aimé et si longtemps perdu. Ce désir l'avait guidée et soutenue dans ses efforts depuis des années. Elle devait réussir pour arracher Ryan à l'influence dominatrice de leur père, le soustraire à ses ambitions malsaines. Il arrivait encore à Katherine de trembler de frayeur lorsqu'elle pensait à son frère. Ryan avait près de dix-neuf ans. Son âme était-elle déjà irrémédiablement contaminée par cet homme ? Elle préféra repousser cette idée de peur d'en être paralysée. Mais cette simple évocation ne fit que renforcer sa détermination d'éloigner son frère de Chicago et de le garder sous sa protection.

Comme toujours lorsqu'elle évoquait Ryan, Katherine ne put s'empêcher de revoir les ombres maléfiques dont il restait entouré. Cette grande maison sinistre où ils avaient grandi et où Ryan vivait toujours, ce monument équivoque élevé par leur père à la gloire de sa fortune et de sa puissance. Katherine avait toujours haï cette maison aux couloirs sombres, aux pièces regorgeant de meubles trop opulents, symboles du mauvais goût d'un nouveau riche. Elle n'y avait respiré que le malheur, subi d'insoutenables contraintes. Certes, ils n'y avaient jamais manqué de rien : vêtements coûteux, nourritures raffinées, serviteurs, voitures. Leur père était plusieurs fois millionnaire et entendait le montrer. Mais l'on y était privé de l'essentiel, l'amour. Elle en avait franchi le seuil six ans auparavant sans intention d'y revenir jamais.

Son père... Katherine n'était pas encore parvenue à éliminer complètement son image et, ce matin-là, elle ne chercha pas à la repousser. Aussi clairement que s'il se tenait devant elle, Patrick Michael Sean O'Rourke lui apparut. Un bel homme, c'est vrai, un visage aux traits réguliers surmonté d'une opulente chevelure noire et bouclée, des yeux bleus lumineux mais durs. Encore tout enfant, elle savait déjà que ce physique plaisant dissimulait un caractère méprisable. Longtemps, les qualificatifs lui avaient manqué pour le dépeindre. Aujourd'hui, ils lui venaient en foule : impérieux, avide, sans scrupules, foncièrement vénal, cet homme ne vénérait que l'argent et n'aspirait qu'au pouvoir. Personne ne connaissait Patrick O'Rourke mieux qu'elle. Il incarnait la duplicité : gai, charmant, amusant, cordial en public, il se transformait en tyran aussitôt chez lui. Katherine le haïssait autant qu'il haïssait sa fille. Elle n'eut pas grand effort à faire pour se rappeler, avec une précision douloureuse, ce jour d'août 1947, neuf ans auparavant, où son père avait laissé éclater la haine qu'il lui vouait. Elle n'avait que douze ans...

Ce jour-là, pour la première fois depuis de longs mois, Katherine était heureuse. Sa mère se sentait mieux et partageait le déjeuner de ses enfants. Sans déborder de sa vitalité coutumière, Rosalie O'Rourke semblait redevenue elle-même. Gaie, presque insouciante, ses yeux verts pétillaient, ses longs cheveux d'un roux de bronze flottaient autour de son visage en forme de cœur. Elle n'était plus marquée de la pâleur maladive qui peinait tant Katherine, mais sa robe de soie verte dissimulait mal l'extrême maigreur de son corps affaibli.

Mme O'Rourke avait fait servir dans la petite salle à manger, l'une des rares pièces accueillantes de la maison, qu'elle avait décorée selon son goût, dans le même style raffiné que celui de son appartement personnel. Assise en face de sa mère, Katherine la dévorait des yeux. Pour elle, Rosalie O'Rourke représenterait toujours le summum de la beauté et de l'élégance. A son admiration se mêlait l'espoir; guérirait-elle de la mystérieuse maladie qui la tenait clouée au lit depuis deux ans ? La fillette ignorait la nature du mal dont sa mère était affligée; on n'en parlait pour ainsi dire jamais et elle n'avait surpris, çà et là, que quelques chuchotements incompréhensibles, aussitôt interrompus en sa présence.

Son père était absent et l'atmosphère joyeuse. Ryan bavardait comme une pie, ils riaient tous trois. Katherine profitait sans arrière-pensée de cet instant de bonheur et de l'amour maternel. Seul le manque d'appétit dont Rosalie faisait preuve ternissait quelque peu le plaisir de la fillette.

Le repas terminé, Ryan s'était éclipsé. Katherine avait accepté avec joie de tenir compagnie à sa mère une heure encore. Rien ne lui plaisait davantage que de partager avec elle leurs trop rares moments d'intimité. Installées dans le petit salon, auprès d'une des fenêtres dominant le lac Michigan, elles parlèrent peu, trop heureuses l'une et l'autre de profiter de ce répit que la maladie accordait à Rosalie O'Rourke.

A trente-deux ans, se sachant condamnée, la jeune femme avait fait la paix avec Dieu et cette sérénité transparaissait sur son visage. Sa beauté, que la maladie n'avait pu altérer, était plus frappante, ce jour-là, car une tendresse mélancolique jetait un voile sur ses traits et éclairait son regard d'une transparence embrumée. L'effort accompli pour descendre déjeuner avec ses enfants avait épuisé ses forces; elle devait prendre sur elle pour ne pas trahir sa faiblesse devant Katherine, qu'il fallait au contraire rassurer et réconforter. Depuis son mariage, Rosalie n'avait connu que trop peu de joies; ses enfants, sa fille en particulier, en avaient été les seules sources. Elle avait très vite abdiqué devant son mari, dont les appétits insatiables et le tempérament emporté étouffaient sa délicatesse et sa nature artistique. En dépit de l'amour qu'elle éprouvait pour lui, et que les épreuves n'avaient pas atténué, elle regrettait cette union, que l'incompatibilité de leurs caractères vouait dès le début à l'échec. Peu de leurs proches connaissaient la véritable nature de Patrick O'Rourke, tant il était passé maître dans l'art de la dissimulation. Rosalie, pour sa part, avait vite démasqué l'arriviste sans scrupules derrière la façade de l'homme d'affaires respectable à qui tout réussissait.

Son père avait exprimé de sérieuses réserves en rencontrant pour la première fois ce soupirant trop pressé. Conquise, Rosalie s'était bouché les oreilles et avait méprisé les mises en garde. Depuis, poussée à bout, elle avait sérieusement envisagé de se séparer de Patrick. De divorce, naturellement, il ne pouvait être question; ils étaient tous deux catholiques et il fallait surtout penser aux enfants. Et puis, malgré tous les défauts qu'elle lui connaissait trop bien, elle lui restait attachée.

La maladie était survenue. Rosalie avait très tôt compris le caractère incurable de son mal; elle ne se faisait plus d'illusion sur les répits, de plus en plus rares et brefs, qu'il lui accordait. Une seule pensée occupait son esprit : il me reste si peu de temps sur cette terre, si peu de temps pour mes enfants. Que Dieu les protège ! Journellement, dans ses prières, elle rendait grâce au Tout-Puissant d'avoir donné à ses enfants plus de sa personnalité à elle que des défauts de leur père. Mais ils étaient encore si jeunes. Resteraient-ils ainsi, adultes ?

Ce jour-là, comme toujours lorsqu'elle regardait sa fille, elle s'émerveillait. La fillette était douce, obéissante. Cependant, en dépit de sa grande jeunesse, elle faisait preuve d'une maturité d'esprit que sa mère décelait non sans angoisse. Elle semblait avoir connu et surmonté bien des épreuves, acquis expérience et sagesse. Elle en savait trop pour son âge. Son extraordinaire beauté constituait sans doute un atout. Ne serait-ce pas, à terme, un handicap ? Katherine possédait une personnalité attachante, affectueuse, tendre que reflétait sa physionomie. Mais Rosalie la connaissait assez pour savoir que ces traits dissimulaient une obstination, une ambition sans merci héritées de Patrick. Peut-être, en fin de compte, était-ce un bien. Katherine serait au moins capable d'avancer seule dans la vie, de se défendre contre son père, de franchir les obstacles. Elle n'était pas désarmée devant l'avenir.

Ryan, au contraire, inquiétait sa mère. Il était trop docile, trop timide pour résister à Patrick. Celui-ci le couvait, en effet, l'entourait d'une sollicitude alarmante. Il voyait en son fils son dauphin, plus encore que son héritier, à travers qui réaliser ses propres ambitions. Profondément déçu à la naissance de sa fille aînée, Patrick avait reporté tous ses espoirs sur Ryan. Dès ses premières années, son père avait tracé des plans pour son avenir et Rosalie ne pouvait rien faire pour s'y opposer. D'ailleurs, elle ne serait même plus présente au moment de leur réalisation. Elle ne pouvait que prier Dieu d'accorder à son fils la force d'âme de résister à son père et de décider lui-même du cours de sa vie.

Rosalie soupira. Comment était-elle capable de juger son mari avec tant de lucidité et de lui rester néanmoins attachée par des sentiments dont elle semblait incapable de se défaire ? La nature féminine est-elle toujours aussi incohérente ?...

« Vous ne vous sentez pas bien, maman ? »

La question inquiète de Katherine rompit le fil de ses réflexions. Rosalie se força à sourire, répondit avec une insouciance affectée :

« Tout va bien, ma chérie. Je me disais simplement que je t'ai honteusement négligée, ces derniers temps. Mais tu sais combien je suis lasse ! Je voudrais tant que nous passions plus de moments ensemble, surtout maintenant que tu es en vacances.

– Moi aussi, maman. Mais il ne faut pas vous inquiéter de moi. Je désire si fort que vous guérissiez... »

Tout en parlant, Katherine avait quitté sa chaise pour s'asseoir à côté de sa mère. Elle lui prit la main tendrement; alors, l'expression des yeux verts tant aimés lui fit peur. Elle y devinait une immense tristesse, de la résignation peut-être. Des larmes lui picotèrent soudain les paupières :

« Vous allez guérir, n'est-ce pas, maman ? dit-elle d'un ton suppliant. Vous n'allez pas bientôt mourir ? »

Rosalie fit danser ses longues boucles rousses en riant :

« Bien sûr que non, ma petite sotte chérie ! Bientôt, tu verras, je serai complètement rétablie. Il le faudra, d'ailleurs, pour assister à ta première apparition sur scène ! Je tiens à voir ton nom sur l'affiche, à t'apporter des fleurs le soir de la générale. Tu veux toujours faire du théâtre, au moins ? »

Le ton plein d'assurance de Rosalie avait dissipé les craintes de Katherine.

« Oh ! oui, maman ! Plus que jamais !... Il ne va pas s'y opposer, n'est-ce pas ? »

L'expression de Rosalie se rembrunit brièvement.

« Ton père ? Mais non, j'en suis sûre. Pour quelle raison... »

Elle s'interrompit, réprima une grimace de douleur.

« Les pères sont tous les mêmes, ma chérie, reprit-elle. Ils ne prennent guère ce genre de choses au sérieux. Pour eux, une fille doit se marier et avoir beaucoup d'enfants. A mon avis, il croira que le théâtre ne sera pour toi qu'une distraction jusqu'à ton mariage.

— Mais je ne veux pas me marier ! protesta Katherine avec résolution. Je veux devenir une actrice célèbre, une grande vedette. Je veux consacrer ma vie au théâtre ! Je n'aurai pas de temps pour des bêtises comme le mariage ! »

Rosalie esquissa un sourire amusé :

« Tu changeras peut-être d'avis un jour, ma chérie. Tu rencontreras sans doute quelqu'un que tu aimeras.

— Non ! Cela ne m'arrivera jamais ! »

Rosalie préféra ne pas relever cet enfantillage et continua de sourire affectueusement à sa fille. Depuis un moment, déjà, elle cherchait le moyen de lui dire quelque chose sans l'alarmer. Elle chercha ses mots avec soin, les prononça sans leur accorder une importance excessive.

« Tu aimes ta tante Lucie, n'est-ce pas ? »

Katherine prit l'air étonné de ce soudain changement de sujet.

« Oui, bien sûr. Pourquoi ?

— Depuis toujours, elle est pour moi plus qu'une sœur, vois-tu. Une amie. Elle t'aime beaucoup, Katherine. Ta tante sera toujours là pour t'aimer et te soutenir. Ne l'oublie pas, n'est-ce pas ? »

Katherine dévisagea intensément sa mère, ne vit aucun trouble transparaître sur son visage serein.

« Pourquoi me dites-vous cela, maman ? demanda-t-elle en fronçant les sourcils. Je n'ai pas besoin de compter sur tante Lucie puisque je vous ai.

— Nous avons tous besoin d'amis sûrs, ma chérie, voilà tout ce que je voulais dire. Et maintenant, sois gentille. Fais-moi la lecture, veux-tu ? Un peu de poésie, par exemple. Quelques vers d'Elizabeth Barrett Browning. »

Katherine alla prendre sur une étagère le volume relié et le feuilleta attentivement pour retrouver son sonnet préféré, que sa mère aimait aussi. Sa voix s'éleva mélodieusement dans la pièce silencieuse. Quand elle eut fini sa lecture, Katherine leva les yeux vers sa mère en souriant. Le livre lui échappa des mains : de grosses larmes roulaient sur les joues de Rosalie et la main qu'elle levait pour les sécher était tremblante.

« Maman ! Maman ! Qu'y a-t-il ? Pourquoi pleurez-vous ? Je ne voulais pas vous faire de peine en choisissant ce sonnet...

— Je l'aime beaucoup, ma chérie. Ce n'est pas de tristesse que je pleure, rassure-toi. C'est toi qui m'as émue, ta voix, le sentiment que tu as su mettre dans ta lecture. Tu seras une très grande, une merveilleuse actrice, ma chérie. »

Touchée par le compliment, Katherine embrassa sa mère :

« Voulez-vous que je vous lise autre chose de plus gai ?

– Non, ma chérie. Je crois que je vais m'étendre un peu. Je me sens fatiguée... Va, Katherine, va t'amuser. Je t'aime.

– Moi aussi, maman, je vous aime. »

Rosalie se leva avec effort, se retint au dossier du sofa pour dissimuler le tremblement qui la saisissait.

« Reviendras-tu me voir tout à l'heure ?

– Oh ! oui, maman ! »

Rosalie se borna à hocher la tête, soudain trop épuisée pour parler, et se dirigea à pas lents vers sa chambre.

Aussitôt seule, Katherine partit à la recherche de Ryan. Elle le trouva, comme elle s'y attendait, dans la salle de jeux. Assis à une table, la tête studieusement penchée, il était en train de peindre à l'aquarelle.

Katherine courut le rejoindre, se pencha par-dessus son épaule :

« Je peux regarder ?

– Bien sûr ! répondit Ryan en souriant. Je viens de finir. N'y touche pas, c'est encore humide. »

Bouche bée d'admiration, Katherine contempla l'œuvre de son jeune frère, un paysage. Le plus beau qu'il eût jamais exécuté. La fillette ne pouvait croire qu'un garçonnet de dix ans eût été capable d'accomplir un tel chef-d'œuvre.

« Tu as recopié un modèle ? demanda-t-elle.

– Bien sûr que non ! protesta-t-il. Tu ne reconnais pas ce que ça représente ?

– Euh... non. »

Ryan fouillait dans les papiers étalés devant lui et

exhiba fièrement un instantané qu'il fourra sous le nez de sa sœur :

« Regarde ! C'est le jardin de tante Lucie.

– Tu l'as tellement embelli que je ne l'avais pas reconnu. Tu es un artiste, Ryan, un vrai ! Je suis fière de toi.

– Bien vrai ?

– Bien vrai. Promis, juré. »

A ce moment-là, le bruit de la porte les fit sursauter. Leur père se tenait sur le seuil et les contemplait d'un air sévère :

« Ah ! Vous voilà, tous les deux. Que complotez-vous, encore ? Des bêtises, sans doute.

– Mais non, papa ! protesta Katherine.

– Tant mieux. Et toi, mon fils, qu'as-tu fait, aujourd'hui ? T'es-tu bien amusé ?

– Oui, papa, répondit Ryan en baissant la tête.

– C'est bien, c'est bien... »

Patrick O'Rourke s'assit lourdement sur une petite chaise à bascule qui craqua sous son poids et se balança pensivement. Au bout d'un moment, il dirigea son regard perçant vers Ryan :

« J'espère en tout cas que tu ne perdais pas ton temps, mon garçon. Il faut avoir de l'ambition, dans la vie. Moi, j'en ai pour toi, comme j'en ai eu pour moi-même. Sans ambition, je ne serais pas riche aujourd'hui, tu sais ? Il faut travailler, Ryan. Mais ne t'inquiète pas, mon petit, je m'occuperai de toi. Je te préparerai la voie, tu n'auras qu'à suivre mes conseils. Tu feras une brillante carrière et je t'y aiderai, je te pousserai dans la vie. J'ai de l'argent, des relations, des appuis. Tu profiteras de tout cela plus tard. Et puis, qui sait, un jour tu pourras même faire de la politique, gravir les échelons et finir à la Maison Blanche ! Hein, qu'en dirais-tu, mon garçon ? A la Maison Blanche ! Oui, Ryan, grâce à toi je réaliserai mes rêves, tu verras ! Laisse ton père s'occuper de tout et tu réussiras, crois-moi. »

Stupéfait, Ryan avala sa salive, ouvrit la bouche sans pouvoir proférer un mot. Il lança à Katherine un regard effaré, comme un appel au secours.

Katherine n'était pas moins étonnée d'entendre cette tirade. Venant de tout autre que leur père, elle aurait cru à une vantardise sans conséquence. Mais Patrick O'Rourke ne parlait jamais pour ne rien dire, elle ne le savait que trop bien. Que s'était-il produit, ce jour-là, pour qu'il fît irruption dans leur salle de jeux et développât d'ahurissants projets pour l'avenir de son fils ? Elle se souvint vaguement qu'il avait participé à une réunion politique suivie d'un déjeuner. Aurait-il eu l'audace insensée de prendre, vis-à-vis de ses amis politiciens, des engagements pour son fils, à peine âgé de dix ans ? Patrick O'Rourke était capable de tout. Katherine serra son frère dans ses bras, se plaça devant lui comme pour le protéger :

« Ryan n'a sûrement pas envie de faire carrière dans la politique, papa, déclara-t-elle fermement. D'ailleurs, il est trop jeune...

— Quoi ? Répète ce que tu viens de dire.

— Ryan ne veut pas faire de la politique, il veut devenir peintre ! »

Si Ryan tremblait devant leur père, Katherine éprouvait trop de mépris pour le craindre. La provocation de sa fille fit bondir Patrick O'Rourke :

« Comment oses-tu me dire ce que fera ou ne fera pas mon fils ? s'écria-t-il en devenant rouge de colère.

— Il a du talent. Regardez cette aquarelle...

— Je ne veux rien regarder ! Je ne veux plus de ces inepties chez moi ! Ta mère et toi faites du beau travail, vous farcissez la tête de ce malheureux garçon d'idées artistiques pour en faire une poule mouillée ! Cela va cesser ! »

En deux enjambées, Patrick O'Rourke traversa la pièce. Il saisit le paysage, le déchira sans le regarder, en jeta les morceaux à terre. Ryan, terrorisé, poussa un gémissement d'animal blessé. Emporté par la fureur, son père balaya la table d'un revers de la main et piétina rageusement son attirail de peintre. Katherine observait ce sacrilège, les traits déformés par la révolte. Cet homme est un monstre ! se répétait-elle. Une brute. Il se prend pour un grand monsieur avec ses vêtements coûteux et ses chemises de soie, mais il est resté un paysan illettré. Un propre à rien. Une brute.

Pendant ce temps, Patrick pointait un index menaçant vers son fils :

« Maintenant, mon garçon, écoute-moi bien ! A partir de maintenant, je ne veux plus entendre parler de peinture et de mièvreries de ce genre, est-ce clair ? Je te l'interdis. Ce n'est pas digne d'un grand garçon comme toi. C'est tout juste bon pour des filles. Je ne veux pas que mon fils devienne une femmelette. Tu travailleras, tu feras des études sérieuses. Plus tard, tu auras une belle carrière et tu réussiras, que tu le veuilles ou non ! Tu n'es plus un bébé, compris ? »

Ryan baissa la tête, renifla ses larmes et bredouilla « Oui, papa » d'une voix à peine audible.

Patrick se tourna alors vers Katherine et lui décocha un regard furieux :

« Quant à toi, ma petite, ne te mêle plus de ce qui ne te regarde pas. J'en ai assez de tes manigances ! Tu es une faiseuse d'histoires et une menteuse. Oui, une menteuse ! Je ne suis pas près d'oublier ce que tu as osé raconter sur ton oncle George. C'est révoltant ! Je n'aurais jamais cru ma propre fille capable de pareilles bassesses. »

Katherine se sentit vaciller sous l'affront. Mais la colère l'envahit, elle dut serrer les poings pour se dominer. Comment cet homme, son père, osait-il se montrer aussi cruel et l'accuser injustement en présence de Ryan ?

Elle répliqua d'une voix qui ne tremblait pas :

« George Gregson n'est pas mon oncle, il n'est que votre associé. Et si quelqu'un a menti, c'est lui. Pas moi !

– Va dans ta chambre ! cria Patrick O'Rourke d'une voix tonnante. Tu oses me répondre, maintenant ? Insolente ! Inutile de descendre dîner ce soir, je refuse de te regarder. Va te cacher, misérable ! »

Katherine se dirigea vers la porte en jetant à son père un regard de défi. Avant de sortir, elle se retourna et dit avec une froideur méprisante :

« Ah ! J'oubliais. J'ai répondu au téléphone, tout à l'heure. Le message est sur votre bureau. Une certaine demoiselle McGready vous fait savoir que vous pourrez la rejoindre ce soir à l'endroit habituel. »

Patrick resta un moment muet de saisissement. Mais, dès qu'il se fut maîtrisé, Katherine vit ses traits qui se déformaient sous l'emprise d'une haine si intense que, malgré elle, elle recula d'un pas. Elle se reprit aussitôt, soutint son regard sans faiblir, lui fit comprendre par son expression qu'elle était sans illusion sur son compte. C'est alors qu'elle se jura de soustraire son jeune frère à l'influence maléfique de son père, dût-elle y consacrer sa vie. Elle ne se rendait pas compte de l'expression de haine qui flambait sur son visage enfantin avec une puissance telle que Patrick, à son tour, eut un mouvement de recul.

Cette nuit-là, Katherine écouta de son lit les sanglots de Ryan à travers la cloison de sa chambre. Le cœur serré, elle aurait voulu le rejoindre, le réconforter; mais la colère de son père, s'il la surprenait, la retint de céder à son impulsion. Ce n'était pas pour elle-même qu'elle craignait, car elle n'avait déjà peur de rien ni de personne. Elle ne se souciait que de Ryan et des représailles qu'il risquait de subir.

Les sanglots continuaient. A la fin, n'y tenant plus, la fillette se leva, s'engagea silencieusement dans le couloir. Aucun rai de lumière ne filtrait sous la porte de son père. Elle la dépassa sur la pointe des pieds, pénétra dans la chambre de son jeune frère et s'assit doucement sur le bord du lit :

« C'est moi », chuchota-t-elle.

Elle lui caressa les cheveux, murmura des paroles apaisantes. Une fois calmé, le petit garçon passa ses bras autour du cou de sa sœur :

« J'ai peur, Katherine, dit-il à voix basse. Pourquoi papa a-t-il déchiré mon beau paysage ? Je voulais le donner à maman.

— C'est contre moi qu'il était furieux. Tu en feras un autre aussi beau, ne pleure pas.

— Non, je ne pourrai pas, il me l'a défendu. Il a cassé mes pinceaux et ma boîte de couleurs. Je ne pourrai plus jamais peindre.

— Si, Ryan, tu recommenceras. Nous trouverons le moyen, fais-moi confiance.

— Bien vrai ?

— Bien vrai. Et maintenant, il faut dormir. »

Elle défit avec douceur les bras qui l'enserraient encore, installa Ryan confortablement contre ses oreillers. Lorsqu'elle le crut rendormi, elle se leva sans faire de bruit, mais ce mouvement suffit à réveiller le petit garçon qui la rattrapa par le bras :

« Dis Katherine, qu'est-ce que papa voulait dire quand il t'a reproché de mentir au sujet d'oncle George ?

— Chut ! Ce n'est rien d'important, je te le promets. Dors.

— Bonne nuit, Katherine... »

Mais une fois étendue dans son propre lit Katherine fut incapable de trouver le sommeil. Elle ne pouvait se libérer de l'affreux souvenir de George Gregson et de ce dimanche exécré. Elle était seule à la maison. Les serviteurs étaient tous sortis. Ryan passait la journée chez tante Lucie, leur père jouait au golf, leur mère était encore à l'hôpital. En dépit de ses efforts pour chasser de sa mémoire les images révoltantes, Kathèrine n'y parvint pas. Elle revit le visage congestionné de l'homme qui s'approchait, une main tendue vers sa poitrine naissante, l'autre qui s'insinuait sous sa robe, palpait, pinçait... Une sueur froide, une nausée la saisit – aussi violentes que celles de ce dimanche maudit.

Katherine n'avait rien raconté des violences que George Gregson lui avait infligées ce jour-là tant elle en avait honte, tant elle en ressentait de la frayeur. Mais lorsqu'il essaya de recommencer elle en parla à son père – sa mère était trop malade pour que Katherine se confiât à elle. A sa stupeur, à son immense détresse, son père avait refusé de la croire et l'avait traitée de menteuse, comme il venait de le faire cet après-midi dans la salle de jeux...

Le lendemain, Katherine fut étonnée de ne pas s'entendre reprocher l'altercation de la veille. Son père n'aborda même pas le sujet au cours des jours suivants. Les choses redevinrent peu à peu normales; si Ryan n'avait plus le droit de peindre, les deux enfants pouvaient néanmoins passer leurs journées ensemble et Katherine finit par se rassurer. Ce répit n'était qu'illusoire : à la fin des vacances scolaires, leur père frappa vite et fort. Ryan fut expédié dans un pensionnat et Katherine dans un couvent. Rosalie mourut à peine un an plus tard, pour le plus grand désespoir de sa fille qui en resta longtemps inconsolable. Sa tante Lucie finit par apaiser le chagrin de la fillette, à qui elle prodigua l'amour et le réconfort dont elle se croyait à jamais privée. Au fil des années, leurs liens se resserrèrent et ce fut sa tante qui intervint auprès de Patrick O'Rourke pour que, lorsque Katherine eut seize ans, elle pût aller terminer ses études dans un pensionnat en Angleterre. De fait, Patrick avait accepté avec empressement. Katherine savait qu'il ne voulait plus la voir, encore moins vivre avec elle, pour ne plus subir ses regards accusateurs.

En quittant son pensionnat, Katherine s'était inscrite au Conservatoire royal grâce, encore une fois, à l'intercession de sa tante Lucie. Depuis son départ de Chicago, la jeune fille n'avait pratiquement plus de nouvelles de son père ni de Ryan. Elle attribuait le silence de son frère à la crainte des représailles que leur père faisait planer sur lui. Mais elle correspondait régulièrement avec sa tante, qui la tenait au courant de tout, et les chèques paternels lui parvenaient régulièrement tous les mois – comme si Patrick O'Rourke la soudoyait pour rester à l'étranger. Il redoutait sans doute son influence sur Ryan et ne voulait prendre aucun risque; rien ni personne ne devait se mettre en travers des ambitieux projets qu'il avait mûris pour son fils et Katherine le savait capable de les mettre en œuvre sans se soucier des conséquences.

Cette incursion dans le passé lui laissa un goût d'amertume et de mépris. Il se trompe! se dit-elle. Je saurai contrecarrer ses monstrueux desseins. Quand je serai une star, quand j'aurai assez d'argent pour me charger de Ryan, je l'arracherai à ses griffes et je lui paierai des études artistiques à Paris ou ailleurs!

Son énergie se trouva galvanisée par cette pensée. Jusqu'à ce jour tant attendu, il lui restait trop à accomplir pour se permettre de perdre son temps en évoquant le souvenir de Patrick O'Rourke, ce méprisable individu indigne du titre de père. Depuis longtemps, les dés étaient jetés; elle s'était elle-même tracé une voie dont rien ne la ferait dévier. Son destin était de sauver Ryan et d'écraser son père. Ce double objectif constituait le véritable ressort de son ambition personnelle.

Katherine emporta son plateau à la cuisine, alla se faire couler un bain. Tout en s'habillant, elle réfléchit au tournage de son bout d'essai, dont tant de choses dépendaient. Il lui restait une semaine pour s'y préparer. Sans inquiétude sur la qualité de son jeu, elle ne se souciait que de trouver un texte parfaitement adapté. Elle savait précisément ce qu'elle souhaitait, mais le passage en question devait être adapté sous forme de dialogues. Pour ce travail, il lui fallait un écrivain professionnel ou, du moins, qualifié et familier du texte...

Le sourire lui revint. Ce problème-là était virtuellement résolu. Il lui suffisait de se montrer persuasive au cours du déjeuner pour lequel elle se préparait.

9

A L'AUTRE bout de Londres, en cette même matinée de février, David Cunningham, comte de Langley, était installé dans le cabinet de travail de sa maison de Mayfair. Devant lui, des journaux encore sous bande témoignaient de son peu d'intérêt envers l'actualité. Des sujets plus pressants lui occupaient en effet l'esprit, et particulièrement des factures dont l'amoncellement menaçant se dressait sur son sous-main de cuir.

Avec un soupir résigné, il se décida à en faire un tri et sélectionna les plus urgentes. Il rédigea les chèques correspondants, vérifia ses calculs et fit disparaître le restant des factures dans un tiroir – où elles étaient condamnées à attendre un grand mois.

En dépit de la stricte économie qu'il s'imposait, David Cunningham ne parvenait pas à échapper aux soucis financiers. Les revenus de ses terres étaient engloutis, aussitôt perçus, par les charges d'exploitation, l'entretien des bâtiments agricoles et du château. Cette perpétuelle « impasse » budgétaire était-elle inéluctable ? Depuis bientôt un an, un voisin de campagne le harcelait pour lui acheter deux de ses taureaux primés. David Cunningham hésitait à user d'un expédient risquant de compromettre la qualité de son cheptel. Cette vente serait pourtant la bienvenue et boucherait les plus grands trous...

Un coup d'œil aux chèques alignés sous ses yeux le décida. Soulagé, il se promit de téléphoner à son acheteur et consulta, l'esprit libre, le courrier du matin. A première vue, rien de captivant à l'exception d'une lettre de Doris Asternan. Il l'ouvrit sans tarder, la parcourut attentivement. Doris terminait son séjour sur la Côte d'Azur et pensait rentrer à Londres sous huitaine. Elle avait enfin trouvé au Cap-Martin la villa qu'elle souhaitait. Assez vaste pour héberger tout le monde, disait-elle en termes enthousiastes, elle était équipée d'une piscine et d'un tennis; elle dominait la Méditerranée et jouissait d'un panorama magnifique. Doris venait de signer un bail de quatre mois, de juin à septembre, et comptait absolument sur David et ses enfants. Ils pourraient y passer tout l'été s'ils le désiraient.

Avec un sourire, il reposa la missive et se leva pour aller s'adosser à la cheminée. Grand, très droit, le maintien plein d'une élégante dignité, David Cunningham avait, à quarante-sept ans, une allure étonnamment jeune. Ses traits sensibles et fins, ses yeux gris et expressifs, son teint clair et ses cheveux encore blonds lui conféraient un charme auquel les femmes restaient rarement insensibles. Jamais, cependant, il n'avait abusé de sa séduction. Sa nature trop droite répugnait à la vulgarité des conquêtes faciles.

Le regard dans le vague, il pensait à Doris. Elle avait provoqué bien des changements dans sa vie – tous bénéfiques, à vrai dire. Elle lui offrait surtout une présence, une compréhension, une affection qu'aucune autre femme ne lui avait données depuis qu'il était veuf. En fait, Doris lui était devenue indispensable. Il n'était pas assez naïf pour n'y voir que le fruit du hasard : Doris avait habilement tissé autour de lui un réseau d'habitudes, de plaisirs, de besoins dont il ne pouvait plus se défaire. Mais chaque femme n'a-t-elle pas le droit, voire le devoir, de s'attacher ainsi l'homme qu'elle aime ?

Il devrait épouser Doris, il le savait. Il le désirait, d'ailleurs. Pourquoi, dans ces conditions, hésiter comme il le faisait ? La réponse lui échappait. Il l'aimait, ses enfants éprouvaient pour elle une réelle affection et approuvaient pleinement l'éventuel remariage de leur père. Et puis, bien sûr, elle possédait une fortune capable de résoudre d'un seul coup et pour toujours les embarras financiers dans lesquels il se débattait... Veuve à trente-cinq ans d'un magnat de la viande, Doris n'avait ni enfants ni héritiers et ne faisait pas mystère que sa fortune serait à la disposition de David dès le jour de leur mariage. David Cunningham n'était pourtant pas homme à se laisser influencer par ce genre de considérations. Le mariage était une affaire trop sérieuse pour y mêler l'argent. L'amour mutuel, la compatibilité des caractères, l'identité des vues comptaient bien davantage. Or, il aimait Doris, Doris l'aimait, ils avaient eu le temps d'éprouver l'harmonie de leurs caractères... Alors, pourquoi reculer ?

Le pas vif de Francesca dans le couloir le ramena à la réalité et il se hâta vers la porte restée ouverte :

« Bonjour, ma chérie ! la héla-t-il au passage.

– Bonjour, papa ! »

En souriant, elle l'embrassa sur les joues. Son père la serra dans ses bras :

« Où pars-tu, de si bon matin ?

– Au British Museum.

– Ah ! J'oubliais... Ce brave général Gordon t'appelle, si j'ai bonne mémoire ! »

Il fit un pas à l'intérieur de la pièce, reprit avec gravité :

« Pourrais-tu me consacrer un instant ? J'aimerais te parler.

– Bien sûr. »

Etonnée de ce changement imprévu, Francesca le

suivit et referma la porte derrière elle. Elle connaissait assez son père pour deviner ses humeurs; s'il devenait soudain si sérieux, il ne pouvait s'agir que de Kim ou de problèmes d'argent. Un rapide coup d'œil sur la table lui fit voir les factures et le chéquier et la confirma dans la seconde hypothèse. Inquiète, elle s'assit en éprouvant un sentiment de culpabilité. Pourquoi perdait-elle son temps à des recherches en vue d'un livre qu'elle n'écrirait peut-être jamais, alors qu'elle pourrait se rendre utile en gagnant sa vie? Avec une hésitation marquée, elle demanda :

« Vous me paraissez bien soucieux, papa. De quoi s'agit-il? d'argent?

– Cela me pose toujours des problèmes, ma chérie. Mais nous nous en sortons quand même d'une manière ou d'une autre... Ce n'est pas pour t'assommer avec les comptes que je t'ai demandé de venir. Je voulais te parler de cette situation nouvelle...

– Laquelle? Je ne vois pas.

– Allons, Francesca, ne feins pas l'ignorance. Tu sais très bien que je pense à Kim et à Katherine. »

Francesca garda le silence; elle préférait entendre son père préciser sa pensée avant de lui faire part de ses propres impressions. Il devina sans doute la réflexion de sa fille, car il poursuivit sans attendre :

« Ta réserve me confirme ce dont je me doutais déjà. Tu sais donc que Kim pense sérieusement à cette jeune fille. »

Prudemment, Francesca cita les propres paroles de son frère :

« Le mot " sérieux " n'est peut-être pas le plus approprié, papa. Disons plutôt qu'il se sent très attiré. »

M. Cunningham laissa échapper un rire amusé :

« C'est le moins qu'on puisse dire! Ton frère en est amoureux fou, voyons! Il faut être aveugle pour ne pas s'en rendre compte. Et toi, Francesca, poursuivit-il en la regardant dans les yeux, que penses-tu de Katherine Tempest ? »

L'expression de Francesca s'anima, un sourire apparut sur ses lèvres :

« Je l'aime énormément, papa ! Elle m'a plu dès le premier instant. Et puis, franchement, j'ai eu l'impression que vous avez vous-même réagi favorablement à son égard. Ainsi, lundi soir, vous aviez l'air, comment dirais-je ?... ensorcelé, si vous me permettez l'expression.

– Tu as parfaitement raison, je l'étais. Katherine possède un ensemble de qualités rarement réunies chez une seule personne et qui seraient trop longues à énumérer.

– Alors, de quoi vous inquiétez-vous ? »

Son père éluda cette question trop directe :

« Que sais-tu d'elle, exactement ?

– N'en avez-vous pas déjà discuté avec Kim ? demanda-t-elle avec surprise. C'est à lui de vous renseigner sur son compte, pas à moi.

– Nous en avons parlé, en effet, mais ses réponses ont été malheureusement très évasives. Sur le moment, j'ai préféré ne pas insister afin de ne pas le braquer inutilement. Mais, s'il songe sérieusement à épouser Katherine, la moindre des choses serait que j'en sache davantage sur elle. J'aurai une discussion approfondie avec Kim à notre retour à Langley. J'espérais simplement, d'ici là, que tu serais en mesure de me renseigner avec un peu plus de précision... »

Il s'interrompit en remarquant l'expression de malaise sur le visage de Francesca et poursuivit, d'un ton radouci :

« Tu crois sans doute que je te mets dans une situation gênante. Ce n'est pourtant pas le cas, ma chérie, crois-moi. Je ne te demande pas de dévoiler des secrets d'Etat, après tout. »

Francesca réfléchit, les yeux baissés. Son père

avait raison et il n'y avait, certes, aucun mal à lui rapporter ce qu'elle savait. C'est alors qu'elle se rendit compte, non sans un certain désarroi, qu'elle ne savait presque rien de Katherine.

« Kim ne m'a pas fait de confidences, répondit-elle enfin. Katherine non plus, d'ailleurs. Maintenant que j'y pense, elle ne m'a pas appris grand-chose sur elle-même ni sur sa vie passée ou présente.

– Je vois... »

David Cunningham dissimula l'étonnement que lui causait cette réponse. Il était persuadé que sa fille ne montrerait pas les mêmes réticences que Kim pour lui parler. Le frère et la sœur étaient très proches et n'avaient pratiquement pas de secrets l'un pour l'autre. Francesca était manifestement, elle aussi, maintenue dans l'ignorance. Il s'en étonna; un tel silence était, à tout le moins, étrange.

Francesca reprit la parole :

« J'ai cru comprendre que Katherine est originaire de Chicago et qu'elle est orpheline, la pauvre.

– Oui, Kim me l'a dit aussi. Il m'a également appris qu'elle avait terminé ses études ici avant de s'inscrire au Conservatoire. Tout cela reste quand même bien vague, ne crois-tu pas ?

– C'est vrai », admit Francesca.

L'attitude de Kim dépassait son entendement. Pourquoi tant de mystères ? Il aurait dû se montrer plus franc, plus direct avec leur père. Son incompréhensible mutisme provoquait une situation extrêmement gênante pour tout le monde, qui pourrait leur causer de l'embarras, sinon des ennuis plus sérieux.

« Lui reste-t-il de la famille, à ton avis ?

– Je ne crois pas... En fait, je n'en sais rien exactement. »

David Cunningham avait tourné les yeux vers la fenêtre, l'air préoccupé.

« Ecoute, ma chérie, dit-il au bout d'un moment de silence, je ne cherche ni à porter sur Katherine un jugement hâtif ni à créer pour Kim de problèmes inutiles. Dieu sait si je me soucie avant tout de son bonheur. Jusqu'à présent, crois-moi, je n'ai rien contre cette jeune fille. J'estime quand même avoir le droit d'en savoir davantage sur ses antécédents. Ce n'est pas trop demander que je sache.

– Non, en effet... »

Francesca comprenait fort bien les raisons de son père. Il lui restait un sujet d'inquiétude, qu'elle aborda avec hésitation :

« Si je vous comprends bien, vous n'objectez rien au fait qu'elle soit comédienne ?

– Je ne suis pas aussi vieux jeu, ma chérie ! répondit-il en riant. Les temps ont changé. Bien entendu, j'aurais sans doute préféré que Kim choisisse une fille plus en rapport avec son milieu et son éducation. Mais je n'ai pas la prétention de lui dicter sa conduite ni de contrôler sa vie sentimentale... Quoi qu'il en soit, poursuivit-il plus sérieusement, je suppose que Katherine abandonnerait le théâtre si Kim et elle devaient se marier. J'espère que Kim le lui a fait comprendre sans ambiguïté. »

Il s'interrompit, joignit ses doigts en forme de voûte et dirigea vers sa fille un regard de nouveau pensif :

« Au fait, crois-tu que Katherine Tempest soit son vrai nom ou un pseudonyme ?

– Je n'en ai pas la moindre idée. Pourquoi ?

– Doris est, elle aussi, de Chicago. Si la famille de Katherine y est estimablement connue, Doris doit avoir des renseignements à ce sujet. Elle devrait, au moins, pouvoir en obtenir.

– En effet... »

Distraitement, Francesca se leva et alla regarder par la fenêtre tout en réfléchissant à la curieuse attitude de son frère. Kim se conduisait, par moments, de manière impossible ! Leur père avait bien assez de soucis sans qu'il en ajoutât, et de bien inutiles, par étourderie ou manque de réflexion.

Elle se retourna enfin, affecta une confiance qu'elle était loin d'éprouver :

« Ne vous tracassez donc pas, papa ! Doris sera certainement en mesure de rassembler des renseignements sur Katherine...

— Tu parles comme si je voulais mener une enquête policière ! protesta son père d'un ton horrifié. Je ne me permettrais pas une chose pareille. Je ne demande qu'à savoir le minimum auquel un père a légitimement droit. Si Katherine, comme je le pense, n'a rien à se reprocher, je suis tout disposé à leur donner ma bénédiction. »

D'un geste impulsif, Francesca se jeta au cou de son père :

« Vous êtes le meilleur père du monde ! Kim et moi avons de la chance d'être vos enfants.

— C'est moi le plus chanceux, ma chérie. Vous ne m'avez donné, l'un et l'autre, que des sujets de satisfaction... Je ne vous ai pas non plus causé de gros ennuis, ajouta-t-il avec un sourire. Je ne vous ai jamais imposé une discipline tatillonne, je ne me suis pas mêlé de vos affaires, je vous ai toujours fait confiance. C'est bien pourquoi je m'étonne de l'attitude de Kim. Je compte sur lui, comme sur toi, pour faire preuve de bon sens et de discernement dans le choix de vos amis...

— Katherine ne serait-elle pas une amie « convenable » ? intervint Francesca avec véhémence.

— Comment le saurais-je vraiment, ma chérie ? En apparence, certes, elle semble parfaite. Mais nul ne sort d'une boîte sans un passé, des antécédents. J'ignore tout de Katherine et je suis donc bien incapable de porter sur elle un jugement objectif. Est-elle l'épouse qu'il faut à Kim ? Je n'en sais rien. Et elle, as-tu songé à ce que serait sa vie avec Kim ? Celle d'une femme de fermier, enterrée toute l'année au fin fond de la campagne. Avec ou sans titre nobiliaire, ma chérie, cela constitue une perspective bien peu exaltante pour une jeune fille aussi lancée, tu en conviendras. Sera-t-elle capable d'assumer les responsabilités qui seront les siennes, s'occuper des œuvres de la paroisse, soigner les fermiers et les métayers ? Se rend-elle compte de ce à quoi elle s'engagerait en épousant Kim ? Permets-moi d'en douter. Kim ne lui a sûrement rien expliqué de tout cela, de même qu'il n'a pas jugé nécessaire de se renseigner un peu mieux sur Katherine. Elle l'a ensorcelé par son charme et sa beauté et Kim n'a plus les pieds sur terre depuis qu'il la connaît. Tu es au moins d'accord là-dessus, n'est-ce pas ?

— Oui, papa, c'est vrai... »

David regarda sa fille dans les yeux et poursuivit avec une chaleur persuasive :

« J'espère que tu ne te méprends pas sur mes intentions, ma chérie. Loin de moi l'idée de vous imposer une ligne de conduite contraire à vos désirs à tous deux. J'ai simplement acquis un peu d'expérience dont j'aimerais vous faire profiter... D'ailleurs, poursuivit-il après une pause, je me suis juré depuis des années de ne pas commettre avec vous la même erreur que mon père. »

Machinalement, le regard de Francesca se porta sur une photographie posée sur le bureau :

« Vous voulez parler de tante Arabella ?

— Oui. Tu sais de quelle manière ton grand-père s'était opposé à son mariage avec Kurt von Wittingen. Arabella n'en a fait qu'à sa tête et son père, toute sa vie, a regretté son intransigeance. Ils ne se sont jamais revus. C'est trop triste pour que je prenne le même risque...

— Je sais, papa. Leur mariage, au moins, nous a donné la joie d'avoir Diana et Christian pour cousins.

– C'est exact, ma chérie... Au fait, j'ai reçu une lettre de Diana la semaine dernière. Christian et elle projettent de passer quelques semaines avec nous cet été. Tu feras l'effort de te trouver à Langley pendant leur visite, j'espère ?

– Bien entendu ! Je ne les manquerais pour rien au monde. »

Francesca s'était toujours sentie très proche de ses cousins allemands, qui se rendaient fréquemment en Angleterre et passaient traditionnellement leurs vacances à Langley. Son sourire joyeux s'assombrit cependant :

« Je ne vous ai pas été très utile au sujet de Katherine, dit-elle avec regret. Mais je suis sûre que tout s'arrangera...

– Je l'espère sincèrement. Mais je ne te retiens pas, il est tard. »

Francesca embrassa son père et se retira avec vivacité. Resté seul, David Cunningham se replongea dans ses réflexions. Que faire ? Toute forme d'inquisition, voire de simple indiscrétion, heurtait sa franchise naturelle. Kim ne lui avait rien appris parce qu'il était lui-même dans l'ignorance. Katherine aurait-elle quelque chose à cacher ? Non, probablement... Il en avait lui-même retiré une excellente impression. Sans les incompréhensibles réticences de son fils, il ne se serait même pas posé de telles questions. Katherine paraissait parfaite à tous égards...

C'est là que le bât blessait : Katherine lui semblait *trop* parfaite. Trop débordante de charme et d'assurance, sans rien des gaucheries de la jeunesse ni de ses mouvements impulsifs... S'il pouvait au moins s'en ouvrir à quelqu'un d'autre que Francesca, trop inexpérimentée encore, aveuglée par son préjugé favorable envers Katherine. Doris, bien sûr... Doris l'écouterait avec compréhension, le conseillerait avec sagesse. Oui, mais Doris était encore à Monte-Carlo.

David hésita, décrocha le téléphone et demanda à

l'opératrice le numéro de l'hôtel de Paris. Au bout d'une longue série de bruits divers et d'interventions en Français, il entendit enfin la voix encore ensommeillée de Doris Asternan. Après les premiers échanges de tendresse, David lui demanda si elle connaissait à Chicago une famille Tempest.

« Non, cela ne me dit rien... Pourquoi ? » répondit-elle.

Il entreprit de la mettre au courant de la dernière conquête de Kim et des inquiétudes que lui causaient ses projets matrimoniaux. Doris l'écouta attentivement.

« Kim a-t-il sérieusement l'intention de l'épouser, David ?

— Je le crois, oui. Il a bientôt vingt-deux ans et peut donc se passer de mon autorisation, mais je ne voudrais pas qu'il commette une erreur et la regrette plus tard. Je me trompe peut-être, mais n'est-ce pas bizarre qu'il ne sache presque rien d'une jeune fille dont il a l'intention de faire sa femme ?

— Vous avez raison, David. Nous ne nous connaissions pas depuis plus de huit jours que nous savions déjà tout l'un de l'autre.

— Franchement, Doris, je ne sais plus que penser. Peut-être suis-je en train de faire une montagne de rien.

— C'est fort possible, mon chéri, dit-elle en riant. Vous savez comment sont les jeunes. Un jour, ils sont amoureux pour la vie, le lendemain ils ne peuvent plus se souffrir. Kim a-t-il formellement annoncé qu'il comptait épouser cette jeune fille ?

— Euh... A vrai dire, non.

— Eh bien, à mon avis, le mieux est de faire comme s'il ne se passait rien, pour le moment du moins. Kim peut très bien changer d'avis la semaine prochaine ou dans un mois, à moins que ce ne soit cette Katherine. Comment est-elle, d'ailleurs, cette mystérieuse native de Chicago ?

– Ravissante et pleine de charme. Je comprends facilement pourquoi Kim en est épris à ce point. En réalité, elle m'a fait une excellente impression, je l'admets volontiers. »

Il y eut un bref silence au bout du fil :

« Attendez !... Me parlez-vous, par hasard, de la jeune comédienne qui tient la vedette dans une pièce sur la mythologie grecque ?

– Oui, elle-même. La connaissez-vous, finalement ?

– Non. Quelqu'un me l'a montrée de loin lors d'une réception, l'été dernier. Ravissante, je suis d'accord avec vous. J'ignorais qu'elle fût américaine... Une chose dont je suis sûre, en tout cas, c'est qu'elle est irlandaise jusqu'au bout des ongles.

– Comment l'avez-vous deviné ?

– J'ai rencontré assez d'Irlandais à Chicago pour les reconnaître. Les femmes sont très souvent splendides. Les hommes ne sont pas mal non plus, d'ailleurs, ajouta-t-elle en riant.

– Si elle est d'origine irlandaise, elle est donc catholique.

– Et alors ? demanda Doris avec une surprise manifeste. Quelle importance y attachez-vous, David ?

– Oh ! aucune, aucune, s'empressa-t-il de répondre en regrettant sa remarque inconsidérée. Simplement, je me disais que nous sommes protestants depuis des générations... »

Doris l'interrompit et le sauva de son embarras :

« Peu importe, mon chéri. Je serai rentrée à Londres dans quelques jours et nous en reparlerons à tête reposée.

– Pendant ce temps, je suivrai votre sage conseil et je m'abstiendrai d'intervenir. Kim va passer plusieurs semaines à Langley avec moi, nous aurons tout le temps d'aborder le sujet de sang-froid. Vous parler m'a déjà réconforté... »

Ils bavardèrent encore quelques instants et le sourire heureux qui était venu aux lèvres de David ne s'effaça pas lorsqu'il eut raccroché. Doris avait raison, le problème n'existait sans doute que dans son imagination. Tout retomberait dans l'ordre...

Un seul problème, autrement plus sérieux, lui restait à résoudre ce matin-là. Il ouvrit son carnet d'adresses et y trouva le numéro de téléphone de son acheteur dans le Yorkshire. Maintenant, il ne fallait plus que marchander pour obtenir le meilleur prix de ses taureaux.

10

KATHERINE arriva en avance à son rendez-vous. Plutôt que de s'impatienter à table, elle s'engouffra dans le bar communiquant avec la salle de restaurant. Le barman la salua d'un geste de la main, auquel Katherine répondit par un de ses sourires charmeurs. Bien avant ses débuts sur scène, elle avait mis au point l'image qu'elle voulait donner d'elle-même lorsqu'elle serait une star, celle d'une déesse de l'écran comme Hollywood en avait été si prodigue dans les années 30 et 40. Adopter un tel comportement lui avait semblé utile à sa carrière et, depuis, elle s'y tenait.

Ayant fini de servir des clients à l'autre bout du bar, le barman vint s'incliner devant elle et lui décocha un regard admiratif :

« Bonjour, mademoiselle Tempest. Qu'est-ce qui vous ferait plaisir ?

– Une de vos fameuses préparations, Joe. Surprenez-moi.

– Pourquoi pas un « Mimosa » ? Cela conviendrait parfaitement à une belle journée comme aujourd'hui.

– Rien que le nom a l'air délicieux. »

Tandis que le barman s'éloignait, Katherine ôta ses gants et regarda autour d'elle. Elle salua d'un signe de tête deux journalistes accoudés au bar non loin d'elle, reconnut quelques visages çà et là dans la salle. L'Arlington était un endroit à la fois intime et sympathique, fréquenté par une élite de journalistes, de critiques et de personnalités du théâtre et du cinéma. Il était bon d'y être vu, instructif d'observer. Katherine se félicita de son choix.

Perchée sur son tabouret, dégustant à petites gorgées le cocktail que le barman lui avait servi, elle revenait malgré elle au texte qu'elle devrait prononcer pour son bout d'essai. Il lui faudrait convaincre et s'imposer mieux que jamais. Si seulement Nicolas Latimer s'était montré moins désagréable et plus enclin à coopérer, se dit-elle avec irritation, je ne serais pas forcée de recourir à des expédients...

Une voix inconnue qui l'apostrophait la fit se retourner :

« Vous êtes bien Katherine Tempest, n'est-ce pas ? »

Une grosse fille rougeaude à la chevelure carotte se tenait derrière elle. Un tailleur violet et un petit chapeau de feutre vert émeraude lui faisaient un invraisemblable accoutrement. Katherine dissimula sa surprise du mieux qu'elle put :

« Oui, c'est moi... »

Elle dévisagea la nouvelle venue, s'efforça de l'identifier. Un sourire lui vint enfin aux lèvres :

« Ah ! Vous êtes Estelle Morgan, si je ne me trompe », dit-elle en lui tendant la main.

Katherine connaissait trop l'importance des journalistes pour se permettre la moindre gaffe vis-à-vis d'eux. Elle traitait les plus insignifiants avec le déploiement de charme et les égards dus aux personnalités de premier plan. Un jour, qui sait ? le menu fretin pourrait se révéler utile...

Ravie d'être reconnue, l'interpellée serra chaleureusement la main tendue :

« Que c'est gentil de ne pas m'avoir oubliée ! s'écria-t-elle. Une actrice célèbre comme vous... »

« Avec une pareille allure, ma fille, je ne vois pas comment on t'oublierait », faillit laisser échapper Katherine. De son ton le plus suave, elle se borna à répondre :

« Si mes souvenirs sont bons, vous êtes correspondante d'un magazine américain, n'est-ce pas ?

– Quelle mémoire prodigieuse ! s'exclama l'autre. En fait, j'écris des chroniques pour plusieurs magazines. Je parcours toute l'Europe, je me spécialise dans les célébrités, le « jet-set », tout le gratin, quoi ! »

Estelle Morgan semblait vouloir prendre racine. Katherine réprima un soupir résigné :

« J'ai presque fini mon cocktail. Voulez-vous me tenir compagnie ? Je pensais en commander un autre.

– Oh ! Avec joie ! Vous êtes trop aimable. »

Elle sauta avec empressement sur le tabouret voisin et tendit une main gantée de vert pomme vers le « Mimosa » de sa voisine :

« Qu'est-ce que c'est, ce truc ? »

Cette fois, Katherine cilla malgré elle.

« Champagne et jus d'orange, répondit-elle en se maîtrisant à grand-peine. Essayez-en donc un, c'est délicieux.

– Oh ! oui. Je meurs de soif. »

Katherine fit signe à Joe de préparer deux verres et décida de faire bénéficier Estelle de son traitement de charme; puisqu'elle ne pouvait pas s'en débarrasser, autant se la rallier.

« Votre travail doit être passionnant, dit-elle avec conviction. Avez-vous trouvé beaucoup de sujets dignes de vos lecteurs depuis que vous êtes à Londres ?

– Bien sûr. Mais je ne suis basée ici que temporairement. Je me déplace beaucoup, je butine çà et là. Paris, la Côte, Biarritz, Rome, tous les coins intéressants selon la saison. Si vous saviez, Katherine,

146

comme je m'amuse... Vous permettez que je vous appelle Katherine, j'espère ?

— Evidemment, Estelle ! se hâta d'approuver la jeune fille.

— Je vous ai vue l'autre soir et je vous ai trouvée tout simplement divine ! reprit la journaliste avec un regard où éclatait l'admiration. La pièce va sans doute tenir longtemps l'affiche et, dans un sens, c'est dommage. Vous devriez faire du cinéma ! Pas de projets en vue de ce côté-là ?

— Non, pas pour le moment... Mais on ne sait jamais, dans notre métier, ce n'est pas moi qui vous l'apprendrai. »

Ce coup de sonde avait mis Katherine sur ses gardes et elle se promit d'observer la plus grande prudence avec la trop flatteuse Estelle.

« C'est bien vrai ce que vous dites, on ne sait jamais... »

Alors, en appuyant son propos d'un clin d'œil complice, elle se pencha vers sa voisine et poursuivit, d'un ton de conspirateur :

« Justement, je vous ai vue dîner avec Victor Mason, l'autre soir. Je me demandais si vous ne mijotiez pas un film avec lui... Ou bien n'entretenez-vous que des rapports strictement personnels ? »

Katherine dut faire effort pour contenir son exaspération :

« Ni l'un ni l'autre. Nous ne sommes rien de plus que de bons camarades, affirma-t-elle avec un sourire innocent.

— Bah ! c'est ce qu'elles disent toutes, répliqua Estelle en pouffant de rire. J'ai tendance à fourrer mon nez partout, je sais. Mais il ne faut pas m'en vouloir, c'est le métier qui veut ça... En tout cas, soyez tranquille, je ne travaille pas pour les feuilles à scandale comme *Confidential.* Ce n'est pas moi qui irai raconter vos petits secrets...

— Je ne m'inquiète de rien et je n'ai aucun petit

secret à divulguer, répliqua Katherine sèchement. Victor et moi sommes bons amis, comme je vous l'ai déjà dit. Ah ! merci, Joe ! »

La journaliste plongea goulûment ses lèvres dans son verre. Katherine l'observa avec méfiance.

« Pourquoi venez-vous de parler de *Confidential* ? demanda-t-elle. Cette ignoble feuille de chou se plaît à traîner tout le monde dans la boue. Ni Victor ni moi n'avons rien à en redouter, croyez-moi... »

Elle regretta aussitôt cette dernière déclaration, qui ressemblait par trop à une protestation d'innocence et un aveu mal déguisé. Apparemment, Estelle n'avait rien remarqué, car elle se pencha vers sa voisine et poursuivit, dans un chuchotement surexcité :

« Vous n'êtes donc pas au courant ? Arlene Mason, sa dernière femme, a demandé le divorce et poursuit Victor en justice. Elle réclame une véritable fortune. De vous à moi, c'est une garce comme on en voit peu. Mais elle a, paraît-il, des révélations croustillantes à faire sur les frasques de son mari et n'adore rien tant que de lâcher des sous-entendus devant n'importe qui, surtout des journalistes. Heureusement, Victor a des amitiés fidèles dans la presse et personne n'a envie d'écouter les perfidies de cette chipie. Mais, puisque nous en parlons, vous feriez bien de prévenir Victor qu'il se méfie. J'ai entendu dire, il y a quelques jours, que le magazine a expédié un reporter en Angleterre à seule fin d'espionner ses faits et gestes. »

Katherine savait que le divorce de Victor lui causait des soucis; les révélations d'Estelle lui firent cependant l'effet d'un choc. Doutant des véritables mobiles de la journaliste, elle se borna à lui faire un sourire aimable :

« J'étais vaguement au courant, en effet. En tout cas, merci de m'avoir prévenue. Je transmettrai vos conseils à Victor pour qu'il se tienne sur ses gardes. Il vous en sera sûrement reconnaissant.

– C'est bien la moindre des choses ! se récria Estelle. Entre amis, n'est-ce pas, il faut se rendre service... »

Elle se félicitait de la manière habile dont elle avait approché Katherine et mené la conversation. Il ne lui restait désormais qu'à pousser son avantage, se rendre indispensable et prendre solidement pied parmi les intimes de la jeune actrice.

Derrière son sourire désarmant, Katherine réfléchissait avec rapidité et précision. En la prévenant, Estelle ne cherchait-elle pas à brouiller les pistes ? N'était-elle pas, elle-même, la mystérieuse correspondante du magazine à scandale ? Intuitivement, Katherine rejeta cette hypothèse. Sa voisine était trop obséquieuse, trop manifestement portée à la flagornerie pour présenter un danger. Elle préférait se lier avec les célébrités que s'en faire des ennemis – et elle n'était pas assez intelligente pour jouer un double jeu. Par conséquent, mieux valait s'attacher sa bonne volonté et user de sa serviabilité. Une Estelle Morgan se nourrissait littéralement de sa familiarité, vraie ou supposée, avec les gens en vue; leur éclat rejaillissait sur elle. Flattons donc les flatteurs, se dit Katherine, c'est le meilleur moyen de les tenir en laisse...

Elle se pencha vers sa voisine, adopta à son tour le ton de la confidence :

« J'y pense, ma chère Estelle, le mieux serait sans doute que vous parliez vous-même à Victor de tout ce que vous m'avez dit. Il donne un petit dîner dimanche prochain, improvisa-t-elle avec aisance, et je suis sûre qu'il serait ravi de vous avoir. Vous pourriez d'ailleurs y rencontrer des gens intéressants, des sujets d'interviews. J'ai bien envie de vous y emmener. »

Naturellement, Katherine ignorait encore qui

faire venir pour éblouir Estelle, mais ce n'était qu'un détail.

L'invitée surprise rayonnait de bonheur :

« Oh ! Katherine, quelle excellente idée ! s'écria-t-elle avec ferveur. Rien ne pourrait me faire plus plaisir... En fait, c'est sur vous que je devrais d'abord écrire un article. Si nous prenions tout de suite rendez-vous pour une interview ?

— Vous êtes vraiment trop gentille, mais j'ai tant à faire en ce moment. Le mois prochain, d'accord ?... Occupez-vous donc plutôt de Victor, se hâta-t-elle d'ajouter devant la mine déconfite de sa voisine. Je vais vous organiser cela ! Vous savez qu'il va tourner une nouvelle version des *Hauts de Hurlevent.* Vous serez la première à qui il l'annoncera officiellement. Qu'en dites-vous ? Un *scoop* !

— Vous êtes un ange ! s'exclama Estelle en fouillant dans son sac. Voici ma carte, n'oubliez pas de me prévenir pour le dîner de dimanche... La fille, là-bas, a l'air de vous regarder fixement. C'est avec elle que vous aviez rendez-vous ? »

Katherine se retourna, reconnut Francesca et descendit aussitôt de son tabouret pour aller à sa rencontre. Les deux jeunes filles s'embrassèrent affectueusement.

« Francesca, il faut que je vous présente une excellente amie, Estelle Morgan, journaliste. Estelle, *Lady* Francesca Cunningham. »

Estelle ne savait s'il fallait être plus flattée d'avoir été qualifiée d'excellente amie ou d'être présentée à une lady – Katherine avait volontairement appuyé sur le titre. Rouge de plaisir, elle secoua énergiquement la main de Francesca.

« Ravie de faire votre connaissance ! dit-elle en minaudant. Mais il faut que je me sauve, la personne que j'attendais est enfin arrivée. Merci pour tout, Katherine. A dimanche ! »

Francesca s'installa sur le tabouret laissé libre par

Estelle, Katherine commanda deux nouveaux « Mimosa » au barman. L'extraordinaire beauté de Katherine, l'innocence de son regard et de son sourire captivaient déjà Francesca, qui ne pouvait détourner ses yeux. Elle ne pensait plus à sa conversation matinale avec son père.

Katherine posa affectueusement la main sur le bras de son amie :

« Je suis enchantée que vous ayez pu venir déjeuner, Francesca. Je mourais d'envie de vous revoir, de parler tranquillement.

– Moi aussi, Katherine », répondit-elle avec sincérité.

Elle regardait autour d'elle, appréciait l'élégance du décor :

« L'endroit est très agréable, reprit-elle. Habituellement, je me contente d'un infâme pub près du British Museum... Kim me reproche d'y prendre pension.

– Vous étiez à la bibliothèque ce matin ?

– Oui. Et plus j'avance dans mes recherches, plus je prends conscience de l'immensité du travail qui me reste à accomplir, dit-elle en soupirant. Des centaines d'ouvrages à consulter, des montagnes de notes à trier, à dépouiller...

– Mais vous avez commencé il y a huit mois, m'a dit Kim ! s'écria Katherine avec étonnement.

– C'est vrai. Il me reste pourtant bien du chemin à parcourir avant de toucher au but. Je me demande parfois si je serai jamais capable d'écrire ce livre...

– Bien sûr que si ! protesta Katherine. Il ne faut jamais douter de soi-même, Francesca. Tenez, buvez un peu, cela vous remontera. »

Francesca sourit sans conviction, trempa ses lèvres dans son cocktail et Katherine se demandait avec inquiétude comment égayer son amie. Au bout d'un assez long silence, elle dit :

« Qu'est-ce qui vous tracasse, Francesca? Cela vous ferait-il du bien d'en parler?

– Je ne sais pas... »

En fait, Francesca avait envie de s'épancher sans oser se laisser aller. La plaisanterie vexante de Kim, lui prédisant que son livre n'intéresserait personne, l'avait touchée plus profondément qu'elle ne voulait l'admettre. Elle doutait de pouvoir terminer son travail et écrire le livre. Son père avait trop de préoccupations pour qu'elle s'en ouvrît à lui, aucune de ses amies ne s'y serait intéressée – elles ne songeaient qu'à leur prochain bal et au mari qu'elles dénicheraient. Il lui fallait un auditeur intelligent, sachant compatir et la réconforter. Or Katherine paraissait remplir toutes ces conditions; elle tiendrait à coup sûr le rôle de la confidente idéale.

Sur une dernière hésitation, Francesca se lança :

« A dire vrai, Katherine, je songeais sérieusement ce matin à abandonner. Jamais je ne me suis sentie aussi découragée et il suffirait d'un rien pour que je laisse tomber ce malheureux livre.

– Oh! Francesca! Comment pouvez-vous dire une chose pareille? Il ne faut jamais abandonner, quand on entreprend quelque chose. Persévérez. Lorsque votre manuscrit sera terminé, vous trouverez des éditeurs à la pelle qui se battront pour le publier!

– J'en doute! répondit Francesca en riant sans gaieté. Non, voyez-vous, je me fais trop d'illusions. Vouloir poursuivre une carrière d'écrivain – dans laquelle je n'ai pas même débuté – n'est qu'une utopie. Je ferais bien mieux de me trouver un emploi quelconque. Au moins, je gagnerais de l'argent et je participerais aux dépenses de la maison. »

Cette dernière remarque choqua Katherine, qui ne soupçonnait pas que la famille de Francesca avait des difficultés financières. Elle s'abstint pourtant de relever le propos, de peur de se montrer indiscrète.

« Si j'en crois Kim, vous possédez un réel talent...

– Il a l'esprit de famille, c'est tout, l'interrompit Francesca. Mais je ne devrais pas vous ennuyer avec mes histoires et vous imposer mes états d'âme. Pardonnez-moi, Katherine.

– Pas du tout, voyons ! Je voudrais vous aider, au contraire. Allons, Francesca, expliquez-moi ce que vous ressentez. A nous deux, nous découvrirons peut-être la racine de vos problèmes.

– C'est justement là le problème ! répondit Francesca avec un rire contraint. Je ne sais plus ce que je ressens. Je n'ai plus de certitudes sur rien...

– Parce que vous avez peur, déclara Katherine d'un ton assuré. Vous avez perdu confiance en vous-même. Voilà précisément ce qu'il faut combattre. Moi, je *sais* que vous êtes capable de mener votre travail à bien. Ne me demandez pas où je puise ma certitude, je l'ignore. Je le sens intuitivement, voilà tout... »

Elle s'éclaircit la voix avant de poursuivre :

« Je ne parle pas à la légère, croyez-moi Francesca. Ce que vous éprouvez en ce moment, je l'ai ressenti bien des fois. Moi aussi, j'ai douté de moi-même, de mes capacités à sentir un rôle, à camper mon personnage. Moi aussi, j'ai eu peur d'échouer, j'ai été paralysée par le trac. C'est normal. Il suffit de persister et cela passe. »

Francesca ne réagit pas. Au bout d'un instant, Katherine reprit :

« Vous savez, Francesca, l'essentiel, je crois, est de savoir dominer nos craintes. Cela exige énormément d'efforts, je le sais, mais la réussite en vaut largement la peine. Il faut poursuivre son rêve, parce que, sans rêve, nous ne possédons rien – et sans rien, la vie ne vaut pas la peine d'être vécue.

– Je sais, Katherine, et je comprends ce que vous dites. Mais je crois que je n'ai plus assez confiance en moi pour réagir.

— Vous n'avez pas le droit d'être si défaitiste ! protesta Katherine avec un sourire réconfortant. Ce qui vous arrive est parfaitement explicable, la fatigue, la lassitude. Prenez un peu de recul, ne pensez plus à votre livre pendant quelques jours. Du repos vous fera le plus grand bien et vous vous sentirez de nouveau pleine de confiance et d'énergie. Que pourrais-je faire pour vous être utile, Francesca ? Je sais dépouiller des notes et je serais ravie de vous aider... »

Touchée par l'affection de Katherine, Francesca la dévisagea longuement. L'inquiétude de son père lui revint en mémoire : non, se dit-elle, il n'y a pas lieu de s'inquiéter. Katherine est vraiment la personne qu'elle paraît être – et bien plus remarquable encore. Dénuée d'égoïsme, pleine d'affection et de sincérité... Les quelques doutes qui restaient à Francesca se dissipèrent aussitôt, et c'est d'une voix plus assurée qu'elle répondit :

« Votre gentillesse me touche profondément, Katherine. Malheureusement, je suis la seule à savoir quoi chercher dans les documents et personne ne peut vraiment m'aider. Mais je vous suis quand même reconnaissante de me l'avoir proposé.

— En tout cas, si vous avez besoin d'aide pour quoi que ce soit, n'hésitez pas, Francesca. Promis ?

— Promis.

— Et maintenant, allons déjeuner. »

Une fois installées à leur table et après que le serveur eut noté leur commande, elles bavardèrent quelques minutes. Visiblement détendue, Francesca profita d'un bref silence pour dire à son amie :

« Merci de m'avoir écoutée tout à l'heure, Katherine. Cela m'a fait du bien. Je crois que je vais suivre votre conseil et ne plus m'occuper du livre pendant plusieurs jours. Je m'y remettrai beaucoup mieux ensuite.

— A la bonne heure ! Mais au fait, il n'est jamais

trop tôt pour mettre au point ses projets. Vous n'avez pas d'agent littéraire, n'est-ce pas ? Nous pourrions demander à Victor de vous en trouver un bon...

– Non ! s'écria Francesca. C'est inutile... »

Gênée de sa réaction excessive, elle rougit et ne sut que dire. Katherine lui jeta un coup d'œil étonné :

« Alors, je pourrais demander à Nicolas Latimer de vous aider. Il n'a jamais rien fait pour moi, mais cela ne veut pas dire qu'il n'accepterait pas de faire quelque chose pour vous.

– Pourquoi ne veut-il rien faire pour vous, Katherine ? s'enquit Francesca, surprise. Lundi soir, aux Ambassadeurs, il était absolument charmant et j'avais l'impression qu'il vous aimait beaucoup.

– C'est loin d'être le cas, répondit Katherine avec un sourire amer. Oh ! bien sûr, devant les autres il fait comme si nous étions les meilleurs amis du monde, mais en fait je sais qu'il me déteste.

– C'est impossible, voyons ! Personne ne peut vous détester ! protesta Francesca. Et puis, ne lui demandez rien. Je n'ai vraiment pas besoin d'un agent pour le moment.

– Nous garderons donc Nick Latimer en réserve. Mais, puisque nous parlions de services à rendre, j'aurais justement voulu vous en demander un.

– Avec joie ! s'écria Francesca. De quoi s'agit-il ?

– J'ai besoin de dialogues pour mon bout d'essai. Pourriez-vous les écrire ? »

Francesca écarquilla les yeux, stupéfaite :

« Mais... j'en serais incapable ! Je désire vous rendre service, Katherine, se hâta-t-elle d'ajouter, je ferais n'importe quoi pour vous. Mais dans ce cas je ne saurais comment m'y prendre. »

Bouleversée de refuser cette première faveur que sollicitait son amie, Francesca voulut adoucir sa rebuffade et reprit aussitôt :

« Ne m'en veuillez pas, Katherine. Vous présumez trop de mes capacités, j'en ai peur... Expliquez-moi au moins ce dont vous auriez besoin, j'aurai peut-être une idée.

– C'est vous qui doutez trop de votre talent, Francesca ! dit Katherine avec son sourire le plus charmeur. Je pense à un passage des *Hauts de Hurlevent.* Or, vous avez vous-même dit, samedi dernier, que vous connaissiez le roman presque par cœur.

– Oui, bien sûr... Mais pourquoi en réécrire un passage ? Je croyais que Victor Mason avait déjà le scénario tout prêt.

– En effet. Seulement, Nick Latimer prétend qu'il est en train de le réviser. A mon avis, il cherche à se montrer désagréable à mon égard... Passons. Victor m'a laissée libre de choisir mon texte, d'une durée de trente minutes environ. J'ai soigneusement relu le livre et j'ai trouvé la scène qui me convient. Je vous assure, Francesca, que ce ne serait pas difficile à adapter.

– Quelle scène ? dit-elle avec curiosité.

– Celle où Catherine revient de Thrushcross Grange et apprend à Nelly Dean que Linton lui a demandé sa main. Pendant ce temps, Heathcliff est caché derrière la porte...

– Et il entend Catherine parler de son amour pour lui ! Oui, bien sûr, je la connais. C'est une des scènes les plus émouvantes de tout le livre.

– Eh bien, si vous relisez ce chapitre, vous y trouverez suffisamment de dialogues pour en tirer une scène d'une demi-heure. Il ne m'en faut pas davantage. Je suis sûre que vous y arriverez, Francesca ! En deux jours, trois tout au plus... Cela vous changera de vos recherches historiques. Acceptez, je vous en prie. Ce tournage a pour moi une telle importance... »

Francesca hésita. Ses doutes restaient plus forts

que son désir d'être agréable à sa nouvelle amie...
Finalement, ce dernier sentiment l'emporta :

« Eh bien, soit ! Si vous m'en croyez vraiment capable, je veux bien essayer. Je préfère ne rien vous promettre sur le résultat mais je ferai de mon mieux. Il faudra quand même que vous me donniez des conseils, le nombre de pages, l'endroit où débuter la scène, où la terminer...

– Oh ! merci, Francesca ! Merci, du fond du cœur ! Rassurez-vous, je vous aiderai. Je vais d'ailleurs commencer tout de suite à vous donner certaines indications. L'essentiel existe déjà dans le roman, ce n'est qu'une simple question de mise en forme. »

Francesca hocha la tête sans mot dire et contempla longuement son assiette. Lorsqu'elle releva les yeux, elle dirigea vers Katherine un regard perplexe :

« Vous paraissez avoir en moi une confiance illimitée, Katherine. Pourquoi ? »

Elle réfléchit un instant. Un sourire radieux l'illumina :

« L'intuition, Francesca. L'intuition... »

11

ROMANCIER, Nicolas Latimer aimait parfois rester spectateur. Lorsqu'une scène l'intéressait, il observait, emmagasinait dans sa mémoire les actes et les répliques des protagonistes. Plus tard, peut-être, en trouverait-il l'utilisation dans l'une de ses œuvres.

Tel avait été le cas aujourd'hui. La confrontation dont il venait d'être témoin opposait deux personnalités particulièrement passionnantes, Victor Mason et Michael Lazarus. Il avait vu ces deux géants s'affronter comme deux gladiateurs engagés dans un combat à mort. D'instinct, Nick savait que la rencontre tournerait à l'avantage de Victor; celui-ci possédait, à l'insu de son adversaire, des atouts décisifs : la conversation surprise quelques jours auparavant par Hélène Vernaud. Mais Lazarus se croyait le plus fort, car il pensait détenir l'arme imparable : l'argent. Le choc de ces deux personnalités avait constitué un spectacle de choix.

Victor avait fixé le lieu de la rencontre en terrain neutre, le salon de thé du Ritz – où la présence d'un large public préviendrait, avait-il précisé à son ami étonné, toute explosion de rage de la part de son interlocuteur. Nick Latimer n'avait encore jamais rencontré Mike Lazarus et ne le connaissait que de réputation, celle d'un lutteur sûr de lui et prêt à porter l'estocade à la moindre provocation. Froid, dénué de tout scrupule, c'était un homme trapu et taillé en athlète, aux traits secs plutôt qu'anguleux et dont les cheveux noirs commençaient à se teinter de gris. Au premier abord, Nick l'avait trouvé insignifiant. En fait, avait-il rapidement corrigé, Lazarus n'était nullement insignifiant; il semblait simplement éteint, comme écrasé par la présence de Victor Mason. Mais qui ne le serait pas ? La personnalité de son ami dominait aussi fortement son entourage dans la vie qu'à l'écran.

Il avait alors observé Lazarus avec plus d'attention. Il se dégageait de cet homme une très forte impression de puissance, d'autant plus inquiétante qu'on la sentait mal maîtrisée. On la percevait jusque dans la manière dont il se tenait sur son siège, droit, ramassé, les muscles bandés telle une panthère prête à bondir. Ses yeux bleus, trop pâles, exsudaient un magnétisme auquel il était difficile d'échapper. Il émanait de son regard une intelligence pénétrante, capable de percer les défenses les mieux édifiées. Nick avait eu du mal à se défaire de l'impression d'être soumis à quelque rayon laser qui lui fouillait l'esprit.

De ce qu'il avait lu et entendu dire au sujet de cet homme, Nick avait appris que Lazarus s'imposait une discipline de vie ascétique, qu'il disposait d'une énergie aux réserves illimitées et d'une ambition toujours inassouvie. S'il avait dû le comparer à quelque personnage historique, il aurait aussitôt pensé à un condottiere, à l'un de ces princes à demi brigands prompts à se tailler un royaume sur les dépouilles de leurs adversaires malheureux. D'origine juive allemande, comme Latimer lui-même, Lazarus était manifestement un homme hors du commun. A quarante-cinq ans, il s'était édifié un empire multinational, *Global-Centurion,* qui étendait ses tentacules sur le monde entier. Objet d'innombrables articles, Lazarus avait cependant réussi à préserver intact le mystère de sa vie privée, l'obscurité de ses antécédents et de ses débuts difficiles. Nick s'était demandé ce que Hélène Vernaud avait appris sur le compte de ce conquérant des temps modernes. Il lui faudrait, un jour, percer le mystère...

Engagé à mots feutrés, le duel en était vite venu au corps à corps. Avec nonchalance, Victor avait d'abord paré les coups, détourné les attaques de Lazarus. Lorsque celui-ci avait voulu porter la dernière botte, Victor avait sorti son arme secrète : le fameux contrat, dont Lazarus croyait tirer toute sa force, il ne l'avait pas signé. Rien ne les liait l'un à l'autre. Enfin, dans un geste de défi méprisant, il avait déchiré la liasse dont il avait jeté les morceaux sur les genoux du financier.

« Je n'ai que faire de votre argent, Mike, avait-il laissé tomber en se levant. J'ai encore moins envie de vous subir pendant la production de *mon* film. A un de ces jours, peut-être. Tu viens, Nick ? Nous n'avons plus rien à faire ici. »

Sous ce coup inattendu, Lazarus était devenu livide de fureur. Il darda sur les deux hommes un regard étincelant. Alors, d'une voix toujours douce mais chargée de venin, il avait dit :

« Vous regretterez ce que vous venez de faire, Victor. Vous le regretterez amèrement, croyez-moi. »

Victor n'avait pas daigné répondre. Entraînant Nick par le bras, il avait tourné les talons en disant d'une voix forte :

« Allons-nous-en, vieux frère. J'ai grand besoin de respirer. On étouffe, ici. »

Parvenus dans le hall de l'hôtel, Nick n'avait pu contenir sa joie :

« Tu lui as rivé son clou, à cette canaille ! Bravo, Vic !

— J'ai de la chance d'avoir pu le faire, avait répondu Victor avec un large sourire. Si j'avais eu vraiment besoin de lui ou de ses maudits capitaux, il me faisait avaler toutes les couleuvres du monde.

– Tu as donc conclu un accord avec un studio, pour le financement ?

– Non, pas encore. Mais tout se présente bien. La Metro a l'air sérieusement intéressée. De toute façon, même si les pourparlers échouent, je poursuis la production. Nous y avons consacré trop de temps et d'efforts pour tout abandonner bêtement.

– *Bellissima* pourra assurer le financement ?

– A peu de chose près, oui. A condition, bien entendu que j'oublie de me verser mon salaire et que je fasse des économies sur le budget. Mais ne t'inquiète pas, la Metro marchera. Ils veulent que je tourne un film pour eux et ils accepteront mes conditions. »

Nick laissa échapper un rire de soulagement :

« As-tu vu la tête de Lazarus quand tu as déchiré le contrat ? J'ai cru qu'il allait avoir une apoplexie ! Le salaud... J'ai failli lui sauter dessus quand il a démoli mon scénario comme si je n'étais pas là.

– Je m'en doutais, figure-toi, c'est pourquoi j'ai évité de te regarder. Merci quand même d'avoir dominé tes instincts bestiaux. Nous aurions fait la une des journaux du soir...

– En tout cas, je n'aurais manqué cette scène pour rien au monde. C'est la première fois qu'on crache sur son argent, je parie ! Il n'en revenait pas.

– Tu as sans doute raison. C'est précisément cela son problème. Il est trop puissant depuis trop longtemps, il croit pouvoir soumettre chacun à ses trente-six volontés. J'aurais pu me montrer plus régulier avec lui, je l'admets, et lui faire savoir depuis plusieurs jours que je n'avais pas l'intention de conclure notre projet. C'est l'instinct du comédien qui l'a emporté sur le sang-froid de l'homme d'affaires. Je n'ai pas pu résister à l'envie de jouer la grande scène et je t'avoue y avoir pris plaisir.

– Moi aussi... Malgré tout, sa dernière réplique ne m'a pas plu du tout. Lazarus a la réputation d'être rancunier. Je l'ai trouvé sinistre, à vrai dire, et il pourrait fort bien tenir parole et se venger. Il ne te fait pas peur ?

– Absolument pas, Nick. Quant à le trouver sinistre, permets-moi de te dire que tu te laisses emporter par ton imagination.

– Possible... Quoi qu'il en soit, je plains Hélène. L'idée de la savoir entre les pattes d'un type comme Lazarus...

– Arrête ton cinéma, Nick ! Hélène est une grande fille, elle est parfaitement capable de se défendre contre les hommes.

– Je l'espère. A propos de filles, as-tu remarqué l'éclair de curiosité dans ses yeux quand tu lui as parlé de Katherine ?

– Oui, comme je l'avais déjà observé lundi dernier aux Ambassadeurs. Tu as vu Lazarus faire son entrée avec cette rousse couverte de diamants, n'est-ce pas ? Eh bien, à peine avait-il jeté les yeux sur Katherine qu'il a eu l'air de se désintéresser de la fille. Quant à Katherine, elle était parfaitement consciente de l'attention de Lazarus. Il est reparti presque aussitôt, après avoir juste bu un verre.

– Qui était-ce, cette rousse ?

– Pas la moindre idée. Lazarus n'en donne pas l'impression, mais je tiens de bonne source qu'il est un redoutable coureur de jupons.

– Il doit leur faire payer cher les bijoux dont il les couvre, les pauvres filles. Cela ne m'étonnerait pas de lui.

– Marchons, veux-tu ? Je n'ai pas envie de rentrer tout de suite et l'exercice me fera du bien. »

Sans plus parler, les deux amis marchèrent du même pas. Plongés chacun dans ses pensées, ils descendirent Piccadilly en direction de Hyde Park Corner.

Victor s'absorbait déjà dans son projet d'accord

avec la MGM, passait en revue les éléments capables d'assurer le succès de ses négociations : trouver une distribution éclatante, des acteurs de premier plan, l'élite du cinéma britannique : Terrence Ogden, pour le personnage essentiel d'Edgar Linton; Mark Pierce pour la mise en scène... Ce serait difficile. Mark Pierce lui avait déjà opposé un refus, sous prétexte qu'il ne voulait pas se commettre dans de vulgaires *remakes.* Mais Victor ne se faisait guère de soucis. Il obtiendrait la collaboration de Mark Pierce et de Terry Ogden. L'affaire était en bonne voie, elle trouverait prochainement une heureuse solution. Restait à s'assurer le concours d'Ossie Edwards, de très loin le meilleur chef opérateur du Royaume-Uni et dont la réputation était internationale. Décidément, se disait Victor, maintenant que je me suis allégé du fardeau que représentait Lazarus, tout devrait se passer comme sur des roulettes.

En marchant, Nick jetait de temps à autre un regard sur son ami et s'abstenait d'interrompre ses réflexions. Pour sa part, ses pensées tournaient obstinément autour de Mike Lazarus, revenaient à sa dernière menace. Mais que pouvait-il vraiment faire pour nuire à Victor Mason ? Rien. Il n'avait aucune influence dans l'industrie cinématographique et Victor était une star trop considérable, trop solidement implantée dans l'« establishment » hollywoodien pour que quiconque osât s'y attaquer. Pourtant, un homme de l'envergure de Lazarus possédait obligatoirement des entrées dans tous les milieux financiers, le pouvoir d'exercer des pressions... Soucieux, inquiet en dépit de ses efforts pour se rassurer, Nick préféra chasser de son esprit ces sombres pressentiments.

Le froid le fit frissonner. Il releva le col de son pardessus, enfonça plus profondément ses mains dans ses poches. Le vent s'était levé, les nuages s'amoncelaient. Contrairement à Victor, dépaysé loin du soleil continuel et des brises tièdes de la Californie, le jeune écrivain trouvait du charme aux caprices du climat britannique, à ses saisons nettement différenciées. L'idée du printemps le fit penser, sans qu'il sût pourquoi, à Francesca Cunningham et il sourit. En voilà une, se dit-il, qui ne risque pas de se fondre dans la grisaille. Sous ses dehors timides de jeune fille bien élevée, elle dissimule des qualités hors du commun.

Il attira l'attention de Victor en lui tapant sur le bras :

« Lazarus n'a épargné personne, aujourd'hui. Comment ose-t-il qualifier Francesca d'insipide ? Il l'avait à peine aperçue deux minutes l'autre soir.

— Il faisait exprès de se montrer odieux pour me faire sortir de mes gonds, voilà tout.

— En quoi une réflexion désagréable sur Francesca te ferait-elle sortir de tes gonds ? demanda Nick avec ironie. Saurait-il quelque chose que tu me caches ?

— Je ne te cache rien ! Il m'a vu en train de lui parler au bar et il a pris mon habituel déploiement de charme pour de la sollicitude. Tu me connais, voyons !

— Justement, vieux frère, je te connais trop bien et tu ne t'en tireras pas par une pirouette, cette fois. Explique-toi.

— Puisque tu insistes ! Elle m'a effectivement tapé dans l'œil la première fois que je l'ai vue. Pendant quelques jours, elle m'a trotté dans la tête, je l'avoue aussi. Mais cela ne veut rien dire. Ce n'est qu'une gamine !

— Dix-neuf ans. C'est en effet trop jeune pour toi, Casanova.

— Je ne te le fais pas dire ! Elle est beaucoup trop jeune. D'au moins vingt ans », ajouta-t-il avec regret.

Avec une moue sceptique, Nick tenta de se rappeler la conduite de Victor au cours de ce souper de lundi. Il ne semblait effectivement pas avoir franchi les limites de la simple courtoisie et, tout compte fait, n'avait guère parlé à Francesca. Mais avec lui, savait-on jamais...

« Tu n'as donc aucune intention inavouable à son égard ?

— Avouable ou non, aucune ! D'ailleurs, il est manifeste que je ne l'intéresse pas.

— Veux-tu parier ? dit Nick en éclatant de rire.

— Non, et le sujet ne présente aucun intérêt. Elle est trop jeune, je te le répète. Nous appartenons à deux mondes radicalement différents et qui ne se mélangent pas. Je n'ai pas besoin, en ce moment surtout, de me plonger dans des ennuis supplémentaires.

— C'est vrai. A propos d'ennuis, as-tu des nouvelles de cette garce d'Arlene ?

— Rien, pas un mot d'elle ni de ses avocats. Ils sont sans doute en train de mettre au point le meilleur moyen de me dépouiller, jusqu'à ma dernière chemise... Ne me parle plus d'elle, veux-tu ? Tu me gâches ma journée.

— Excuse-moi, vieux frère... Pour en revenir à Francesca, je ne crois pas que tu lui déplaises. En fait, j'ai plutôt l'impression que tu lui fais peur.

— Moi, lui faire peur ? Tu plaisantes, j'espère ! Que veux-tu dire !

— Je ne dirai pas que ton irrésistible séduction la paralyse au contraire des autres femmes — elle est d'ailleurs dotée de moyens de défense très efficaces, j'en suis à peu près certain. Quand nous avons bavardé l'autre soir, je lui ai demandé ce qu'elle pensait des *Hauts de Hurlevent.* Or, elle m'a répondu que tu lui avais interdit de m'en parler, rien moins ! Est-ce vrai ? »

Victor éclata de rire :

« Bien sûr que non ! En plaisantant, je lui ai dit

de ne pas s'approcher de toi pour ne pas t'influencer. Elle a sur la question des opinions très arrêtées et m'a déclaré sans détour qu'il ne s'agit nullement d'une histoire d'amour mais, au contraire, de vengeance et de mort.

– Elle a raison.

– Vraiment ?

– Oui, parfaitement. Mais c'est aussi une histoire d'amour... Ainsi, poursuivit Nick avec un sourire ironique, elle ne se contente pas d'être jolie, elle a de la cervelle. Combinaison fatale, pour un séducteur comme toi. Tu ferais bien de te surveiller.

– Oh ! Va-t'en au diable ! s'écria Victor. Je suis bien trop absorbé par le film pour songer à séduire une enfant de dix-neuf ans, encore au stade des soupirs romanesques. »

Nick préféra ne pas insister et ils poursuivirent leur promenade en silence. Il revit avec plaisir les rues de Mayfair, où son père l'avait promené enfant avec sa sœur Marcia. Le père et le fils étaient alors inséparables. Lorsque Nick lui avait fait part de sa détermination de devenir écrivain, plutôt que de se préparer à prendre la succession paternelle à la banque, la colère de son père et la longue rupture qui avait suivi l'avaient profondément marqué. Ils s'étaient réconciliés depuis peu car Nick avait toujours éprouvé de la vénération pour lui.

A côté de lui, Victor s'était arrêté net. Ils étaient près d'un chantier de construction où se dressait lentement l'ossature d'un haut bâtiment. Les poutrelles d'acier se découpaient sur le ciel comme le squelette de quelque monstre préhistorique.

« Que se passe-t-il, Vic ?

– Oh ! rien... »

Victor recula d'un pas, se pencha en arrière pour contempler le sommet de la structure où deux ouvriers étaient perchés. La hauteur, la distance les faisaient paraître minuscules. Un flot de souvenirs l'envahit. Au bout d'un moment, il regarda Nick, qui le dévisageait avec étonnement.

« Tu ne sauras jamais ce que c'est que la peur tant que tu n'auras pas grimpé là-haut, sans rien qu'un bout de ferraille et le vide entre le sol et toi, dit Victor d'une voix assourdie. Tant que tu n'auras pas vu un de tes camarades glisser et faire le grand plongeon, en se désarticulant comme un pantin au cours de sa chute. C'est alors que l'expression « paralysé par la peur » prend toute sa signification, quand tu sais que tu n'auras jamais plus la force de remonter. Plus tard, si tu tentes cette expérience, à nouveau, tu trembles. Tu trembles comme jamais alcoolique en proie au delirium tremens n'a tremblé... »

Nick attendit un instant avant de demander :

« Cela t'est arrivé, Vic ?

— Oui... Le plus drôle, c'est que je n'ai d'abord rien ressenti en voyant Jack tomber. J'étais sans doute trop bouleversé sur le moment même. Cela m'a pris quarante-huit heures plus tard... Cette fameuse paralysie, c'est la hantise de tous les ouvriers du bâtiment, de tous les monteurs en charpente métallique. Quand tu l'attrapes, autant quitter le métier. Tu as beau tout faire pour dissimuler ta frousse, te forcer à paraître normal parce que tu as besoin de travailler, cela finit toujours par te prendre. Tu as toujours la peur au ventre et tu ne peux plus la cacher aux autres : quand le bâtiment s'élève, il faut que tu montes avec. Si tu refuses, c'est la porte. Et puis, tes copains sentent ta panique qui sue par tous tes pores...

— C'est à ce moment-là que tu as abandonné ?

— Oui, quelques semaines plus tard. Ellie la sentait, ma peur. Son père, ses frères étaient tous dans le bâtiment. C'est justement à cause de Jack, son plus jeune frère, que j'avais fait sa connaissance. Quand il est tombé, il avait à peine vingt ans... Oui,

Nick, avec moi elle a compris tout de suite – elle avait l'habitude. C'est elle qui m'a supplié de ne pas continuer. Au début, j'ai refusé. Je ne voulais pas faire comme les autres, tu comprends. Je tenais à la dominer, ma peur, à la mater... J'y suis arrivé, crois-le ou non. Huit jours après la chute de Jack, un autre gamin s'est trouvé coincé entre deux poutrelles au sommet d'une tour de soixante étages. La pluie commençait à tomber, le vent s'était levé, presque une tempête. Le malheureux gamin s'est souvenu de l'accident de Jack, il est resté à geler sur place, incapable de descendre, de faire un geste. Je suis monté le chercher. La semaine suivante, j'ai lâché le bâtiment pour de bon, au grand soulagement d'Ellie. C'est après cela que nous avons quitté l'Ohio pour la Californie. Les jumeaux avaient à peine un an. J'avais acheté une vieille camionnette et nous nous sommes entassés tous les quatre, avec les bagages, quelques affaires, tous serrés là-dedans comme des sardines. Mais il faut que je te dise, Nick : c'était le bon temps. J'avais tout ce que je souhaitais jamais avoir au monde, Ellie et les jumeaux. Le reste, je m'en moquais... Pense donc ! ajouta-t-il avec un petit rire, je n'avais même pas vingt ans !

– Et ton ami Jack, le frère d'Ellie ? A-t-il été tué dans sa chute ?

– Non, il est resté paralysé. Depuis, il ne quitte plus sa petite voiture. Heureusement que j'ai réussi, je peux m'occuper convenablement de lui... »

La gorge nouée par l'émotion, Nick ne put rien répondre. Ces confidences le stupéfiaient et faisaient naître en lui une admiration sans bornes. Ainsi, Vic avait huit personnes à sa charge, en comptant le reste de sa famille. Sans parler des amis qu'il dépannait avec autant de générosité que de discrétion à la moindre occasion... Un cœur pareil ne se trouve pas souvent sur terre, se dit-il avec une nouvelle bouffée d'affection.

Victor avait de nouveau rejeté la tête en arrière pour observer les traverses métalliques. L'expression impénétrable, les lèvres serrées, il se détourna enfin de ce spectacle et dit à Nick avec gravité :

« Vois-tu, je sais vraiment ce que c'est que la peur. J'ai appris à la vaincre. Alors, quand je te dis qu'un Mike Lazarus ne m'effraie pas, tu peux me croire sur parole. »

12

Debout contre un portant, Norman Rook, l'habilleur de Terrence Ogden, ne pouvait s'empêcher d'admirer Katherine Tempest. Son jeu éblouissant, son aisance sur scène ne trahissaient rien de la nervosité qu'elle aurait dû ressentir. Une heure à peine avant le lever du rideau, Norman avait fait irruption dans sa loge pour lui lancer un appel au secours. Sans hésiter, Katherine l'avait suivi.

Cet après-midi-là, au cours du déjeuner, Terry avait eu une scène violente avec sa maîtresse, Alexa Garrett. Horrifié, Norman les avait entendus se jeter à la tête insultes et accusations. Alexa était partie en claquant la porte, jurant de ne plus lever les yeux sur ce cabotin de troisième ordre qui se prenait pour un génie. Plus encore mortifié par cette injure que par la rupture, Terry avait réagi par une explosion de rage, saccagé son appartement et, pour finir, cherché dans l'alcool à apaiser ses blessures d'amour-propre. A sept heures du soir, ivre mort, il s'était écroulé sur un canapé. Incapable de le ranimer, Norman s'était affolé. Une seule personne pouvait le ramener à la raison, le remettre sur pied pour aller au théâtre : Katherine. Il s'était donc précipité chez elle. Katherine avait usé de toutes les ressources de son imagination pour tirer Terry de sa torpeur. En vain. Epuisée, elle n'avait eu que le temps de courir au théâtre pendant que Norman prévenait la doublure de Terry.

Maintenant, tandis que s'achevait le dernier acte, l'habilleur devait se retenir pour ne pas l'applaudir. Katherine avait porté à elle seule, ou presque, le poids de la pièce. Peter Mallory, la doublure de Terry, était un bon acteur, certes, mais dépourvu de la maîtrise technique, de la présence inimitable du comédien dont il prenait la place. Son jeu, correct mais plat et sans inspiration, alourdissait l'atmosphère et rendait plus difficile la tâche des autres membres de la troupe.

Si le public avait pu se sentir frustré par l'absence de la vedette masculine, le jeu superbe de Katherine l'en avait largement dédommagé. Ce soir-là, elle s'était véritablement surpassée. Tout au long de la pièce, elle avait tenu la salle en haleine, captivé son auditoire, trouvé en elle des ressources insoupçonnées. Il régnait, du parterre au poulailler, un silence absolu qui, pour les initiés, laissait présager un ouragan d'applaudissements. Ce serait un triomphe.

Tandis que tombaient les dernières répliques, Norman Rook quitta silencieusement les coulisses et descendit l'escalier des loges. Il était venu habiller la doublure de Terry et, en un sens, il se félicitait d'avoir eu ce prétexte pour s'éloigner de l'appartement. Il lui fallait s'éclaircir les idées et, de toute façon, Terry dormait si profondément qu'il ne s'éveillerait probablement pas d'ici le lendemain matin. Il serait alors grand temps d'avoir avec son patron et ami une sérieuse conversation – Norman s'en voulait de ne pas l'avoir fait plus tôt. Tout dévoué à Terrence Ogden, qu'il protégeait inlassablement, il se considérait comme son frère aîné car, depuis six ans, il jouait auprès de lui le rôle d'habilleur, de confident et de secrétaire particulier. Acteur frustré lui-même, Norman veillait avec un soin jaloux sur la carrière de son protégé qu'il entendait voir réussir.

En attendant Katherine, il fit les cent pas dans le couloir, devant la porte de sa loge. Norman avait beaucoup réfléchi au cours de ces dernières heures et pris la décision de s'ouvrir à elle de ses soucis. Katherine était la seule personne au monde à qui confier les secrets de Terry sans crainte. Les problèmes de Terrence Ogden devenaient trop lourds, trop complexes pour que Norman continuât de les assumer seul. La scène de cet après-midi était la goutte d'eau qui faisait déborder une coupe déjà trop pleine; il fallait déposer ce fardeau et rechercher des conseils objectifs. Et puis, se disait-il, si quelqu'un est capable de faire entendre raison à Terry, c'est bien elle...

Son rire retentit dans l'escalier et Norman alla à sa rencontre, sourire aux lèvres :

« Tu as été sensationnelle, mon chou ! s'écria-t-il.

— Merci, Norman. Je l'ai fait pour Terry, tu sais... Mais c'était dur, à certains moments, ajouta-t-elle avec une grimace. Je suis en nage et je tiens à peine debout.

— Va tout de suite te changer avant de prendre froid. »

Il la prit par les épaules et l'entraîna vers sa loge, plein de sollicitude. Il poursuivit en hésitant :

« Au fait... Pourrais-je t'inviter à boire quelque chose, tout à l'heure ?

— Tu es gentil, Norman, mais je ne peux pas. J'ai déjà un rendez-vous.

— Un verre, un seul. Dix minutes, c'est tout ce que je te demande. C'est très important, je t'assure. »

Katherine perçut aussitôt l'inquiétude qui altérait la voix de Norman :

« Terry ne va pas plus mal, au moins ?

— Non, il dort à poings fermés. Mais... je voulais te demander conseil... Enfin, tu comprends ce que je veux dire ? »

Katherine ne se sentit pas le courage de refuser, tant Norman semblait abattu. Elle était elle-même préoccupée de l'état de son camarade et, à vrai dire, brûlait de curiosité. Elle se doutait de la vie mouvementée que menait Terry mais les événements de l'après-midi avaient attisé son envie d'en savoir plus long.

« Eh bien, d'accord, dit-elle enfin. Kim Cunningham doit me retrouver chez moi pour souper mais nous pouvons boire un verre avant son arrivée. Nous aurons largement le temps de parler.

– Merci, Katherine, tu es vraiment chou. Je vais aider Peter à se déshabiller mais ce ne sera pas long. Frappe à la porte quand tu seras prête à partir.

– Je n'en ai pas pour longtemps moi non plus. Un quart d'heure, vingt minutes au plus. A tout de suite, Norman. »

Sur un dernier sourire, elle disparut dans sa loge.

Assis sur le canapé blanc du petit salon, Norman regardait autour de lui. Katherine était allée chercher les glaçons à la cuisine et, en attendant son retour, l'habilleur examinait le décor avec étonnement. Cela a probablement coûté cher, se dit-il, mais je n'aime pas du tout. La pièce lui semblait trop froide, intimidante. En dépit de la chaleur, il réprima un frisson. En fait, il ne parvenait pas à concilier ce cadre impersonnel avec l'idée qu'il s'était faite de Katherine. Il l'avait toujours jugée chaleureuse, pleine de vie et de gaieté, douce de caractère et l'esprit ouvert. Pourtant, l'endroit où elle vivait indiquait tout le contraire. Tant de blanc le mettait mal à l'aise – n'était-ce pas la couleur du deuil pour les Indiens ? Cette appréhension le ramena vers Terry; Norman lui en voulait de se mettre constamment dans des situations scabreuses et de jouer ainsi pour des enfantillages sa carrière au quitte ou double...

Le retour de Katherine le ramena au présent. Elle lui tendit son verre, s'assit en face de lui :

« Tchin-tchin ! » dit-elle en souriant.

Norman leva son verre :

« Je ne sais comment te remercier, Katherine... »

Il s'interrompit, gêné, ne sachant plus par quel bout commencer. Il avait tant à dire sur les soucis que lui causait Terry, sur les scandales étouffés à la dernière minute et qui, bientôt, ne pourraient manquer d'éclater au grand jour...

Katherine attendait patiemment, non sans curiosité. Si Norman, habituellement un modèle de discrétion, sentait le besoin de s'épancher, c'est qu'il devait avoir de bonnes raisons. Mieux valait ne pas le bousculer trop ouvertement. En venant du théâtre, il n'avait fait que se répandre en compliments sur la représentation, sans la moindre allusion à Terry. Ce devait donc être grave.

Comme un barrage qui se rompt, les mots jaillirent soudain de la bouche de Norman :

« Eh bien, voilà... De la manière dont il boit et dont il court les filles, on jurerait qu'il veut se détruire ! Je deviens fou, Katherine, je n'en dors plus, je ne sais plus que faire pour le ramener à la raison...

— Se détruire ? s'écria-t-elle. Que veux-tu dire ?

— Sa conduite, ces derniers temps, les situations invraisemblables dans lesquelles il se met comme à plaisir, la manière dont il boit... Ecoute, je n'exagère pas ! Je l'ai vu dans des états, c'est un miracle qu'il soit encore en vie... Ainsi, aujourd'hui... »

Il s'interrompit tout à coup. Katherine attendit un instant puis, se penchant avec sollicitude, dit d'un ton encourageant :

« Justement, Norman. Que s'est-il passé aujourd'hui ? Raconte.

— Bah ! il n'y a rien de particulier à raconter, répondit-il avec un rire amer. Aujourd'hui, ce n'était guère pire que d'habitude, sauf qu'il n'a pas été capable de retrouver sa lucidité à temps pour le lever de rideau. J'aurais dû t'en parler plus tôt, tu aurais sans doute pu faire quelque chose... Mais je ne voulais pas raconter sur les toits les problèmes de Terry, comprends-tu ? »

Il fouilla dans ses poches, alluma nerveusement une cigarette avant de reprendre :

« A toi, je peux faire confiance. Tu comprendras... Bien entendu, tout ceci reste strictement entre nous.

– Naturellement, Norman ! Je ne le répéterai pas, je te le jure. »

Avec un regard inquiet, Norman entreprit le récit, entrecoupé de pauses et d'hésitations, de la vie que menait Terry Ogden. Il énuméra ses beuveries, ses nuits blanches, les innombrables maîtresses, les passades, les soirées plus ou moins crapuleuses en compagnie de personnages douteux, les pertes de jeu, les dettes qui s'accumulaient, de plus en plus criantes, les créanciers qui perdaient patience et devenaient menaçants. Jusqu'à présent, en partie grâce à lui, rien n'en avait encore transpiré. Mais cela ne pouvait durer. Terry ruinait sa santé, mettait sa carrière en péril. Le scandale n'était rien à côté du spectre des trous de mémoire, de l'incapacité à tenir son rôle sur scène – Katherine avait déjà été témoin d'une ou deux défaillances rattrapées de justesse.

Soucieuse à son tour, Katherine laissa Norman terminer son récit.

« Quel genre de conseil voudrais-tu exactement que je te donne ? demanda-t-elle enfin.

– En deux mots, comment sortir Terry du trou où il s'enfonce en ce moment, et comment y parvenir le plus vite possible. Pour ne parler que de ses dettes, par exemple. Tu sais comment il jette l'argent par les fenêtres. Il lui faut des complets du meilleur tailleur de Savile Row, des chemises de soie. Quand il invite des « amis », c'est toujours dans les meilleurs restaurants, les boîtes les plus chères – et c'est toujours lui qui paie. J'ai fait quelques calculs élémentaires : il doit cinquante à soixante mille livres, te rends-tu compte ? Ne me demande pas où il va les trouver, je n'en ai pas la moindre idée. »

Rien de tout ce que disait Norman n'étonnait Katherine. Elle connaissait le faste de Terry et se doutait instinctivement de ces révélations.

« Il pourrait négocier un emprunt auprès de sa banque, suggéra-t-elle sans conviction.

– La banque ? Il lui doit déjà près de la moitié de la somme en question ! Mais ce n'est pas le pire. S'il boit, s'il mène cette vie de bâton de chaise, c'est à cause de l'influence d'Alexa, j'en mettrais ma tête à couper. Aujourd'hui, ils ont rompu. Ce ne sera jamais que la douzième fois ! Elle va revenir, je suis prêt à le parier. Cette femme, c'est son mauvais génie... Si seulement je trouvais le moyen de l'éloigner de Londres et d'Alexa assez longtemps pour le tirer de ses griffes, je suis sûr qu'il se reprendrait. Tiens, il a été invité à faire une longue tournée classique en Australie et j'essaie depuis près d'un mois de le convaincre d'accepter. Cela résoudrait bien des problèmes. Qu'en penses-tu ?

– Non, cela ne résoudrait rien. Il gagnerait beaucoup moins que ce que lui rapporte la pièce en ce moment. Et aller jouer du Shakespeare aux antipodes ne ferait guère progresser sa carrière.

– Tu as raison... »

Norman se laissa aller contre le dossier de son siège. Pendant ce temps, Katherine soupesait tout ce qu'elle venait d'apprendre. Norman raisonnait clairement et son inquiétude pour l'avenir de Terry était sincère. L'acteur avait de la chance de trouver en lui un ami si dévoué. C'est alors que la solution qu'elle entrevoyait confusément lui apparut avec une clarté aveuglante – celle qu'elle recherchait, pour sa part, depuis plusieurs semaines. Tout s'imbriquait avec la précision d'un puzzle. Elle sut contenir sa joie et reprit la parole avec assurance :

« La solution, Norman, je crois que je la tiens. Oui, je connais le moyen de résoudre du même coup tous les problèmes de Terry ! »

Norman se redressa aussitôt et lui décocha un regard étonné :

« Tous ses problèmes, dis-tu ? Si c'était vrai, on pourrait appeler cela un miracle...

— Te souviens-tu de ce que j'ai proposé à Terry le mois dernier ? poursuivit-elle sans relever l'interruption. De jouer le rôle d'Edgar Linton dans la nouvelle version des *Hauts de Hurlevent* que prépare Victor Mason ? »

Norman fit un signe de tête, attendit la suite.

« Terry avait refusé et je ne lui avais pas caché mon sentiment à ce sujet. Mais il n'est pas trop tard pour rattraper son erreur. A la fin mars, son contrat vient également à expiration. Il n'a qu'à faire comme moi et ne pas le renouveler pour commencer le tournage du film. Victor le paierait généreusement, je sais qu'il a très envie de lui dans ce rôle. En négociant habilement, on obtiendrait certainement soixante à soixante-dix mille livres.

— Tant que ça ? s'exclama Norman. Continue. Je t'écoute.

— S'il accepte de tourner ce film, ses problèmes financiers se trouveraient résolus. Mais ce n'est pas tout : les extérieurs seront dans le Yorkshire. Cela veut dire que Terry devra quitter Londres plusieurs semaines, et, du même coup, Alexa et sa bande de fêtards. Il ne sera donc plus entraîné à boire...

— Tu ne connais pas Alexa, mon pauvre chou ! l'interrompit Norman avec un geste désabusé. Elle retrouvera sa piste et lui courra après comme un chien de chasse. Il en faudrait plus pour la décourager, cette garce...

— Alexa ne me fait pas peur, Norman. Le plus

grave, dans l'immédiat, se trouve du côté des créanciers, m'as-tu dit. Le problème serait donc réglé. Quant à la redoutable Alexa... »

Katherine s'interrompit brièvement, ordonna ses pensées :

« Terry, dis-tu, se laisse facilement influencer par les femmes. Pourquoi ne pas le soumettre, pour une fois, à une influence bénéfique, celle d'une femme qu'il aime et qu'il respecte ? Comment s'appelle, déjà, celle dont il était si amoureux, l'année dernière ? C'est quand elle l'a quitté, si je ne me trompe, qu'il a commencé à faire les quatre cents coups. »

Norman eut un haut-le-corps et contempla Katherine avec stupeur :

« Barbara ? Tu es folle ! Elle est mariée, voyons. Avec Mark Pierce, le metteur en scène.

– C'est exact. Mais Victor voudrait également engager Mark Pierce pour la réalisation de son film. Barbara le suivrait donc sur les lieux du tournage et nous pourrions alors lui demander de surveiller Terry. Je la connais peu, mais elle m'a donné l'impression d'être une fille raisonnable, sensée... Et puis, mon cher Norman, il se trouve que j'ai appris autre chose récemment, ajouta-t-elle avec un sourire malicieux. Barbara Pierce, dit-on, serait toujours amoureuse de Terry – et tu sais mieux que personne que la réciproque est également vraie. »

Bouche bée, Norman fut incapable de répondre aussitôt.

« Oui, en un sens, admit-il enfin. Mais plus du tout comme avant. Ils s'aiment comme frère et sœur... Et puis, Barbara ne voudra peut-être pas suivre Mark partout où il ira. Elle ne le fait pas systématiquement.

– Je sais comment la décider. Barbara est une des meilleures costumières de Londres. Si je la recommande à Victor, il l'engagera sans hésiter.

– Tu as vraiment pensé à tout ! s'écria Norman avec un soulagement mêlé d'admiration.

– Il le faut bien, tu m'as demandé de l'aide !... Et puis, Barbara sera sûrement ravie de figurer au générique d'un film tel que celui-ci. Sans compter qu'elle y travaillera avec son mari – et avec Terry ! »

Norman éclata de rire. La perspective de se débarrasser de l'exécrable Alexa le comblait de joie.

« C'est tiré par les cheveux mais cela pourrait marcher. Avec de la chance...

– Avec beaucoup de soin et d'efforts, le corrigea Katherine. Alors, m'aideras-tu à convaincre Terry d'accepter ?

– Compte sur moi, mon chou !

– Marché conclu ! Serrons-nous la main. »

Heureux de sauver Terry Ogden de ses propres excès, ils échangèrent une longue poignée de main accompagnée d'un sourire complice.

Kim Cunningham, qui portait une cuisse de poulet à sa bouche, interrompit son geste et dévisagea Katherine avec surprise :

« Qu'y a-t-il de si drôle ? » demanda-t-il.

Katherine parvint enfin à maîtriser son fou rire :

« Je pensais à la tête que tu faisais en arrivant, quand tu as vu Norman Rook assis là-bas. »

Sa gaieté n'était pas feinte. Depuis la mise au point de sa combinaison, assurée désormais de la coopération de Norman, elle ne doutait plus de pouvoir remplir ses engagements envers Victor.

Elle rassura d'un sourire Kim, étonné de son comportement. Assise en tailleur sur une pile de coussins devant la table basse, toute son attitude exprimait l'abandon et l'insouciance.

« Tu n'as pas lieu de t'inquiéter, mon chéri. Ce n'est pas Norman qui te fera concurrence ! dit-elle en riant.

« – Je n'avais aucune crainte, répondit Kim de même. Au premier abord, j'ai été surpris de le voir, voilà tout. Je me suis demandé si nous pourrions jamais être seuls.

– Norman est trop poli pour se montrer importun. Le pauvre garçon était si préoccupé, tout à l'heure, que je l'ai invité pour lui remonter le moral.

– Bien sûr, bien sûr... »

Kim attaqua sa cuisse de poulet avec appétit.

« Mon petit en-cas ne te plaît pas ? demanda-t-il entre deux bouchées. Tu ne manges rien.

– Mais si, j'ai déjà dévoré plein de choses ! Tu sais que j'ai rarement faim après la représentation. Ce soir, c'était pire que d'habitude. Avec la doublure à porter à bout de bras, je me suis dépensée sans compter...

– Norman s'est répandu en compliments dithyrambiques sur la manière dont tu as sauvé la pièce. Je l'ai cru volontiers. »

Un peu plus tôt, en effet, elle les avait laissés seuls quelques instants pour aller se changer. Dans sa longue robe d'intérieur en soie sauvage décorée de motifs chinois, Kim la trouvait resplendissante. A plusieurs reprises, déjà, Katherine s'était plainte de la fatigue. Kim ne décelait pourtant aucune trace de lassitude sur son visage, le plus ravissant, le plus adorable qu'il lui eût été donné de contempler.

Gêné de la dévisager avec trop d'insistance, il se versa un verre de vin, alluma une cigarette. Ces derniers temps, ils n'avaient guère trouvé l'occasion d'être seuls ensemble. Kim en concevait une déception mêlée d'irritation. Il aurait voulu évoquer avec elle leurs sentiments, leur avenir. Il devrait, aussi, aborder avec elle certains des points que Francesca, en termes voilés, lui avait glissés peu auparavant : ses intentions sur sa carrière, sa famille. Malgré ses dénégations, Francesca n'avait pu empêcher Kim de deviner que leur père lui avait fait subir un interrogatoire en règle et Kim s'en souciait plus qu'il ne voulait l'admettre. Réussirait-il, ce soir, à avoir avec Katherine la conversation sérieuse et franche qu'elle repoussait, volontairement ou non, depuis des semaines ?

« Tu ne manges plus, mon chéri ? Je vais débarrasser la table », dit-elle en faisant mine de se lever.

Kim prévint son geste :

« Pas question ! Repose-toi, je m'en occupe. »

Avant même qu'elle ne proteste, il s'affairait déjà et emportait les assiettes vides vers la cuisine.

Une fois seule, Katherine se laissa aller contre le sofa et ferma les yeux en s'efforçant de se détendre. Elle n'y parvenait cependant pas mieux qu'en quittant le théâtre. Les pensées tourbillonnaient dans sa tête et l'empêchaient de trouver le calme. Certes, au fond de son cœur, elle éprouvait pour Kim une affection, un attachement plus réels et plus puissants que pour aucun homme; à cet instant, toutefois, elle souhaitait qu'il parte. Il était déjà tard, très tard – près de deux heures, constata-t-elle avec surprise en consultant la pendule. Elle ne pourrait lui faire comprendre son désir d'être seule avant au moins une heure – encore faudrait-il s'y prendre avec tact.

Sa lassitude, pourtant bien réelle, n'était que physique. Car jamais elle ne s'était sentie aussi alerte et l'esprit aussi en éveil. Depuis douze heures, les événements s'étaient précipités et prenaient une tournure totalement inattendue. Oui, ce soir plus que jamais, elle aurait voulu être seule pour mieux réfléchir, se concentrer sur les décisions à prendre et les préparer avec le plus grand soin. Le plus urgent était de revoir Victor. Tout à l'heure, alors qu'elle s'était retirée dans sa chambre afin de se changer, elle avait essayé de le joindre par téléphone à son hôtel et avait laissé un message le prévenant qu'elle rappellerait le lendemain matin. Victor ne pourrait manquer d'apprécier son habileté, se dit-elle avec un sourire.

Si Norman trouvait son idée « tirée par les cheveux », elle n'était pas du tout du même avis.

« Voilà, c'est fini ! » annonça Kim en revenant.

Katherine rouvrit les yeux, lui jeta un regard alangui :

« Tu es un amour. Merci, mon chéri.

— Veux-tu du café ? Non ? Et si je mettais un disque ? Un peu de musique douce ne me déplairait pas...

— Non, Kim, je t'en prie, pas de musique. Je suis vraiment morte de fatigue, tu sais...

— C'est vrai, excuse-moi. Alors, asseyons-nous et bavardons tranquillement un moment. Je n'ai pas eu la joie d'être seul avec toi depuis une éternité. »

En deux bonds, il l'avait rejointe et s'était assis par terre auprès d'elle. Un seul regard lui fit oublier toutes ses sages résolutions précédentes et son désir de lui parler à cœur ouvert. Pour la première fois, il comprit le sobriquet de « Minouche » dont l'affublait Terry Ogden et dont il s'était déclaré choqué. Telle qu'il la voyait, pelotonnée sur sa pile de coussins, les yeux entrouverts, la pose abandonnée, elle possédait en effet une allure féline des plus séduisantes.

D'un doigt, il lui caressa la joue avec douceur :

« Katherine chérie... », commença-t-il à mi-voix.

Il ne compléta pas sa phrase. Mû par une soudaine flambée de désir, il se pencha, l'entoura de ses bras et posa ses lèvres sur les siennes en un baiser léger et plein de tendresse. Prise au dépourvu, Katherine ne se dégagea pas et se laissa gagner par la langueur qu'elle ressentait. Mais la pression de Kim s'accentua peu à peu, son baiser devint plus intense, plus exigeant.

Une peur panique s'empara alors de Katherine. Les yeux clos, elle cherchait désespérément le moyen de mettre fin sans offenser Kim à cette sorte d'agression. Un frisson, puis un autre la firent tressaillir.

Aveuglé par son propre émoi, Kim se méprit sur

la signification de ce frémissement et se crut enfin payé de retour. Depuis des mois, son désir pour Katherine s'attisait et jamais encore elle ne lui avait laissé entrevoir si manifestement la réciprocité de ses sentiments. Ivre de bonheur, le cœur battant à grands coups, il resserra son étreinte.

Emprisonnée dans les bras de Kim, Katherine éprouva un nouvel accès de terreur. Un cri s'éleva en elle, qu'elle put à peine réprimer. Elle se raidit, tenta de se dégager, se débattit convulsivement. La froideur qui l'avait saisie, la concentration de tous ses muscles firent enfin comprendre à Kim son erreur de jugement. Il s'écarta précipitamment, lui lança un regard de douloureuse surprise :

« Qu'as-tu, Katherine ? Mes baisers te déplaisent ?

— Mais non, ce n'est pas ça du tout... »

Elle s'interrompit, frappée par l'expression blessée qu'elle lisait sur les traits du jeune homme.

« Je suis morte de fatigue, ce soir, je te l'ai déjà dit », reprit-elle d'un ton contrit.

Pour dissimuler sa confusion, Kim se leva, alluma une cigarette et se dirigea vers la cheminée.

« Je ne te comprends plus, Katherine. Tu changes d'une minute à l'autre...

— Ce n'est pas vrai, Kim. »

Elle se redressa à son tour, défroissa sa robe d'intérieur et s'installa sur le canapé.

« Si, c'est vrai, répondit-il. Ce soir, pour une fois que nous avons la chance d'être seuls, j'espérais que... tu ne serais pas aussi froide que d'habitude. Je croyais que tu partageais mes sentiments et tu t'es transformée en un bloc de glace... Je ne sais plus que penser. Tu me déroutes, Katherine.

— C'est la raison pour laquelle j'ai toujours fait très attention à ce que nous ne dépassions pas les bornes, mon chéri, répondit-elle d'un ton apaisant. Ce soir, les choses sont allées trop vite et trop loin...

Je suis très fatiguée, c'est vrai. Et puis, poursuivit-elle en faisant volontairement dévier le cours de son explication, je suis soumise à de terribles pressions depuis quelque temps, comme tu le sais. La préparation de mon bout d'essai m'obsède. Aujourd'hui, j'ai eu une journée particulièrement dure...

– J'ai parfois l'impression que tu ne sens la fatigue que lorsque tu es seule avec moi, l'interrompit Kim avec agacement.

– Si je t'ai vexé, Kim, j'en suis sincèrement désolée et je t'en demande pardon. »

Kim ne répondit pas. Les traits figés, les dents serrées, il se rendait compte que son irritation trouvait sa source dans sa déception et que sa blessure était avant tout d'amour-propre. Jamais encore on ne l'avait repoussé, bien au contraire. Jusqu'à ce qu'il rencontre Katherine Tempest, c'était plutôt à lui de se défendre contre les avances de femmes trop entreprenantes... Pourquoi, alors, n'avoir encore rien fait, jusqu'à ce soir, pour poursuivre Katherine avec plus d'assiduité ? Une telle abstinence n'était guère dans ses habitudes. Etait-ce à cause du tempérament si réservé de Katherine ? Sa propre attitude, la manière exagérément respectueuse dont il la traitait le laissaient perplexe.

Katherine l'observait attentivement en s'efforçant de deviner ses réflexions. Elle craignait que Kim ne lui posât des problèmes comparables à ceux rencontrés avec d'autres avant lui. Jusqu'à présent, elle avait toujours su détourner ses assiduités sans le vexer. Son accès de panique irraisonné lui avait-il fait commettre une erreur irréparable ? Etait-il blessé au point de rompre avec elle ? A sa manière, elle aimait Kim et désirait sincèrement l'épouser. Désormais, il lui faudrait agir avec précaution de peur de le perdre irrémédiablement.

« Kim, écoute-moi, dit-elle de sa voix la plus enjôleuse.

– Oui ? »

Elle lui décocha un regard à faire fondre les cœurs les plus endurcis :

« Demain, je me sentirai mieux, mon chéri, et...

– Demain sera trop tard, l'interrompit-il. Je n'ai pas encore eu le temps de te l'apprendre, mais mon père a annulé le dîner prévu.

– Ah ! Pourquoi ?

– Nous devons repartir à la première heure. Le régisseur a téléphoné tout à l'heure. Il y a une fuite d'eau dans la galerie où sont accrochés les portraits de famille. Les boiseries sont abîmées, on craint des dégâts pour les tableaux. Nous devons prendre la route à l'aube.

– Oh ! mon chéri, je suis navrée ! s'écria Katherine avec sincérité. Ton père doit être très inquiet !... Mais, en un sens, cela me rassure presque, poursuivit-elle en souriant. J'avais peur qu'il n'ait décommandé le dîner parce que je ne lui plaisais pas ou qu'il s'opposait à notre mariage.

Son expression contrite était si désarmante que Kim oublia d'un coup ses frustrations :

« Ne dis pas de bêtises ! s'écria-t-il en riant. Il te trouve tout simplement sublime – moi aussi, d'ailleurs, est-il besoin de le préciser ? Pardonne-moi de m'être montré si désagréable tout à l'heure, Katherine chérie. Je t'adore, comme je te l'ai répété maintes fois. Avoue cependant que tu es déconcertante, par moments. »

Katherine ne répondit pas tout de suite. Pourquoi ne pas lui dire la vérité – en partie, du moins ? Elle lui fit signe de venir s'asseoir à côté d'elle :

« Ecoute-moi, mon chéri. Je voudrais t'expliquer ce qui m'est arrivé ce soir. »

Kim obéit. Elle lui prit la main, caressa distraitement ses doigts.

« Je t'aime, moi aussi, tu sais, et j'essaie de te le prouver de diverses manières. Mais c'est justement parce que je tiens à toi que je ne veux pas prendre de risques et que je te laisse à distance. »

Avec un regard grave, elle se pencha et lui donna un long baiser où s'exprimait une passion contenue.

« Malgré la profondeur de mes sentiments envers toi, reprit-elle en lui caressant tendrement la joue, je veux que nous soyons absolument sûrs l'un de l'autre avant de... franchir le pas. A aucun prix, vois-tu, je ne voudrais risquer de te perdre. »

Elle s'interrompit, baissa les yeux pour dissimuler les larmes qui perlaient au bout de ses longs cils. Bouleversé, Kim l'attira contre lui, lui posa la tête sur son épaule :

« Je ne veux jamais rien faire qui te déplaise, ma chérie. Je m'en remets à toi. Entre nous, tout doit toujours être parfait et c'est pour cela que nous nous marierons... »

Emporté par l'élan qui le portait vers elle, il fut le premier stupéfait en s'entendant prononcer ces paroles. Maintenant que le grand mot était lâché, il n'en éprouvait cependant aucun regret. Katherine n'avait rien de commun avec les femmes et les jeunes filles qu'il avait rencontrées jusqu'à présent; voilà sans doute pourquoi il s'était astreint, avec elle, à maîtriser son impatience. Il la respectait, donc il l'aimait assez pour partager sa vie avec elle. Emu du regard mi-stupéfait, mi-extasié qu'elle posait sur lui, il essuya doucement les larmes sur ses joues :

« Voilà, je l'ai dit. Tu sais maintenant combien je tiens à toi. Je t'aime, Katherine. »

Un long silence suivit. Leurs yeux ne se quittèrent pas.

« Je t'aime aussi, Kim, murmura-t-elle enfin.

– Tu veux bien m'épouser, n'est-ce pas ? demanda-t-il anxieusement en lui prenant la main.

– Oui, Kim. Je le désire profondément. Mais je souhaite surtout que nous soyons absolument sûrs l'un de l'autre et de nos sentiments.

– Oh ! je suis sûr des miens ! s'écria-t-il. Pas toi ?

– Si. Si, je suis sûre que je t'aime. »

Pour la première fois depuis le début de ce dialogue, Kim se détendit et laissa éclater son bonheur.

« Il faut quand même que je prévienne mon père avant nos fiançailles, dit-il en riant.

– Non, pas tout de suite ! Attends un peu.

– Pourquoi ? s'écria-t-il avec étonnement. Il a le droit d'être au courant de nos intentions.

– C'est exact, mais ce ne sont encore que des intentions. Il serait plus sage de ne pas le prendre par surprise, de lui laisser le temps de mieux me connaître – de même que nous devrions, nous aussi, faire plus intimement connaissance... »

Devant son attitude dubitative, elle poursuivit :

« Ecoute, Kim, nous ne sortons ensemble que depuis quelques mois et tu passes le plus clair de ton temps dans le Yorkshire. Accordons-nous un répit avant d'annoncer officiellement nos fiançailles. Gardons le secret sur nos sentiments. Ce sera *notre* secret. Tu me le promets ?

– A ton aise, répondit-il de mauvaise grâce. Je promets.

– Combien de temps vas-tu être absent, cette fois-ci ?

– Quinze jours, trois semaines... Ah ! j'allais oublier. Mon père te téléphonera demain pour s'excuser de décommander le dîner et t'inviter à passer un week-end à Langley. Tu pourras venir, n'est-ce pas ? Il faut que tu constates par toi-même comment et dans quel cadre tu vivras bientôt – le plus tôt possible, si j'arrive à te décider !

– Bien sûr que j'irai, Kim ! Avec joie. Quand souhaite-t-il notre visite ?

– Le mois prochain, quand cela te conviendra le mieux. Il demandera également à Victor et à Nick Latimer de se joindre à nous. Victor lui plaît beaucoup. Doris Asternan sera là, on devrait bien s'amuser. Vous viendriez tous dans la voiture de Victor un samedi soir après la représentation, comme nous en avions parlé.

– Ton père est trop gentil...

– C'est donc décidé. Nous comptons sur vous tous. »

Ils se levèrent. Kim la prit dans ses bras, la serra contre lui et caressa ses cheveux. Ils échangèrent un baiser plein de volupté, mais Kim s'écarta presque aussitôt en riant :

« Tu ferais mieux de me jeter dehors ! Sinon, j'ai peur d'oublier mes bonnes manières. »

Toute autre que Katherine aurait probablement accepté sans hésiter l'annonce de ses fiançailles avec Kim Cunningham. Les raisons ne lui auraient pas manqué : jeune homme séduisant, plein de qualités attachantes, il était l'héritier d'une des plus anciennes familles d'Angleterre. Désintéressée, l'élue aurait également pu céder à l'empressement du jeune homme, se laisser emporter par son impatience et accéder à sa demande de peur de lui déplaire.

Katherine, pour sa part, était trop intelligente pour se précipiter dans un tel engagement sans s'assurer auparavant de la bénédiction du comte. Elle avait également conscience des obligations que son mariage avec l'unique héritier de la famille lui imposerait. Katherine ne pouvait pas se permettre de se laisser distraire de ses objectifs, au moins dans l'immédiat. Il lui importait avant tout de tourner le film, étape essentielle de sa carrière. En temporisant de la sorte avec Kim, elle n'avait cependant pas l'impression de prendre un trop grand risque. Elle était sûre de la place qu'elle occupait dans le cœur de Kim. Une fois lancée à l'écran, elle saurait le persuader de l'autoriser à poursuivre sa carrière; il l'aimait assez pour lui laisser sa liberté dans ce domaine.

Enfin détendue par la chaleur de son bain, elle s'y attarda et passa en revue les péripéties de l'incroyable journée qu'elle venait de vivre, rendue plus mémorable encore par la demande en mariage de Kim. L'image de son père lui apparut : comment réagirait-il, lui, l'Irlandais, en apprenant le mariage de sa fille avec un Anglais – et un Anglais titré, circonstance aggravante ? S'il détestait sa fille, sa haine pour les Anglais était encore plus forte. La perspective de la fureur paternelle la mit en joie, car elle ne dédaignait pas ce genre de revanche. En tout cas, sa vie suivrait bientôt un cours bien différent. Elle allait être riche, célèbre – et vicomtesse ! Le bonheur, en somme...

Le premier pas sur la voie de la réussite, elle le ferait grâce à Victor Mason. Sa proposition lui avait paru irrésistible : le bout d'essai – et le rôle – en échange de Terrence Ogden et de Mark Pierce. Victor n'avait pas pu les décider, elle avait accepté de le tenter à sa place. Toute sa carrière en dépendait et Katherine s'était lancée dans cette entreprise sans être assurée de réussir... Jusqu'à aujourd'hui, lorsque Norman Rook lui avait involontairement mis en main le moyen idéal qu'elle cherchait désespérément depuis des semaines.

Un sourire de triomphe jouait sur ses lèvres quand elle sortit de son bain. Sans éprouver le moindre doute sur le bien-fondé de ses actes, sans la moindre arrière-pensée sur la manière discutable dont elle s'ingérait dans la vie d'autrui et décidait de leurs affaires, sans s'attarder à considérer que ses combinaisons servaient avant tout ses propres intérêts, Katherine se félicitait de son habileté à saisir les occasions favorables lorsqu'elles passaient à sa portée. Si tout lui réussissait, elle le méritait amplement.

Lorsqu'elle se glissa enfin dans son lit, le jour se levait. Avec un soupir de contentement, elle éteignit la lumière et s'abandonna aussitôt au sommeil.

13

Les lumières de la salle de projection allaient s'étein-
dre dans quelques minutes. Katherine Tempest
apparaîtrait sur l'écran dans le rôle de Catherine
Earnshaw, héroïne des *Hauts de Hurlevent*.

Assise à côté de Katherine, Francesca attendait
non sans une certaine appréhension. Elle ne la ressentait pas pour elle-même; sa modestie la poussait à
considérer sa participation au bout d'essai de Katherine comme insignifiant. Elle s'était contentée de
tirer certaines phrases du chef-d'œuvre d'Emily
Brontë et de les disposer sous forme de dialogues,
sans rien ajouter ni retrancher. Ce n'était donc pas
elle que l'on s'apprêtait à juger mais Katherine. Les
observations de Victor Mason, lors de leur première
rencontre, lui revenaient à l'esprit. Jouer devant une
caméra exige une technique particulière, un jeu
sobre, contenu, différent de celui qu'impose la
scène. Son amie avait-elle su éviter les pièges et trouver le ton juste ? Francesca le souhaitait ardemment.

Au cours de ces dernières semaines, les deux jeunes filles avaient noué les liens d'une solide amitié.
Depuis leur premier contact, elles s'étaient découvert mille affinités, une compréhension mutuelle
toute instinctive qui les faisait réagir l'une envers
l'autre en parfaite harmonie. Leur sympathie s'était
muée en un sentiment profond et durable.

Du coin de l'œil, Francesca observa sa voisine. Son ravissant profil lui parut plus remarquable encore, en dépit de la nervosité que Katherine s'efforçait de maîtriser. D'un geste d'affection spontanée, Francesca posa la main sur celle de son amie. Katherine se tourna vers elle, lui adressa un sourire timide où transparaissait l'anxiété.

« Ne t'inquiète pas, lui dit Francesca à mi-voix. Tout ira bien, j'en suis sûre. »

Elle serra plus fort la main glacée qui tremblait sous la sienne, s'efforça de lui communiquer un peu de chaleur et de réconfort. Katherine hocha la tête et tourna son regard vers l'écran obscur. Les doutes, les angoisses dont elle aurait voulu se décharger en parlant à Francesca restaient bloqués dans sa gorge nouée. Depuis le tournage du bout d'essai, elle avait été suprêmement sûre d'elle-même, pleine de confiance dans le résultat de l'épreuve. Le metteur en scène engagé pour l'occasion s'était montré patient, compréhensif devant sa nervosité initiale; il l'avait encouragée et complimentée. Pourtant, ces derniers jours, toute sa belle assurance avait fui. Jamais elle ne s'était sentie aussi angoissée.

Elle savait que Victor avait déjà visionné le film; mais, quand elle l'avait pressé de questions, il s'était montré évasif et cette réaction l'inquiétait. Si son interprétation avait été bonne, n'aurait-il pas dû l'engager sur-le-champ ? Dans le cas contraire, pourquoi avoir invité une douzaine de personnes à la projection d'aujourd'hui ? Peut-être doutait-il de son jugement et voulait-il recueillir les opinions des autres. Katherine se perdait en conjectures. La situation lui échappait.

Francesca regardait autour d'elle avec intérêt. Elle pénétrait pour la première fois dans une salle de projection privée; Victor Mason et Nicolas Latimer avaient pris place un rang derrière elle, à quelques sièges du sien. Ils discutaient avec celui que Victor avait présenté sous le nom de Jake Watson, le régisseur général, arrivé de Hollywood plusieurs jours auparavant. A quelques rangs devant elle, elle reconnut Jerry Massingham, le directeur de production anglais, qui se tournait vers son assistante, une blonde mince et élégante répondant au prénom de Ginny, portant une épaisse liasse de feuillets couverts de chiffres et de notes. Jerry, un gros homme à la tignasse rousse en désordre, ne savait s'exprimer qu'en statistiques et en phrases cabalistiques auxquelles Francesca ne comprenait rien. Pour le moment, il paraissait s'intéresser davantage aux indications de Ginny qu'à la projection imminente.

Francesca se redressa sur son siège et, les yeux distraitement tournés vers l'écran, elle reprit le cours de ses pensées. Lorsque Katherine lui avait fait part de l'invitation de Victor à venir assister à la projection, elle avait accepté avec empressement. Elle regrettait seulement l'absence de Kim, toujours dans le Yorkshire où le retenaient de malencontreuses fuites d'eau. Cet incident, selon lui, désespérait leur père, car les réparations coûteraient probablement une fortune. Pauvre papa, se dit Francesca en soupirant. Heureusement, Kim était là pour lui remonter le moral et la vente de ses taureaux primés suffirait à couvrir le montant des travaux. Mais il n'avait certes pas besoin de ce souci supplémentaire.

L'inondation au château avait provoqué une nouvelle discussion entre Francesca et son père, le jeudi soir où Kim avait retrouvé Katherine chez elle. Elle avait réitéré son offre de chercher un emploi afin de contribuer aux dépenses familiales. Son père avait catégoriquement refusé : son salaire ne représenterait jamais qu'une goutte d'eau dans l'océan des charges. Touché de cette nouvelle preuve d'abnégation de la part de sa fille, il l'avait adjurée de persévérer dans ses recherches historiques et lui avait exprimé sa gratitude.

Un soir que Katherine était venue dîner à Chesterfield Street, Francesca l'avait mise au courant de ses soucis financiers en expliquant la situation paradoxale de la fortune familiale, bloquée dans les propriétés immobilières. A sa vive surprise, Katherine avait ardemment défendu le point de vue de son père. Il avait raison, disait-elle, de la pousser à persévérer. Un jour, son livre connaîtrait un succès commercial compensant largement les sacrifices consentis. Katherine avait conclu en lui recommandant de redoubler d'efforts et, depuis, ne lui ménageait pas son soutien et ses encouragements, ce dont Francesca lui était profondément reconnaissante.

Une légère tape sur son épaule la fit se retourner. Nicolas Latimer, assis derrière elle, lui souriait :

« Avez-vous suivi mes conseils et resserré le début ?

— Oui, Nick. Vous aviez raison.

— Courage, ma petite. Un de ces jours, vous écrirez la dernière page.

— Je n'ose plus l'espérer ! Au fait, pourquoi la projection ne commence-t-elle pas ?

— Nous attendons le représentant de *Monarch Pictures*. Ils financent le film et vont le distribuer. On ne peut donc décemment pas commencer sans lui. »

Victor intervint sans bouger de sa place :

« C'est pourtant ce que nous ferons s'il n'est pas là dans dix minutes ! Hillard Steed se considérerait déshonoré s'il avait moins d'une demi-heure de retard ! C'est insupportable... Je vais aller voir si tout va bien dans la cabine de projection. Laisse-moi passer, Nick », ajouta-t-il en se levant.

Il fit un bref signe de tête à Francesca, qui lui rendit son salut en esquissant un sourire. Nick observa cet échange de civilités compassées en déguisant mal son amusement.

La jeune fille faisait désormais partie intégrante

de leur petit cercle et le comportement de Victor en sa présence réjouissait son ami. Depuis qu'elle s'était instituée son mentor, Katherine Tempest consacrait le plus clair de son temps libre à Victor Mason, lorsque Kim ne séjournait pas à Londres, et lui servat de cornac dans la bonne société londonienne. Maintenant que Francesca était promue au rang d'amie intime, Katherine ne la quittait pas d'une semelle. On ne les voyait nulle part l'une sans l'autre. Nick Latimer s'en réjouissait; gaie, pétillante d'esprit, pleine d'assurance malgré sa jeunesse et donnant volontiers libre cours à son franc-parler, Francesca Cunningham était en plus très jolie fille. Nick s'était vite rendu compte qu'il était impossible de la dédaigner ou de la sous-estimer.

De son côté, Victor avait toujours l'air enchanté de prévoir la compagnie des deux amies – jusqu'au moment de leur arrivée. Alors, en un clin d'œil, son attitude se transformait radicalement vis-à-vis de la seule Francesca. Distant, évasif, il se retranchait parfois dans des silences prolongés, à moins qu'il n'affectât au contraire une cordialité forcée ou une bonhomie paternelle, conduites aussi étrangères à sa nature l'une que l'autre et qu'il assumait, par conséquent, fort mal. Aux yeux de Nick, qui le connaissait trop intimement pour se méprendre, Victor réussissait lamentablement à dissimuler ses véritables sentiments à l'égard de Francesca et, pour un acteur de son talent, aurait mérité d'être hué. Ses efforts maladroits faisaient apparaître de façon encore plus éclatante l'attrait qu'il éprouvait pour elle. De son côté, Francesca restait parfaitement naturelle, détendue, d'un abord plaisant, apparemment insensible à l'intérêt que Victor lui portait. Par moments, Nick se demandait s'il était le seul à observer ces phénomènes, qui lui sautaient aux yeux parce qu'il devinait jusqu'aux réactions les plus cachées de son ami. En tout cas, se dit-il, Victor a bien tort de refouler ainsi ses émotions.

Pour sa part, Nick Latimer admettait volontiers être sous le charme de Francesca. S'il la connaissait depuis peu, il lui vouait déjà une affection sincère et un attachement tout fraternel tant elle lui rappelait, par certains côtés, sa propre sœur Marcia. Il avait plaisir à lui lancer des boutades auxquelles elle répliquait du tac au tac. Ce n'est pas le cas pour Katherine, pensa-t-il en lui décochant un regard acerbe. Ses traits d'esprit n'éveillaient chez elle qu'indifférence glacée. Certes, elle daignait parfois sourire – Katherine était trop polie pour le vexer ouvertement. Mais son hostilité mal voilée ne pouvait échapper à la perspicacité de l'écrivain. Quel contraste avec la nature enjouée, amicale et comme ensoleillée de Francesca !...

Une quinzaine de jours auparavant, lors de ce dîner que Katherine avait poussé Victor à organiser pour épater une quelconque journaliste, Nick avait vite remarqué que Francesca semblait s'ennuyer aussi profondément que lui. Rapprochés par hasard à l'heure des cocktails, ils ne s'étaient plus quittés de la soirée. Nick avait aussitôt détecté l'exaspération qu'elle ressentait envers Estelle Morgan et ses prétentions ridicules, qu'il jugeait lui-même avec moins de bienveillance encore. Tout naturellement, leur conversation les avait amenés à évoquer les figures historiques pour lesquelles ils nourrissaient l'un et l'autre un vif intérêt. Nick l'avait écoutée discourir avec une stupeur croissante, frappé de la voir posséder un véritable don de faire revivre les personnages, évoquer scènes et circonstances avec l'aisance du conteur né. Depuis, il n'avait cessé de l'encourager à écrire et s'était maintes fois offert à l'aider de son mieux. Cette soirée lui avait laissé un souvenir inoubliable.

Son seul regret, lorsqu'il pensait à Francesca, était

qu'elle fût encore si jeune. Trop jeune pour Victor...
Sinon, elle aurait été pour lui la femme idéale. Mais
qui, se dit-il soudain, a donc décrété qu'elle était
trop jeune ? Victor, sans doute – parce que je l'ai
moi-même mis en garde sur leur différence d'âge.
J'ai eu grand tort. Peut-être n'est-il pas trop tard
pour corriger mon erreur.

Son préjugé favorable à l'égard de Francesca
Cunningham le ramena malgré lui à son antipathie
envers Katherine Tempest. Victor s'était refusé à
tout commentaire sur le bout d'essai qu'ils s'apprê-
taient à visionner et, pour une fois, Nick n'avait rien
deviné des pensées de son ami. Aux insistances de
Nick, Victor s'était borné à répondre : « Tu jugeras
par toi-même, je ne veux pas t'influencer. » Nick fit
un nouvel effort pour garder l'esprit ouvert, ne pas
laisser son inimitié obscurcir son opinion professionnelle sur la comédienne. Il tolérait sa présence
constante dans leur petit cercle d'intimes par égard
pour Victor. Mais il ne s'expliquait pas l'étrange
attachement que celui-ci portait à Katherine.

Hillard Steed fit enfin son apparition et Nick se
leva pour l'accueillir aimablement. D'un ton sec,
Victor rappela aussitôt tout le monde à l'ordre :

« Assez perdu de temps ! Vous discuterez plus
tard. Nous sommes venus voir un film, pas parler de
la pluie et du beau temps. »

Nick fit un clin d'œil à Hillard, salua militaire-
ment Victor et se rassit. Victor donna de la main au
projectionniste le signal de commencer. Un rang
devant, Francesca fixait l'écran et serrait plus fort la
main de Katherine, pétrifiée sur son siège. Les
lumières s'éteignirent, une lueur indécise apparut sur
l'écran, suivie de zébrures et de chiffres. Enfin,
l'amorce fit place à un gros plan d'une ardoise où se
lisaient, tracés à la craie en gros caractères, les mots
suivants : ESSAI – KATHERINE TEMPEST –
HAUTS HURLEVENT – PRISE 1.

Et la scène débuta.

Dès la première image, un silence absolu s'établit dans la salle où l'on n'entendait que le ronronnement étouffé du projecteur. Une même pensée occupait l'esprit des spectateurs : allait-on assister à un échec pitoyable ou à la naissance d'une nouvelle star ?

Dans un décor sommaire représentant la cuisine de Hurlevent, l'actrice, tenant le rôle de Nelly Dean, fredonnait une berceuse penchée sur un bébé que symbolisait un gros baigneur enveloppé d'un lange. Soudain, la porte s'ouvrit à la volée et Katherine Tempest fit son entrée sur le plateau. Elle proféra sa première réplique à voix basse : « Etes-vous seule, Nelly ? » Tous les regards la suivirent tandis qu'elle traversait la pièce pour rejoindre la nourrice au coin de la cheminée, au premier plan. La caméra fit un panoramique avant pour la prendre en gros plan. La perfection de ses traits, la pureté, l'innocence de son expression soulevèrent, dans la salle, des exclamations aussitôt étouffées.

Katherine paraissait littéralement crever l'écran tant sa présence était intense. A mesure que la scène se déroulait, la perfection de son jeu se faisait oublier par son naturel, la puissance de sa personnalité éclipsait sa beauté. La caméra traduisait en images un ensemble de qualités exceptionnelles dont le faisceau constituait, sans qu'on pût en douter, le portrait d'une très grande star.

L'action progressait en permettant à Katherine de dévoiler pleinement sa maîtrise. Elle fit vibrer tour à tour toute la gamme des émotions et des sentiments, allant de la sourde inquiétude du début à la gaieté insouciante, de l'indignation à la hauteur impérieuse. Elle semblait en proie à une passion exprimée avec une intensité si convaincante que le plus endurci n'aurait su y résister. Bouleversée, Francesca était sur le bord de son siège, les mains jointes, frissonnante, lorsque Catherine Earnshaw fit la fameuse déclaration de son amour éternel pour Heathcliff. Ces paroles, qu'elle savait par cœur, elle les redécouvrait tant Katherine leur insufflait une vie nouvelle et une signification insoupçonnée.

Très vite, trop vite, semblait-il, la scène atteignit sa conclusion. Après un lent panoramique arrière, la caméra s'arrêta sur un plan général avant le fondu au noir. L'obscurité retomba. Le silence resta total jusqu'au retour des lumières. Nul ne faisait le moindre geste. Alors, d'un seul coup, ce fut le brouhaha. Francesca essuya furtivement ses larmes et surprit Hillard Steed en train de faire le même geste. Plusieurs personnes se mouchèrent bruyamment.

Katherine se sentait étrangement engourdie et dut cligner fortement les yeux à plusieurs reprises. Mais avant qu'elle se fût ressaisie tout le monde se pressait autour d'elle. Elle se leva, encore désorientée, eut un sourire mal assuré, timide. Les compliments se mirent à pleuvoir de toute part, des mains saisissaient les siennes, l'étreignaient aux épaules. La bousculade ajoutait à sa confusion, elle ne reconnaissait plus personne. Légèrement à l'écart, Victor rayonnait de fierté.

Seul des assistants, Nick Latimer était resté à sa place sans se joindre au groupe des flatteurs. Foncièrement honnête, professionnel avant tout, il n'avait pas l'intention de refuser à Katherine les louanges qui lui étaient pleinement dues. Il voulait simplement reprendre contenance avant de se joindre aux autres. Car Nick était encore secoué par ce qu'il venait de voir. Dès les premières minutes du film, la qualité magique du jeu de Katherine lui avait sauté aux yeux. Elle possédait ce don exceptionnel, qui n'appartient qu'aux plus grandes stars, de transmettre ses émotions au public et de le faire rêver – ce qui, en termes concrets, se traduisait en millions d'entrées et en recettes astronomiques. Sa beauté

198

éclatante, sa sensualité tempérée d'innocence, sa virtuosité professionnelle lui assuraient d'ores et déjà une place de choix au firmament des étoiles hollywoodiennes. Car elle était destinée à faire carrière à Hollywood, Nick n'en doutait plus un seul instant.

Finalement, il quitta son siège et se fraya un chemin vers Katherine. Elle riait joyeusement, savourait son triomphe, bavardait avec l'un ou l'autre. Quand elle le vit, cependant, son sourire s'effaça, ses traits se figèrent en une expression hostile. Le regard qu'elle lui lança était chargé d'un défi dédaigneux.

Malgré lui, Nick se sentit frissonner. Il se rendit compte du silence qui se prolongeait, des regards tournés vers lui avec étonnement et fit un pas vers Katherine :

« Après vous avoir vue, Katherine, je ne pourrai plus me satisfaire d'une autre interprétation. Vous êtes le personnage de Catherine Earnshaw. Aucune autre ne pourra vous surpasser. »

Stupéfaite d'un tel compliment, Katherine le dévisagea avec incrédulité en se demandant s'il fallait en croire ses oreilles. Méfiante, elle se raidit dans l'attente de l'épigramme acerbe qui n'allait pas manquer de conclure la louange. A sa surprise grandissante, rien ne vint confirmer ses soupçons. Nick la regardait avant tant d'amitié qu'elle en perdit d'abord contenance. Puis, peu à peu, elle se convainquit que son approbation n'était pas feinte, qu'elle ne dissimulait aucune intention malveillante et la froideur de son regard s'atténua.

Le sourire qu'elle lui décocha alors fut sans doute le premier sourire sincère qu'elle lui adressait. D'une voix hésitante, elle lui demanda enfin :

« M'avez-vous vraiment trouvée bonne ?
— Non, Katherine. Pas bonne : éblouissante. »
Elle marqua une nouvelle pause.

« Vraiment, Nick ? Etes-vous sûr de ce que vous dites ?

– Absolument certain, Katherine », répondit-il avec gravité.

Puis, se tournant vers Francesca, il retrouva son sourire railleur et poursuivit :

« Quant à vous, jeune fille, vous avez fait un sacrément bon travail en adaptant cette scène ! Je ferais bien de me surveiller si je ne veux pas me retrouver au chômage. »

Elle éclata d'un rire joyeux et se pendit à son bras :

« Je me demandais ce que vous en penseriez, Nick ! Venant d'un écrivain comme vous, c'est le plus beau compliment dont on puisse rêver. Merci. »

Nick profita du brouhaha qui reprenait pour entraîner Francesca à l'écart. Il essayait encore vainement de définir la cause du malaise ressenti devant Katherine. Ce frisson dont il ne parvenait pas à se défaire, n'était-ce qu'un simple début de grippe ?

Encore remuée par ce que Nick venait de lui dire, Katherine le suivit des yeux. Si cet homme qui la détestait lui avait décerné un tel éloge, elle ne pouvait douter de sa sincérité. Un regret lui vint en pensant à son frère. Si seulement Ryan était ici ! se dit-elle, pour être témoin de ses vrais débuts... Car elle ne doutait pas d'avoir gravi le premier échelon de la gloire.

« Le rôle est à toi, cela va sans dire ! » s'écria Victor.

Katherine sursauta au son de sa voix, le regarda d'un air encore dubitatif.

« J'ai déjà préparé le contrat, reprit-il. Ton imprésario le recevra ce soir ou demain matin.

– Merci, Victor... Dis-moi, pourquoi as-tu été si

évasif et as-tu toujours refusé de me parler de ce bout d'essai ? »

Nick, qui s'était rapproché, intervint :

« C'est vrai, sauvage ! Pourquoi t'es-tu amusé à nous faire lanterner tout ce temps ? C'est infâme, comme procédé ! »

Un sourire épanoui apparut sur les lèvres de Victor :

« J'avais d'excellentes raisons de vouloir rester discret, mes enfants ! Avant tout, je tenais à avoir des réactions franches et sincères de la part de tout le monde, sans que mes propres opinions vous influencent. Lorsque j'ai visionné le film pour la première fois, j'étais enthousiasmé. Depuis, je l'ai revu à quatre reprises en y découvrant de nouveaux motifs de satisfactions. Alors, je voulais me rendre compte si d'autres auraient la même impression. Je ne me suis pas trompé. »

Pendant qu'il parlait, tous avaient fait cercle autour de Victor. Un concert d'approbations salua sa déclaration. Hillard Steed, à demi tourné vers Katherine, ajouta :

« Je crois pouvoir dire que *Monarch* envisagerait favorablement un contrat avec Katherine...

– Pas si vite ! l'interrompit Victor. *Bellissima* a déjà un accord verbal de la part de Katherine et le contrat est sur le point d'être signé. Il est là, dans ma poche. Tu veux le voir ? »

Déçu, Steed secoua négativement la tête :

« Inutile, je te crois. Eh bien, laisse-moi te féliciter toi aussi, Victor. Tu as une future grande star dans ton écurie... Mais, dis-moi, envisagerais-tu de nous la prêter si tu ne la fais pas tourner aussitôt après ce film-ci ?...

– Cela dépend. Si tu parles de cela, c'est parce que tu as sans doute un scénario tout prêt, n'est-ce pas ?

– C'est exact. Depuis tout à l'heure, je pense

sérieusement à Katherine pour le prochain film de Richard Stanton. Il ne nous manque que le premier rôle féminin. Bien entendu, nous avons déjà étudié l'éventualité d'autres vedettes, mais je trouve personnellement Katherine parfaite pour donner la réplique à Stanton. Ils formeraient une excellente équipe. Nous devons commencer le tournage en octobre, intérieurs en studio à Hollywood, extérieurs à San Francisco et New York. Douze semaines. »

Victor avala sa salive. Il ne s'attendait certes pas à une proposition aussi alléchante. Richard Stanton était une star du même calibre que lui, populaire dans le monde entier. D'origine anglaise, il avait fait ses débuts à Hollywood dans les années 30 et, depuis, n'avait jamais perdu auprès du public la faveur que lui valait son personnage de séducteur au charme irrésistible. Ses films obtenaient invariablement d'énormes succès commerciaux. Si Katherine tournait avec Richard Stanton immédiatement après avoir tenu un premier rôle auprès de Victor Mason, sa carrière était lancée. En deux films, elle était assurée d'une gloire de star internationale.

Victor dissimula sa joie et, d'un ton détaché, répondit enfin :

« Naturellement, il faudra d'abord que Katherine et moi en discutions sérieusement, que je lui explique les modalités d'un accord de prêt entre producteurs. Je voudrais également prendre connaissance du scénario avant de me décider. Mais à priori ta proposition mérite considération, Hillard. Parlons-en d'ici la fin de la semaine, d'accord ? En attendant, mes amis, allons déjeuner ! »

En apparence, Katherine était restée imperturbable pendant cette conversation. Son cœur battait cependant à grands coups et elle ne put retenir un sourire de triomphe lorsque Victor lui offrit son bras pour la guider vers la sortie.

Nick prit Francesca par la main et l'entraîna à

leur suite. Loin de se dissiper, son malaise s'aggravait. Tout va trop vite, se disait-il avec désarroi. Beaucoup trop vite. Cela se terminera mal... Une fois dans l'ascenseur, il se força à rire de ses sombres pressentiments, à chasser de sa tête les idées noires qui l'assaillaient sans raison. Mais ses efforts furent vains et Nick allait longtemps se souvenir de ses appréhensions de ce matin-là.

14

Kim hissa dans le filet la valise de Francesca, s'assit en face d'elle et lui décocha un sourire malicieux :

« Tu peux dormir tranquille, notre père s'en tirera très bien. Il est en de bonnes mains, Doris le dorlote mieux qu'une infirmière. Il adore cela. Elle aussi, à vrai dire.

— Va-t-il se décider à lui demander sa main, à ton avis ?

— Nous devrions déjà entendre le carillon de leurs noces ! En attendant, ne pense plus à ce malencontreux accident.

— Je ferai de mon mieux. Mais je m'en sens quand même responsable, tu sais...

— Mais non ! Tu n'y es pour rien.

— Si Kim. S'il n'avait pas dû grimper sur l'escabeau de la bibliothèque pour chercher le livre que je lui avais demandé, il n'aurait pas fait cette chute.

— Alors, il serait tombé du toit des écuries et se serait rompu le cou. Ce qui est fait est fait, Francesca. Se culpabiliser n'a jamais rien arrangé. Tu sais bien ce que nous a dit le docteur : s'il garde le lit sans bouger une quinzaine de jours, l'os du bassin se soudera tout seul.

— Pauvre papa ! Lui qui ne peut jamais rester en place...

— Il supporte d'autant mieux son état que Doris ne le quitte pas des yeux. Et puis, permets-moi de te rappeler que ce que Katherine et toi avez fait tomber dans son escarcelle lui soutient considérablement le moral.

— Katherine a tout fait, je n'y suis pour rien ! Quelle fille adorable !

— Je serais le dernier à te donner tort ! N'oublie pas de lui dire que je l'adore. Téléphone-lui aussitôt arrivée, d'accord ?

— Comment pourrais-je oublier ? Tu me répètes la même chose depuis plus d'une heure ! » répondit-elle en riant.

Le bruit des portières qui claquaient, le coup de sifflet du chef de gare interrompirent leur conversation.

« Tu ferais mieux de descendre, Kim, sinon tu seras forcé de m'accompagner à Londres...

— Je n'y verrais pas d'inconvénient, dit-il avec regret. Hélas ! le devoir... »

Il se leva, se pencha vers sa sœur pour l'embrasser :

« Bon voyage, ma chérie. Et soigne-toi, ton rhume n'a fait qu'empirer depuis hier. Quant à papa, je te répète de ne pas te faire de soucis à son sujet. Je veillerai à ce qu'il respecte les prescriptions du médecin. »

Kim sauta prestement sur le quai, ferma la portière au moment où le train s'ébranlait.

Seule dans son compartiment, Francesca se blottit contre les coussins et s'enveloppa frileusement dans son épais manteau de tweed. Elle s'était pourtant munie de vêtements chauds, de tricots, de gros bas de laine. Mais le chauffage du train était insuffisant et son rhume, attrapé quelques jours auparavant, la rendait particulièrement sensible au froid. Sa vieille nourrice, Nelly, qui vivait ses vieux jours dans une maisonnette du village de Langley, l'avait bourrée de tisanes et de potions de sa composition; mais ces remèdes qui avaient fait merveille du temps de son enfance étaient restés inopérants. Le rhume persistait et, comme l'avait remarqué Kim, avait même tendance à s'aggraver.

Francesca prit dans son sac une boîte de pastilles pectorales, en mit une dans sa bouche et regarda distraitement le paysage qui défilait sous ses yeux. Noire et désertique, la lande était recouverte d'une pellicule de gelée blanche; çà et là, les arbres dénudés semblaient monter la garde et se détachaient en traits accusés contre un ciel pâle et glacial. Le printemps viendrait tardivement, cette année. L'on ne voyait encore nulle part ces timides poussées de verdure qui auraient dû apparaître en cette première semaine de mars. Un alignement de poteaux télégraphiques vint rompre l'austère harmonie du paysage et défigurer les ondulations des collines. Cette apparition importune rappela à Francesca les problèmes de la semaine précédente, avec Jerry Massingham et son assistante, qu'elle pilotait à travers la campagne pour sélectionner des lieux de tournage.

Les premiers jours de leur périple avaient été décevants, parfois pénibles. Chaque site convenable était défiguré par la présence de quelque hideux témoin du xxe siècle industriel, alors que le film était censé se dérouler dans un paysage encore vierge. En désespoir de cause, Francesca les avait entraînés beaucoup plus loin que prévu, vers la frontière de l'Ecosse où subsistaient d'immenses étendues sauvages. C'est au point culminant de la lande de Bellerby, dominant le pittoresque village de Grinton, qu'ils découvrirent enfin le site idéal. A perte de vue, la lande déroulait ses ondulations tachetées de plaques d'une neige tenace. Sévère mais sereine dans sa solitude absolue, la nature offrait le contraste saisissant d'horizons aux lointains fondus dans le ciel et de falaises rocheuses aux formes tourmentées. Très loin en dessous, au creux de la vallée, s'offrait au regard un monde ordonné et paisible. Dans le damier verdoyant des champs et des pâtures serpentait la Swale, dont le mince ruban argenté scintillait sous un soleil hivernal. Conquis par ce spectacle sublime, Jerry Massingham y avait jeté son dévolu. Il ne restait qu'à sélectionner les lieux précis du tournage, déterminer les angles de prise de vues.

Cette semaine d'excursions avait causé tant de plaisir à Francesca qu'elle refusa le chèque offert par le directeur de production. Jerry dut insister pour le lui faire accepter et, de même, il eut du mal à vaincre les réticences de son père. Il ne comprenait pas que l'utilisation de certaines pièces de son château lui rapportât cinq mille livres – une petite fortune ! Francesca elle-même avait été effarée par cette proposition.

Cela s'était fait par hasard, le jour de la projection du film de Katherine – car c'est à elle, en effet, que les Cunningham devaient cette aubaine inespérée. Au cours du déjeuner, la conversation avait naturellement dévié sur les divers aspects de la production. Préoccupé du budget, Jerry Massingham se plaignit du coût élevé des décors pour la scène du bal. Katherine l'interrompit : « Pourquoi ne pas se servir d'une salle de bal existante ? Celle du château de Langley, par exemple. J'en ai vu des photos, ce serait le décor idéal pour cette scène. »

Un silence accueillit sa suggestion. Tous les yeux se tournèrent vers Francesca. Victor s'éclaircit la voix :

« Qu'en pensez-vous, Francesca ? Si la pièce convenait vraiment au tournage, votre père nous autoriserait-il à l'utiliser ?

– Oui, je crois, répondit-elle en hésitant.

– Cela coûterait beaucoup moins cher que de construire un décor, intervint Katherine, et je suis sûre que M. Cunningham ne nous demanderait pas d'honoraires exorbitants. »

La protestation de Francesca fut étouffée par le coup de pied que Katherine lui lança en la voyant ouvrir la bouche. Embarrassée, elle rougit et ne sut que dire. Victor vint à la rescousse :

« La production dédommagera votre père si nous décidons de tourner des intérieurs au château, c'est évident », déclara-t-il.

Katherine s'empressa alors d'exposer une nouvelle idée :

« Au fait, nous devrions demander à Francesca de seconder Jerry dans sa recherche des extérieurs. Sans vouloir vous vexer, Jerry, je suis sûre que Francesca connaît mieux la région que vous. Elle n'y a d'ailleurs aucun mérite, elle y est née. Avec un guide comme elle, vous trouverez des sites peu connus et vous gagnerez un temps considérable. »

Victor et Jerry s'étaient empressés d'approuver cette nouvelle suggestion; entraînée par l'enthousiasme général, Francesca ne put faire autrement que d'y souscrire à son tour. Plus ou moins consciemment, elle y voyait l'occasion de s'intégrer à un univers inconnu qui la fascinait – et de rester dans l'orbite de Victor.

Victor... Son image emplissait son regard tandis qu'elle détournait les yeux du paysage. Ses craintes, ses réticences du début avaient laissé place à des sentiments nouveaux. Depuis longtemps, elle avait perdu tout sens critique à l'égard de Victor. La semaine passée dans le Yorkshire lui avait permis de constater, à son vif étonnement, qu'il lui manquait et qu'elle ne cessait de penser à lui. La nuit dernière, seule au coin du feu dans le silence de sa chambre, elle avait longuement analysé ses émotions. La lucidité de l'éloignement l'avait menée à une conclusion rude mais inéluctable : elle *aimait* Victor Mason. Effrayée par ce que ce mot impliquait, elle s'était efforcée de le minimiser. Non, elle ne l'aimait pas; elle n'éprouvait pour lui qu'une toquade fugitive, superficielle, qu'il ne fallait surtout pas prendre au sérieux...

Devait-elle, aujourd'hui, tout remettre en question? Elle s'était stupidement enfermée dans un dilemme insoluble. Une vague de sentiments contradictoires aggrava son trouble. Victor ne l'acceptait qu'à cause de Katherine. Entre lui et elle, il ne pouvait rien y avoir d'autre que de l'amitié, non, de la simple camaraderie. D'ailleurs, Victor la traitait en petite fille, même s'il se montrait plaisant. Elle n'était rien d'autre à ses yeux, une gamine sans conséquence. En dépit de cette certitude, Francesca se savait incapable d'étouffer ce qu'elle ressentait pour lui. Jusqu'à présent, il lui avait suffi de se trouver dans la même pièce que lui, de respirer la même atmosphère. Mais à l'avenir? Saurait-elle se contenter de cette promiscuité tout en le sachant inaccessible? Non. Ce lui serait une insoutenable torture.

Longtemps après s'être couchée, la nuit dernière, elle avait pensé à lui sans parvenir à trouver le sommeil. Elle avait surtout pris conscience avec effroi de l'éveil de désirs, de besoins encore informulés qui agitaient son corps et enfiévraient son imagination. Elle s'était sentie comme étrangère à elle-même. Son oreiller serré contre sa poitrine, elle s'était vainement efforcée de dissiper, de refouler ses fantasmes où apparaissaient Victor et cette inconnue, qui lui ressemblait comme une sœur jumelle, dans des ébats amoureux. Malgré son inexpérience, elle avait découvert au long de cette aube agitée que la pensée de Victor suscitait en elle des rêves d'une sensualité telle qu'elle se sentait rougir.

Ce matin au réveil, c'était Victor qu'elle serrait dans ses bras et non son oreiller. Son lent retour à la réalité lui arracha des larmes, bientôt transformées en sanglots. Livrée au désespoir d'un amour non partagé, elle pleura longtemps. Plus tard, lorsqu'elle se fut calmée, elle se jura de ne plus le revoir. Il lui fallait se détacher de lui, de son entourage; inventer quelque prétexte pour expliquer sa conduite à Katherine, qui ignorait tout de ses sentiments.

Dans le train qui l'amenait vers Londres, Francesca n'était pourtant plus aussi sûre de ses résolutions du matin. Elle oscillait entre l'abattement et l'exaltation sans pouvoir concilier son cœur et sa raison. L'une lui enjoignait de s'écarter de Victor et d'éviter les causes de souffrances; l'autre la poussait irrésistiblement vers lui. Jeune, épargnée par la vie, ses facultés d'espérance encore intactes, elle rêvait. Victor changerait d'avis sur son compte. A son tour, il tomberait amoureux d'elle – comme elle était tombée amoureuse de lui...

Un bruit à la porte du compartiment lui fit tourner la tête. L'employé du wagon-restaurant, qu'elle connaissait depuis l'enfance, lui annonçait le premier service du petit déjeuner. Elle devrait se hâter pour avoir une place. Francesca le remercia, prit son sac et un roman de Nicolas Latimer et le suivit dans le couloir.

En attendant le thé et les toasts, elle feuilleta le livre. Nick le lui avait dédicacé en termes affectueux. Francesca l'avait déjà lu; elle en parcourut rapidement les premières pages, de nouveau frappée par l'élégance du style, la vie que l'auteur savait insuffler aux mots. Elle relut un passage qui lui plaisait particulièrement et ne s'interrompit qu'à l'arrivée du serveur.

De son amour sans espoir pour Victor Mason, ses pensées s'étaient infléchies vers son amitié pour Nick. En peu de temps, un courant d'affection et de compréhension s'était établi entre eux. Francesca appréciait hautement les opinions de l'écrivain et écoutait avec attention les conseils qu'il lui dispensait. Plus encore, elle était touchée de l'intérêt qu'il lui portait. Une dizaine de jours auparavant, Nick lui avait demandé de lui lire les premières pages de son étude historique sur le général Gordon, « Le Chinois », et ses commentaires restaient gravés dans sa mémoire. « Bon début, avait-il déclaré. Persévérez, Francesca, vous avez du talent. Mais le talent ne suffit pas. Il faut bien davantage : application, discipline, résolution, désir de réussir. L'on doit être obsédé par le livre que l'on écrit. Il faut que le besoin d'écrire élimine tous les autres, que l'on soit prêt à tous les sacrifices pour atteindre son but. Ce n'est pas tout : la distraction est le pire ennemi de l'écrivain. Il faut littéralement édifier un mur autour de soi, s'abstraire du monde extérieur, repousser toutes les intrusions. Compris, fillette ? »

Tout en buvant son thé, Francesca sourit à ce souvenir. Dans la bouche de Nick Latimer, le qualificatif de « fillette » était un terme d'affection dont il n'usait pas avec n'importe qui. De fait, elle ne l'avait jamais entendu traiter Katherine ainsi. Il l'appelait toujours cérémonieusement par son prénom. Etait-il intimidé par sa beauté, ses dons de comédienne ? Francesca ne pouvait croire, en effet, que Nick éprouvât pour Katherine de l'antipathie, comme elle le prétendait. Certes, il restait très réservé, elle l'avait encore constaté au cours du joyeux déjeuner qui avait suivi la projection. Après l'éloge qu'il avait décerné à Katherine, Nick s'était réfugié dans une sorte de détachement, n'avait pas participé à la gaieté ambiante. Sa grippe en était-elle responsable ? Il avait avoué à Francesca se sentir mal en point, et son expression abattue, ses traits tirés paraissaient confirmer cette explication.

Son petit déjeuner avalé, elle regagna son compartiment et elle fut soulagée de le retrouver vide. Seule dans un coin, emmitouflée dans son manteau et sa grosse écharpe, elle succomba à l'assoupissement dont la tiraient régulièrement accès de toux et éternuements. Lorsque le train s'immobilisa enfin dans la gare de King's Cross, elle avait une forte fièvre, les yeux larmoyants, la gorge en feu.

Elle posa pied à terre sous une pluie diluvienne qu'aggravait un vent glacial. Son état empira durant la course en taxi. C'est avec soulagement qu'elle régla enfin le chauffeur et grimpa les marches du perron. A peine la porte refermée, la femme de ménage émergea de la salle à manger, un plumeau à la main :

« Ah ! vous voilà, mademoiselle ! Débarrassez-vous vite de ces vêtements trempés et allez prendre un bon bain. J'ai une marmite de bouillon bien chaud sur le fourneau, je vous en monterai un bol quand vous serez au lit. Les rhumes sont mortels, cet hiver, si on ne les soigne pas !

– Comment saviez-vous que je suis enrhumée ? demanda Francesca sans dissimuler son étonnement.

– Mme Asternan m'a téléphoné tout à l'heure pour me prévenir. Elle m'a bien recommandé de vous faire mettre tout de suite au lit avec quelque chose de chaud. Allons, mademoiselle, montez vite ! »

Francesca avait posé le pied sur la première marche lorsque la servante la héla :

« J'allais oublier ! Mlle Tempest vous a téléphoné il y a une heure.

– Vraiment ? A-t-elle laissé un message ?

– Elle compte vous rappeler tout à l'heure, mais elle m'a chargée de vous dire qu'elle décommandait le dîner de ce soir à cause de votre état. Elle a bien raison, si je puis me permettre...

– C'est vrai, je ferais mieux de rester sagement au lit jusqu'à demain. Merci pour le bouillon. »

Tout en montant l'escalier, Francesca ruminait sa

déception : ce soir, elle ne verrait donc pas Victor. C'est lui qui avait organisé ce dîner, Katherine le décommandait. De quoi se mêle-t-elle ? se dit-elle avec un mouvement d'humeur.

Cette nouvelle inconséquence de sa part lui tira une grimace mi-amusée, mi-agacée. Ecrasée de fatigue, elle ouvrit enfin la porte de sa chambre, laissa tomber sa valise et se jeta sur son lit. Ce soir, elle ne verrait pas Victor...

15

Depuis près d'une heure, enfermés dans une salle de conférences, Victor Mason et Jerry Massingham passaient en revue les principaux problèmes de la production. Victor revint à la pile de photos en noir et blanc prises par Jerry dans le Yorkshire la semaine précédente et les examina avec soin :

« Quand les tirages en couleur seront-ils prêts ?

— Vers la fin de la semaine. Tu verras, c'est extraordinaire. Certains paysages m'ont coupé le souffle.

— Je m'en rends déjà compte. Cela vaut mieux que les décors de studio, hein, Jerry ?

— Plutôt ! C'est grâce à Francesca que nous les avons découverts, je dois le dire. Charmante, cette fille. Active, serviable, pas snob pour un sou. »

Au nom de Francesca, Victor dressa l'oreille. D'innombrables questions lui vinrent aux lèvres, qu'il s'abstint de formuler. Avec une indifférence affectée, il demanda :

« Elle a donc fait l'affaire ? Tu ne regrettes pas de l'avoir prise comme guide ?

— Absolument pas ! Sans elle, j'aurais pataugé et perdu un temps considérable.

— Allons, tant mieux... »

Il faillit demander si elle était rentrée à Londres, préféra détourner la conversation :

« Comment les choses se sont-elles passées avec son père ?

– Le mieux du monde. C'est un très brave type, très aimable, qui nous a accueillis comme chez nous. L'idée que nous voulions filmer son château lui paraissait prodigieusement amusante. Il a beau être comte, il mène la vie d'un fermier, le pauvre homme. Les distractions doivent être plutôt rares, dans son patelin... »

Jerry fouilla dans un autre jeu de photos et les tendit à Victor :

« Les intérieurs. Ces pièces correspondent exactement à ce qu'il nous faut. Nous économiserons une fortune sur les décors. »

Victor s'absorba un instant dans l'étude des clichés.

« Au fait, Jake Watson m'a prévenu que nous aurions probablement besoin de générateurs auxiliaires pour les projecteurs. As-tu pensé à vérifier sur place ?

– Oui, j'en ai parlé au comte vendredi dernier, avant de partir. Il ne savait pas trop la puissance de son câblage mais Francesca m'a promis de s'en occuper. Elle doit être de retour à Londres depuis ce matin... Tu fais bien de m'y faire penser, je vais lui passer un coup de fil. Mon dossier est au bureau, je l'appellerai de là-bas. Excuse-moi, j'en ai pour cinq minutes, pas plus. »

Resté seul, Victor se versa une tasse de café et fit distraitement les cent pas, l'esprit occupé de Francesca. Donc, elle était revenue à Londres... Avant son départ, elle avait été très vague sur ses projets et ne savait pas encore si elle participerait au dîner de ce soir. Ce soir... Un sourire joyeux apparut sur ses lèvres à l'idée de la revoir. Il était inutile de se leurrer plus longtemps : son absence lui avait pesé.

En sifflotant joyeusement, la tasse toujours à la main, Victor alla se rasseoir et prit les photos que

Jerry avait tirées de la salle de bal du château de Langley. Les dimensions semblaient parfaites, comme le lui confirma le croquis exécuté par Ginny, l'assistante de Jerry. Elle y avait fait figurer les emplacements possibles pour la caméra, les projecteurs, les prises de son. Dans un tel cadre, ils allaient tourner une superbe scène de bal digne des fastes de Hollywood... Victor s'attarda ensuite sur les pièces sélectionnées par Jerry pour le tournage d'autres scènes d'intérieur. Il vit successivement une chambre à coucher Renaissance, un superbe salon aux meubles classiques, une bibliothèque.

Ainsi, se dit-il, c'est là qu'elle est née et qu'elle a grandi. Il ne voyait plus les photographies avec l'œil du cinéaste mais d'un point de vue entièrement différent. Ce n'était plus une série de décors qu'il regardait mais une maison. Un foyer. Le *sien.* Il remarqua au passage une carte postale rapportée par Jerry, montrant l'extérieur du château. L'on voyait d'abord une vaste pièce d'eau en partie bordée d'arbres, une éminence verdoyante sur laquelle se dressait l'édifice sous un ciel sans nuages. Le château avait fière allure, avec ses murs crénelés et ses hautes tours. La grisaille patinée des pierres était adoucie par le vert du lierre qui la dissimulait çà et là. Sur un côté, de vieux chênes à la stature majestueuse dominaient des massifs de rhododendrons, dont les fleurs épanouies ajoutaient de délicates touches de mauve et de rose. La beauté imposante du château, la grâce de son parc pénétrèrent Victor du respect attendri que l'on doit à un passé plein de noblesse. Quel effet cela faisait-il de grandir dans un lieu pareil, chargé d'Histoire ?...

Les souvenirs l'assaillirent. La petite cuisine dans la maison de Cincinnati. L'arôme délectable des plats italiens en train de mijoter. Les éclats de rire luttant avec le nasillement du phonographe et, pardessus ce perpétuel vacarme, la voix de sa mère, faussement grondeuse, qui s'égosillait : « Vittorio, Armando, Gina ! Petits chenapans, taisez-vous pendant que j'écoute le grand Caruso ! » Une vague de mélancolie douce-amère le submergea. Quel sale gosse il avait été ! Insolent, mal embouché, toujours à traîner les rues, à rentrer chez lui le nez en sang et les vêtements en loques. Un sale gamin trop tôt confronté à la dureté, à l'indifférence d'un monde trop exigeant. Et pourtant, malgré ses poings toujours dressés et sa conduite de révolté, il s'adonnait aux vices les plus inattendus : la lecture – que de livres avait-il dévorés en cachette ! –, la musique, le théâtre, le cinéma enfin. Tous ces moyens d'évasion lui avaient permis de nourrir son esprit, d'éveiller son imagination. Mieux encore, ils avaient modelé sa vie.

Mais pas *elle*, se dit-il en riant. Son enfance n'a rien eu de commun avec la mienne. Plus protégée, sans doute, mais moins libre. Il s'efforça de se la représenter telle qu'elle avait dû être, une petite fille aux traits angéliques sous ses longs cheveux blonds, jouant à cache-cache dans cet immense château, se roulant sur la pelouse avec des chiots duveteux, faisant des promenades à dos de poney ou s'élançant sur une escarpolette. Elle a sûrement été la plus adorable des petites filles...

Petite fille, elle l'est toujours ! se corrigea-t-il avec colère. Raidi sur sa chaise, Victor s'adressa des reproches. Il était plus que temps de se reprendre en main. Il pensait cent fois trop à elle. Il n'avait pas le droit de la toucher. Cette décision, il l'avait prise depuis des semaines et rien ne l'en ferait dévier. Bien sûr, il ne pouvait nier qu'elle ne fût pleine de charme, drôle, sympathique. Mais elle n'était rien de plus ! Il ne pouvait se permettre d'être distrait de son travail en ce moment, encore moins de se lancer à l'aveuglette dans une aventure idiote avec une fille comme Francesca. Allons, imbécile, au travail ! Il eut du mal à obéir à sa propre injonction.

Sur son bloc, il griffonna quelques notes, réétudia ses récents accords avec *Monarch*. Hillard Steed pouvait parfois se montrer exaspérant, mais Victor ne pouvait que se féliciter d'avoir traité avec lui. Il était sur le point de conclure avec la *Métro* lorsqu'il avait appris, presque par hasard, que Mike Lazarus détenait un gros paquet d'actions de la compagnie. A la dernière minute, il avait donc négocié avec *Monarch*, qui sauta sur cette occasion inespérée. En fait, ces accords se révélaient extrêmement avantageux pour les deux parties. Hillard Steed et Victor envisageaient une collaboration à long terme entre *Monarch* et *Bellissima*. L'avenir s'annonçait bien, même si Hillard Steed avait trop tendance à être tatillon et regardant; quel producteur ne souffre pas de ces défauts ?

Jerry Massingham revint enfin, de nouveaux dossiers sous le bras. Victor leva la tête, lui sourit :

« Tout est réglé ? Plus de problèmes ?

— De mon côté, tout va comme sur des roulettes, répondit Jerry. Il nous faudra un générateur auxiliaire, le régisseur l'a confirmé à Francesca... Ah ! au fait, le comte a eu un accident et Francesca est malade. Malgré tout, elle m'a suggéré une excellente idée qui nous économisera... »

Victor avait bondi :

« Quoi ? Où diable as-tu la tête, Jerry ? Tu m'annonces, comme si de rien n'était, que le comte a eu un accident et que Francesca est malade ! J'aimerais quand même avoir des nouvelles, figure-toi.

— Excuse-moi, Victor. Quand il est question du budget, j'ai tendance à me laisser embarquer, j'avoue... Bref, il ne s'agit de rien de trop grave, rassure-toi. Le comte a fait une chute, il s'est fracturé le bassin, je crois. Il en a pour quinze jours de repos, tout au plus. Quant à Francesca, la pauvre petite, elle a attrapé un gros rhume ou un début de grippe. Tu vois, il n'y a pas de quoi s'affoler. »

Victor se rassit, étonné de se sentir aussi soulagé.

« Tant mieux. C'est toujours consolant d'apprendre que nos amis ne sont pas à l'article de la mort », dit-il d'un ton sarcastique.

Surpris de l'algarade, Jerry se laissa tomber sur une chaise :

« Ecoute, je ne pense qu'au film, c'est vrai, mais tu...

— Du calme, mon vieux, l'interrompit Victor avec un sourire rassurant. Je ne te reproche rien et je te félicite une fois de plus pour ton dévouement sans limites à la bonne cause. Allons, n'en parlons plus. L'incident est clos. »

Jerry Massingham se promit de surveiller désormais ses propos devant Victor Mason. Ce dernier ne cessait de le déconcerter. Patron exigeant, toujours au courant de tout, il possédait en même temps une nature généreuse. Contrairement aux vedettes avec qui Jerry avait travaillé, il ne jouait pas les stars capricieuses et traitait ses collaborateurs sur un pied d'égalité. L'un dans l'autre, Jerry ne pouvait pas se plaindre.

« Une dernière question, reprit Victor. Qu'a donc Francesca, au juste ? Je ne veux pas retourner le fer dans la plaie, mais je crains que nous ne soyons responsables de son état. Elle a dû prendre froid pendant votre tournée.

— C'est aussi mon avis, malgré ses dénégations.

— Elle est bien rentrée à Londres ? C'est chez elle que tu lui as téléphoné ?

— Oui. Je suis tombé sur la femme de ménage qui ne voulait pas la faire venir à l'appareil. Cette brave femme la couve, ne te fais pas de souci sur son compte. Tiens, nous pourrions peut-être faire un geste, lui envoyer quelque chose, je ne sais pas... Un panier de fruits, par exemple, de la part de *Bellissima Productions*.

— Excellente idée. Occupe-toi de cela, achète une

de ces somptueuses corbeilles de chez *Harte's* et, pour une fois, ne sois pas radin. Compris ? »

Ils reprirent en riant le fil de leur conversation. Au bout de quelques minutes, Jerry remarqua :

« Tu as réussi à décider Mark Pierce ? Félicitations ! Je n'aurais jamais cru qu'il finirait par accepter. Comment diable t'y es-tu pris ?

— Ne mésestime pas mes pouvoirs de persuasion », répondit-il avec un sourire énigmatique.

Comment expliquer les incroyables manigances de Katherine dans toute cette affaire ? Victor la soupçonnait de ne lui avoir pas tout dit. Mais elle avait obtenu le résultat souhaité et, tout compte fait, il préférait ne pas trop se pencher sur les moyens mis en œuvre.

Pendant une demi-heure encore, les deux hommes poursuivirent leur tour d'horizon.

« Nous voilà à peu près au point, conclut Victor. Il ne manque plus que la décision d'Ossie Edwards et j'espère qu'elle ne va pas tarder. Pour un film comme le nôtre, il n'y a pas meilleur chef opérateur.

— Absolument, approuva Jerry. Ses cadrages sont extraordinaires et il voit les paysages avec l'œil d'un peintre...

— Les jolies filles aussi, à ce qu'on dit ! En avons-nous terminé pour aujourd'hui ?

— Oui, je crois. »

Les deux hommes se levèrent, se serrèrent la main. Victor jeta son pardessus sur ses épaules et s'éloigna d'un pas vif. En arrivant dans la rue, il constata avec plaisir qu'il ne pleuvait plus. Son chauffeur s'approcha.

« Je rentrerai à pied, Gus. Le grand air me fera du bien. Passez me voir vers seize heures, je saurai ce que nous ferons ce soir. »

Il resta un moment au bord du trottoir à admirer sa voiture qui s'éloignait, une Bentley dont il venait de faire l'acquisition. Victor se montrait particulièrement exigeant dans deux domaines, ses chevaux et ses voitures, où il faisait preuve d'une sûreté de goût dont il était fier.

La Bentley hors de vue, il se dirigea d'un bon pas vers Berkeley Square, et il se demanda s'il ne devrait pas prendre au passage des nouvelles de Francesca. Une fois dans Chesterfield Street, il ralentit devant la maison et, finalement, poursuivit son chemin. Sa démarche pourrait sembler importune ou incorrecte à la jeune fille : on ne se présente pas à l'improviste chez quelqu'un que, par ailleurs, l'on sait indisposé. Les Anglais, il commençait à le savoir, sont particulièrement sensibles à ce genre d'impairs.

En arrivant sur la place, il remarqua aussitôt la vitrine d'un fleuriste. Un sourire lui vint aux lèvres; l'étalage des fleurs et des plantes, dans la diversité de leurs coloris éclatants, lui faisait l'effet d'une bouffée de printemps au milieu de cette grisaille. Si ce spectacle l'avait égayé, il ferait sans doute naître un sourire de plaisir sur les lèvres de Francesca.

Sans hésiter, il poussa la porte, porta d'abord son choix sur une brassée de mimosa, venu de Nice par avion le matin même. Il fit ajouter deux douzaines de tulipes blanches et écarlates, quelques narcisses des îles Scilly. La gerbe était extravagante et Victor, à mesure qu'il désignait les fleurs, voyait les yeux de la vendeuse s'écarquiller. Mais ne s'attend-on pas à des gestes extravagants de la part d'une star de cinéma ?

Victor s'accouda au comptoir afin de rédiger la carte. Perplexe, il passa plusieurs minutes, stylo levé, se demandant comment tourner sa phrase. Il ne fallait pas que Francesca pût se méprendre sur la signification de son envoi, ou lire dans ses mots autre chose que ce qu'il voulait y mettre. Finalement, après avoir déchiré une bonne douzaine de cartes, il se contenta d'une ligne impersonnelle pour lui souhaiter un prompt rétablissement et signa : « Nick et

Victor. » Le tout, lui assura la vendeuse, serait livré dans l'heure.

En chemin vers son hôtel, il se surprit plusieurs fois à sourire, sans trop savoir pourquoi. Il ne comprenait pas clairement pourquoi un sentiment de paix et de bonheur tranquille l'envahissait. Il ne l'avait pas éprouvé depuis de longues années.

Il trouva à la réception une pile de courrier et de messages téléphoniques. Une fois chez lui, il demanda au standard l'appartement de Nick et, n'obtenant pas de réponse, dépouilla sa correspondance.

Une lettre de son avocat, postée à Beverly Hills, retint d'abord son attention. Il l'ouvrit à contrecœur car il s'attendait à une nouvelle manifestation de mauvaise volonté de sa femme Arlene dont il était en train de divorcer. A sa surprise, il s'agissait de sa précédente épouse, Liliane. Une fois de plus, elle avait de pressants besoins d'argent et lui lançait un appel au secours.

Son deuxième mariage n'avait pas été plus heureux que le troisième. Mais Liliane n'était pas une garce alors qu'Arlene lui avait rendu la vie impossible et, depuis leur séparation, s'acharnait à provoquer scandale sur scandale. Pourquoi paraissait-il ainsi poursuivi par une sorte de malédiction depuis la mort d'Ellie ? Manque de jugement de sa part, sans doute, et un faible irraisonné pour les jolies femmes. Dans sa vie privée, Victor accumulait les erreurs alors qu'il n'en commettait aucune dans sa vie professionnelle. Cette fois, murmura-t-il, je crois avoir tourné la page pour de bon – et je ferais mieux de ne pas me laisser encore une fois attendrir...

Il poursuivit la lecture de son courrier, trouva avec plaisir une enveloppe à l'en-tête de son agent de voyages. Il en sortit deux billets d'avion pour

Zurich. Nick et lui projetaient de se rendre la semaine suivante à Klosters pour cinq ou six jours. L'idée de se retrouver sur les pistes de ski lui causait un très vif plaisir. Habitué à vivre au grand air, Victor supportait mal l'atmosphère confinée de Londres et son existence sédentaire mettait ses nerfs à rude épreuve. D'ailleurs, il perdait sa forme; il devenait urgent de prendre un peu d'exercice. L'air pur de l'altitude le régénérait. Il aimait aussi la pittoresque station suisse, au charme encore intact, où il retrouvait avec joie les longues veillées au coin du feu en compagnie de quelques Américains qui y avaient élu domicile de façon quasi permanente. Cet imminent bain de jouvence balaya de son esprit toute autre préoccupation.

Il voulut prévenir Nick que leur voyage était organisé. A sa vive surprise, son appel n'obtint toujours pas de réponse. Pourtant, il aurait juré qu'ils s'étaient donné rendez-vous pour déjeuner. Son ami avait-il oublié ou mal compris? Déçu, affamé, il commanda un sandwich et une bière puis feuilleta la liasse des messages téléphoniques. Il en élimina la plus grande partie, garda celui de Katherine l'invitant à la rappeler au restaurant où elle déjeunait et se trouverait jusque vers quinze heures.

Elle lui parla de la maladie de Francesca, lui demanda s'il désirait toujours souper après la pièce, comme convenu. La perspective de se mettre à table à minuit lui parut tout à coup insupportable et Victor se récusa du mieux qu'il put. Katherine ne parut pas s'en formaliser; elle en profiterait, au contraire, pour revoir son rôle et se coucher de bonne heure.

Quelle fille étrange, se dit-il en raccrochant. Infatigable, courant perpétuellement d'un déjeuner à un cocktail, des planches à un souper ou à une réception. Et malgré tout rien ne semble entraver sa vie professionnelle. Au contraire, sa vie mondaine n'est qu'un moyen pour faire progresser sa carrière et réaliser ses ambitions. Etait-ce un mal ? Victor était le dernier à le lui reprocher et tout compte fait, il ne pouvait que se louer du dévouement de Katherine. Il lui avait vivement conseillé d'accepter la proposition de *Monarch* et de tourner le film avec Richard Stanton. Après avoir lu le scénario, Katherine avait suivi son conseil. Oui, se dit Victor, elle sait où elle va – au sommet de l'échelle. Et elle en prend le chemin.

Le garçon d'étage lui servit enfin le sandwich et la bière. Victor avala rapidement son repas avant de reprendre la série de ses coups de téléphone. Vers quinze heures trente, exaspéré par l'inexplicable absence de Nick, il demanda une fois de plus le numéro de sa chambre. Cette fois, la ligne était occupée.

Victor n'hésita pas. Déconcerté, vaguement inquiet d'un tel retard car il connaissait la scrupuleuse ponctualité de son ami, il se leva en grommelant un juron et s'engouffra dans le couloir. Il trouva la clef sur la porte, frappa, entra sans attendre la réponse. Nick était au téléphone et lui tournait le dos.

« C'est moi. Où étais-tu fourré tout ce temps, animal ?... »

Victor stoppa net son flot d'invectives. Nick avait raccroché et se tournait vers lui, livide, l'expression hagarde.

« Que t'est-il arrivé, Nick ? »

Sans mot dire, celui-ci leva les mains en un geste fataliste et se laissa tomber sur un canapé.

« Nick, que se passe-t-il ? Explique-moi. »

Victor le rejoignit en deux enjambées, se pencha vers lui. Le dos rond, le corps tassé, Nick releva enfin la tête, ouvrit et ferma la bouche à plusieurs reprises :

« Marcia. Elle est... »

Le reste de la phrase ne put franchir sa gorge serrée.

« Qu'est-il arrivé à Marcia, Nick ? Parle ! »

Il secoua la tête, resta muet un long moment :

« Elle est morte, Vic. Marcia est morte », parvint-il enfin à articuler.

Victor eut un sursaut, comme sous l'effet d'un coup de poing, et s'écroula à son tour sur un fauteuil.

« Non, non, balbutia-t-il. C'est impossible. Nous lui avons parlé la semaine dernière... Comment, pourquoi ? »

Il ne reconnaissait pas le son de sa propre voix.

« Un accident, répondit Nick en réprimant un sanglot. Un accident stupide. Dimanche après-midi, hier, elle descendait Park Avenue. Sur le trottoir. Elle allait chez ma mère. Une voiture a grillé un feu rouge, freiné trop fort, dérapé sur le trottoir et écrasé Marcia. De plein fouet. Quand on l'a transportée à l'hôpital, elle vivait encore. Mais les blessures internes... Elle est morte ce matin, à cinq heures. Ce matin. Morte... Ma petite sœur... »

Victor ouvrit la bouche, n'en put sortir aucun son.

« Pourquoi elle, Vic ? reprit Nick d'une voix tremblante. Pourquoi, hein, veux-tu me le dire ? Elle n'avait que vingt-deux ans, tu comprends, vingt-deux ans. Toute la vie devant elle. Elle était bonne, généreuse, aimante. Elle n'avait jamais fait de mal à personne. C'est incompréhensible, injuste... Injuste... » Victor se força à avaler sa salive, se pencha vers son ami :

« Puis-je faire quelque chose ? T'aider ?... »

Nick parut ne pas entendre. Partagé entre la douleur et la colère, il se mit à taper du poing sur le dossier du siège, les traits crispés. Des gémissements sourds lui échappaient sans qu'il en fût conscient.

Victor se sentait écrasé par le sentiment de sa propre impuissance. Le cœur serré, il regardait son ami et ne savait que faire, que dire devant un drame aussi absurde.

« Je ne peux pas, je ne veux pas y croire ! s'écria

Nick entre ses sanglots. J'essaie de me convaincre que ce n'est qu'une erreur, une tragique, une stupide erreur. Marcia, ma petite sœur. Morte... Non, c'est impossible... »

Victor restait muet. Il n'y avait pas de mots pour apaiser une telle douleur, pas de justification pour une telle injustice. Il frissonna au souvenir de sa propre souffrance, lors de la mort d'Ellie. Devant lui, Nick paraissait si frêle, si jeune, si vulnérable. Il aurait voulu pouvoir le prendre dans ses bras, comme un enfant que l'on console, comme le jeune frère que l'on protège. Il s'en abstint, toutefois. Il comprenait que Nick s'efforçait de se ressaisir, de ravaler ses larmes, de faire taire ses sanglots. Pleurer n'avait pourtant jamais été un signe de faiblesse, Victor le savait trop bien...

« Laisse-toi aller, Nick, lui dit-il enfin. Ne retiens pas tes larmes, cela ne sert à rien et ne te fera aucun bien... Je suis là, vieux frère, je ne te laisserai pas tomber. »

Victor posa la main sur l'épaule de Nick, le sentit trembler de tout son corps. Peu à peu, le frémissement cessa.

« Ne t'inquiète pas, Vic, je m'en sortirai. Laisse-moi seul un moment, veux-tu ? »

Nick se leva, disparut dans la salle de bain. Victor alluma une cigarette, essaya de se détendre. Il comprenait la réaction de son ami, son incrédulité mêlée d'indignation contre l'injustice du sort. Pour les survivants, la mort reste toujours inacceptable; l'absurdité, la soudaineté ajoutaient à la cruauté de celle-ci.

Il l'avait bien connue, Marcia, cette grande fille toujours gaie, souriante, qui ressemblait tant à Nick avec ses cheveux blonds et le pétillement malicieux de ses yeux bleus. Au fil des années, Victor avait appris à la connaître et à apprécier son enthousiasme et sa joie de vivre. Elle était souvent venue passer l'été au ranch avec son frère et leur affection mutuelle n'avait fait que se renforcer au cours de ces joyeuses vacances. Steve et James, ses deux fils, lui vouaient une véritable adoration et ne la quittaient pas. A peine quelques jours plus tôt, Nick et lui l'avaient appelée d'ici même, de ce téléphone posé là, sous ses yeux. Comment imaginer Marcia aujourd'hui, rigide dans la chambre froide de quelque hôpital de New York ?

Sa fille Nicoletta, la filleule de Nick, célébrait son premier anniversaire et toute la famille s'était réunie pour l'occasion. Nick s'y était joint à sa manière en téléphonant. A l'autre bout du fil, on entendait les rires, les balbutiements du bébé. Désormais, l'enfant n'avait plus de mère. Son père et son oncle étaient trop jeunes, tous deux, pour une telle tragédie.

La pièce s'assombrissait, le ciel s'était couvert de nuages et la pluie recommençait à tomber. L'on n'entendait d'autre bruit que le crépitement de l'eau sur les vitres. Victor frissonna et se leva d'un bond. Il se força à chasser sa propre tristesse, à réfléchir aux détails pratiques. Nick était manifestement hors d'état de s'en occuper lui-même, il fallait que quelqu'un agît à sa place : billet d'avion, bagages, une voiture pour le conduire à l'aéroport, une autre pour l'attendre à New York...

Nick reparut, les yeux rouges mais secs. Il semblait avoir retrouvé son calme.

« Pardonne-moi d'avoir craqué, vieux frère. Ta présence a rompu le barrage, je crois.

— Tant mieux, cela t'a fait du bien. Tiens, bois cela, dit-il en versant une rasade de scotch dans un verre. Et maintenant, il faut nous organiser sans perdre de temps. Quand veux-tu partir ? As-tu déjà fait une réservation ?

— Impossible. Les compagnies aériennes prétendent n'avoir plus de place jusqu'à après-demain.

— Pas de problème, Jerry va arranger cela. »

Il décrocha le téléphone, obtint le régisseur, lui

apprit en quelques mots la tragique nouvelle, écouta sa réponse.

« Jerry possède de bons contacts à la BOAC et les appelle immédiatement. Ne t'inquiète de rien. As-tu mangé quelque chose depuis ce matin ?

– Non. Je ne pourrais rien avaler...

– Essaie. Tu n'auras peut-être plus l'occasion de manger d'ici plusieurs heures, pour peu que l'avion prenne du retard. »

Nick acquiesça d'un geste las. Victor avait raison; en débarquant à New York, il aurait besoin de toutes ses forces pour réconforter ses parents et son beau-frère.

Victor décrocha de nouveau le téléphone, commanda un repas léger. Nick ferma les yeux.

« Veux-tu que je t'accompagne à New York ? lui demanda Victor.

– Mais non, mon vieux Vic. Je suis touché que tu me le proposes, mais rassure-toi. Je m'en tirerai tout seul. »

Il s'interrompit, son visage s'assombrit :

« Dis-moi, toi qui sais... Est-ce que cela devient moins pénible, un jour ?

– Oui, un jour ou l'autre. Tu t'y fais parce que tu n'as pas le choix... »

Victor se leva, alla regarder distraitement par la fenêtre.

« Pour les vivants, Nick, la mort constitue une perte irrémédiable, reprit-il sans se retourner. C'est pourquoi l'on est bien forcé de l'accepter, si dur que ce soit. Un amour brisé, une amitié perdue peuvent toujours renaître, du moins l'espère-t-on. La mort est sans appel. Tu sais, j'ai cru devenir fou après avoir perdu Ellie. Des années durant, il ne se passait pas un jour sans que je pense à elle. Je ne l'ai toujours pas oubliée aujourd'hui, crois-moi, ni ne l'oublierai demain. Pour moi, en un sens, elle vit encore – en moi, dans les enfants. Cette pensée m'a souvent réconforté; même si tu n'es pas en état de me comprendre en ce moment, tu te la rappelleras plus tard, j'espère. Tu souffres encore trop et je ne devrais sans doute même pas te parler comme je le fais... »

Il alla lentement se rasseoir, posa sur Nick un regard pénétrant, comme pour deviner ses réactions. Nick ne répondit pas. Pensif, les yeux dans le vague, il réfléchissait.

« Merci de m'avoir laissé m'extérioriser tout à l'heure, Vic. Je ne pourrai plus me permettre ce luxe avant longtemps. Ma famille doit être trop abattue pour que j'ajoute à leurs souffrances. C'est à moi, au contraire, de les aider à surmonter cette épreuve...

– Oui, dit Victor pour l'encourager à poursuivre. Je sais. »

Nick se leva, s'ébroua :

« Allons, je ferais mieux de boucler mes valises. »

Victor ne le suivit pas dans la chambre. Une fois seul, Nick ouvrit la penderie, fouilla dans ses costumes à la recherche d'un complet sombre pour les obsèques. L'enterrement de Marcia... D'une main tremblante, il décrocha le cintre, cligna pour chasser les larmes qui revenaient lui piquer les yeux. S'il pouvait seulement s'empêcher de penser, fermer sa mémoire à double tour... Jamais encore il n'avait si pleinement eu conscience de l'importance que sa sœur avait prise dans sa vie.

Ils ne se parlèrent guère jusqu'à l'aéroport. Sombre, renfermé, Nick concentrait toutes ses forces en prévision de l'épreuve qu'il allait affronter. Peu avant d'atteindre l'aérogare, Nick se tourna vers Victor :

« La religion est une idiotie », dit-il d'une voix sourde.

Victor ne put réprimer un sursaut :

« Que veux-tu dire ?

– Je me suis mal exprimé. En fait, je voulais dire que les préjugés religieux sont ridicules. Je pensais à mon père, à la manière dont il s'était opposé au mariage de Marcia avec Hunter, parce qu'il n'était pas juif. A la fin, c'est lui, Hunter Davidson le protestant, qui s'est révélé meilleur fils que moi.

– Tu exagères !

– Non, c'est vrai. Hunter est entré dans la banque, ce que je me suis toujours refusé à faire. Il se plie à toutes les traditions si chères à mon père, mène une vie rangée, convenable. Il se dévoue sans compter à son travail et à sa famille. Mieux, il a donné à mon père une petite-fille, ce dont je me suis montré incapable...

– Voyons, Nick, ton père est fier de toi et de tes succès !

– Maintenant, peut-être. Il aurait cependant été cent fois plus heureux si j'avais suivi ses traces et pris sa suite. Mon père souhaitait que je sois banquier, il voulait que je reprenne le flambeau familial, que je mène une vie exemplaire. Il voulait me voir épouser une belle jeune fille comme il faut, juive de préférence, avoir de beaux enfants, m'inscrire dans les clubs chic... En tout, depuis le début, je n'ai fait que le décevoir.

– Tu as choisi ta voie et tu as eu le courage de persévérer. A quoi bon remâcher des regrets inutiles, Nick ? Ton père a peut-être été déçu de prime abord, mais il est trop raisonnable pour n'avoir pas compris que ton bonheur exigeait que tu mènes ta vie à ta guise. »

Nick fit un geste évasif, se détourna pour regarder dehors :

« Nous voici arrivés. Je ne sais pas quand je reviendrai, Vic. Je passerai au moins une quinzaine de jours à New York, pour les services religieux, tu sais...

– Reste aussi longtemps qu'il faudra et ne t'inquiète pas pour le film. Le scénario est parfaitement au point.

— Préviens-moi quand même s'il y a des problèmes, je dicterai les révisions par téléphone... Oh ! Bon Dieu, Vic... Notre voyage à Klosters ! Je suis désolé, sincèrement. Tu t'en faisais une telle fête...

— Tu plaisantes, non ? Cela n'a aucune importance. Je ne suis pas à plaindre, crois-moi. Et toi, tu as bien d'autres préoccupations en ce moment. En tout cas, rappelle-toi : si tu as besoin de quoi que ce soit, téléphone-moi.

— Merci, vieux frère. A bientôt. Non, ne descends pas. Tu serais reconnu tout de suite, les chasseurs d'autographes te piétineraient pour t'approcher... »

Ils se serrèrent longuement la main, se donnèrent une étroite accolade. Victor suivit des yeux la silhouette qui s'éloignait et se fondait dans la foule.

Sur le chemin du retour, Victor eut du mal à croire à la réalité des événements de ces dernières heures. La mort de Marcia l'accablait. La seule certitude que nous ayons dans la vie, se dit-il, c'est la mort... Combien d'heures, de jours avait-il gâchés inutilement, combien de ce précieux temps enfui sans espoir de retour, d'occasions perdues qui ne se représenteraient jamais...

C'est alors qu'il se fit une promesse solennelle. A partir de cet instant, chaque minute de sa vie devait compter. Chaque jour, il vivrait pleinement, totalement. Nul ne sait de quoi demain est fait ni ce que l'avenir réserve. Nul ne peut même prédire de combien de lendemains nous disposerons.

16

FRANCESCA passa la tête par la porte de la cuisine, faillit reculer devant un nuage de vapeur chaude.

« Vous devriez me laisser vous aider », dit-elle timidement.

Penché sur le fourneau, environné de provisions et d'ustensiles amoncelés partout, Victor se retourna. Francesca retint son sourire à grand-peine; sans cravate, les manches retroussées, la taille ceinte d'un tablier à fleurs, son apparence était du plus haut comique.

« Je pourrais au moins tourner une sauce », hasarda-t-elle.

Il fit un geste horrifié :

« Quoi ? Une Anglaise gâter mes spécialités italiennes ? Plutôt mourir ! Soyez gentille, laissez-moi élaborer seul mes chefs-d'œuvre, dit-il en souriant. Si vous tenez à vous rendre utile, mettez plutôt le champagne dans le seau à glace. Je vous rejoindrai au salon dans cinq minutes. Il fait trop chaud, ici, vous allez encore attraper un rhume et j'ai eu assez de mal à soigner le précédent. »

Francesca obtempéra. Elle frissonna en traversant la salle à manger. Victor avait eu raison, tout à l'heure, d'insister pour dresser la table au salon, mieux chauffé. En un tournemain, il avait disposé une table à jeu près de la cheminée, mis le couvert, apporté deux chaises de la salle à manger en refusant énergiquement son aide. Ensuite, il s'était enfermé à la cuisine avec les sacs d'épicerie. Francesca n'avait pu que s'incliner : par moments, Victor Mason se transformait en tyran. Affaiblie par la fièvre au début de la semaine, elle s'était laissé faire sans réagir. Ce soir, elle se sentait trop heureuse pour protester et elle profitait sans vergogne du plaisir d'être dorlotée.

Assise au coin du feu dans une bergère, Francesca attendit patiemment que Victor sorte enfin de la cuisine. La pièce embaumait; sur tous les meubles, des vases de fleurs transformaient le salon en une sorte de reposoir. Lorsque la première gerbe lui avait été livrée le lundi précédent, Francesca avait senti son cœur bondir de joie. Seul, pensait-elle, Victor est capable d'une pareille folie. La lecture de la carte, la vue de la double signature avaient effacé son sourire : ainsi, le geste venait de Nick. Il avait ajouté le nom de Victor par gentillesse... Le lendemain, cependant, le bouquet suivant émanait du seul Victor et celui-ci lui apprenait le tragique accident de Marcia ainsi que le départ précipité de Nick pour New York.

Comment réagirait-elle si pareille tragédie survenait à Kim ? Francesca frémit en y pensant. Elle avait aussitôt écrit un mot de condoléances, que Victor avait posté le lendemain. Elle ne parvenait plus à dénombrer les services que Victor lui rendait, ces derniers jours. Elle devait certainement son prompt rétablissement aux soins qu'il lui avait inlassablement prodigués. Si seulement cela pouvait ne jamais cesser...

Les yeux clos, elle se remémora les meilleurs moments passés en compagnie de Victor au cours de la semaine. Tout avait commencé le mardi matin, lorsqu'il avait téléphoné pour prendre de ses nouvelles. Les protestations faites par Francesca d'une voix éteinte ne l'avaient pas trompé. Manifestement elle ne se portait pas mieux, au contraire. Par quelques questions, il lui avait fait avouer qu'elle n'avait pas appelé de médecin et que personne ne s'occupait d'elle. La femme de ménage ne devait plus revenir avant vendredi. Victor n'écouta même pas ses mises en garde contre les microbes et les risques de contagion; il sonna impérieusement à la porte moins d'une heure plus tard, les bras chargés de médicaments, de potions, d'oranges fraîches et de bouillon.

Francesca ne lui avait ouvert qu'avec une vive répugnance. Elle avait une allure à faire peur pour accueillir le seul homme devant qui elle aurait voulu se présenter au mieux de sa beauté. Mais Victor parut ne pas remarquer son teint brouillé, son nez rouge et sa chevelure emmêlée – avait-il jamais fait attention à son allure ou esquissé le moindre compliment ? s'était-elle demandé avec amertume. En un clin d'œil, il s'était institué son tuteur et seul maître à bord. Après qu'il l'eut renvoyée au lit sans plus de cérémonie, elle l'avait entendu fourgonner dans la cuisine. Quelques minutes plus tard, il réapparaissait avec du jus d'orange, du thé brûlant et des remèdes, et lui donnait ses instructions d'un ton sans réplique. Le bouillon mijotait sur le fourneau, il en rapporterait une nouvelle provision le soir même.

Depuis, Victor venait la voir tous les jours, au moins deux fois par jour, et ne se présentait jamais les mains vides. Son ton autoritaire dissimulait une patience et une gentillesse dont Francesca fut d'abord stupéfaite avant d'en être émue. Elle se sentait de toute façon si mal en point les premiers temps qu'elle ne pensait même pas à se soucier de son apparence, ni de savoir si Victor éprouvait ou non d'autres sentiments à son égard.

Katherine, elle aussi, avait voulu se dévouer. Mais Francesca s'y était fermement opposée, de peur de lui communiquer sa maladie dont les conséquences, pour Katherine, auraient été catastrophiques. Son amie téléphonait cependant plusieurs fois par jour, lui faisait envoyer des livres et déposer des provisions. Le mardi, cependant, une phrase de Katherine l'avait frappée. Francesca protestait qu'elle n'avait besoin de rien, car Victor veillait sur elle et la soignait comme une mère poule.

« C'est la moindre des choses ! s'était écriée Katherine. Tu as pris froid en travaillant pour lui, il aurait au moins pu te fournir une garde ou quelqu'un pour s'occuper de toi ! Il sait bien que tu vis seule.

– Mais non, il n'a aucune obligation envers moi ! avait protesté Francesca. Ce n'est pas sa faute si je suis tombée malade dans le Yorkshire. D'ailleurs, j'avais peut-être déjà le microbe avant de quitter Londres. »

Katherine avait insisté puis changé de sujet. Mais Francesca, après avoir raccroché, n'avait pu s'empêcher de réfléchir aux paroles de Katherine. Elle avait très probablement raison, Victor ne se conduisait qu'en employeur prévenant, rien de plus. Les jours suivants, ses espérances en miettes, Francesca s'était efforcée de faire taire son imagination et de maîtriser ses sentiments, tâche difficile sinon impossible. Aussi s'abstenait-elle de prononcer devant Katherine le nom de Victor, de peur de provoquer de nouveaux commentaires trop raisonnables à son goût. Elle préférait continuer à croire les visites de Victor motivées par l'amitié, ou peut-être davantage.

Un détail l'y encourageait : dès le premier jour, Victor n'avait plus affecté son attitude paternelle, qui l'exaspérait, et il la traitait avec une camaraderie bourrue. Au moins se sentait-elle sur un pied d'égalité plutôt que maintenue dans un rôle horripilant de petite fille. A fil des jours, leurs rapports avaient acquis aisance et naturel. Francesca était de plus en plus touchée par la sollicitude constante déployée par Victor et elle attendait ses visites avec une impatience croissante. Il ne s'attardait pourtant guère, conservait son dehors autoritaire. La veille, tout avait changé.

Il était arrivé au début de l'après-midi, enchanté de voir Francesca debout et redevenue semblable à elle-même. Ils avaient bavardé au salon près de deux heures puis, au moment de partir, Victor avait annoncé que sa malade paraissait suffisamment rétablie pour apprécier comme il convenait le superbe dîner italien qu'il lui ferait l'honneur de préparer lui-même le lendemain soir. Francesca avait gaiement acquiescé, pour mieux lui cacher la joie qu'elle ressentait à l'idée de passer une soirée seule avec lui. Depuis, elle n'avait pensé à rien d'autre et comptait fébrilement les heures qui la séparaient de son retour. Maintenant, il était là, tout près. La soirée commençait à peine...

Tu n'es qu'une idiote et tu te berces d'illusions ! se dit-elle avec un soudain mouvement d'humeur. Ce soir constitue précisément le commencement de la fin. Victor n'aurait plus aucune raison de revenir. Certes, ils allaient boire le champagne, savourer les plats dont les effluves appétissants se glissaient jusqu'à elle. Victor se montrerait plein de charmes et d'égards, comme il l'avait été depuis le début de la semaine. Ensuite, il s'en irait. Le rêve allait se terminer. C'en serait fini de leurs instants d'intimité, de cette amitié inespérée où Francesca s'obstinait à lire d'autres promesses. Elle ne reverrait plus Victor qu'en public, en présence de tiers devant qui il adopterait de nouveau ses airs supérieurs, son attitude distante. Elle redeviendrait l'amie, l'ombre de Katherine, la gamine sans conséquence qu'on ne pouvait pas prendre au sérieux...

Ne voit-il donc pas que je suis une femme ? se dit-elle avec un sursaut de révolte. Elle se leva, se dirigea vers un miroir et se contempla attentivement.

Au moins était-elle élégante. Elle portait une blouse arrivée le matin même des grands magasins *Harte's* de la part de Katherine, toujours aussi généreuse. Francesca avait épinglé une broche d'or sur le cachemire rouge, son long cou gracieux émergeait d'un col-châle et l'ensemble lui plut. Une touche discrète de maquillage rehaussait ses joues encore pâles, mais ses longs cheveux blonds lui paraissaient trop raides et elle regretta de ne pas avoir adopté une coiffure plus élaborée. Elle paraissait trop jeune, presque enfantine, malgré les reflets dorés que la lumière tamisée donnait à ses cheveux. Mécontente d'elle-même, elle regretta de ne pas posséder l'éclatante beauté de Katherine, de n'avoir pas osé forcer sur son maquillage. Dans la glace, le reflet de son visage lui parut tout à coup fade, inintéressant. Le visage d'une gamine sans importance...

« Vous êtes ravissante. »

Francesca sursauta. Sur le pas de la porte, Victor l'observait pensivement. Mortifiée d'avoir été ainsi surprise, elle était en même temps ravie de ce compliment inattendu. Elle fit un pas de côté, s'affaira maladroitement pour ôter le capuchon de la bouteille posée sur la console.

« Merci, murmura-t-elle en rougissant. J'allais ouvrir le champagne...

– Laissez-moi faire. »

Il l'avait déjà rejointe. Il posa les mains sur les siennes, autour du goulot de la bouteille. Francesca frémit à ce contact; ses doigts refusèrent d'obéir et restèrent immobiles sous ceux de Victor. Les yeux baissés, elle contempla ses mains, larges et puissantes, ses avant-bras hâlés, parsemés de poils noirs. Elle sentit sa gorge se serrer, ses joues s'empourprer. Sans oser lever les yeux, elle se dégagea et retourna s'asseoir auprès du feu, avant que ses jambes tremblantes ne la trahissent. Jamais je ne serai capable de passer la soirée ainsi, se dit-elle. Aussitôt, une pensée différente lui redonna courage : profite de ces quelques heures, n'en attends rien qu'une joie passagère. Peu importe ce qui pourrait être ou ce qui n'est pas. Ne pense qu'au présent.

Elle le vit debout devant elle, qui lui tendait un verre en souriant. Elle leva les yeux, lui rendit son sourire en hésitant, soulagée de constater que sa main ne tremblait pas.

Une fois dissipé le bref moment de gêne, Victor s'assit en face d'elle, alluma une cigarette avec nonchalance :

« Je ne vous ai pas demandé de nouvelles de votre père. Se rétablit-il ?

– Oui, merci. Il va beaucoup mieux... Je n'ai pas encore eu vraiment l'occasion de vous remercier de tout ce que vous avez fait pour moi, Victor, poursuivit-elle en retrouvant son assurance. Vous avez été si prévenant... C'est à vous que je dois ma guérison.

– J'ai été trop heureux de me rendre utile. »

Francesca se leva, lui fit un sourire :

« Ne bougez pas, dit-elle. J'ai quelque chose pour vous. Un petit cadeau.

– C'est inutile voyons !... »

Elle s'éloignait déjà et il la suivit des yeux sans dissimuler son admiration. Surveille-toi, satyre ! s'admonesta-t-il en son for intérieur. Au prix d'un effort, il détourna son regard. Francesca revenait déjà vers lui. Elle lui tendit un petit paquet noué d'un ruban argenté :

« J'espère que cela vous plaira, Victor.

– Il ne fallait pas. Je suis confus... »

Il défit le nœud, ouvrit le paquet. C'était un livre, un exemplaire visiblement ancien des *Hauts de Hurlevent*. La reliure de maroquin en était patinée, les pages aux bords jaunis craquaient sous ses doigts. Il releva la tête, eut un geste de protestation :

« Je ne peux pas accepter ! C'est un livre rare et...

– En effet, l'interrompit Francesca. C'est l'édition

originale. Vous verrez la date sur la page de garde :
1847. Prenez-le, Victor. Je serais très vexée que vous
refusiez.

– Mais votre père ? Que dira-t-il ? »

Elle eut un sursaut de mauvaise humeur, froissée
qu'il pût la croire incapable d'agir sans le consente-
ment paternel. Toujours la gamine insignifiante...
Elle parvint à répondre posément :

« Mon père n'a rien à dire. Ce livre m'appartient.
Il fait partie d'une collection qui me vient de ma
mère, je puis donc en faire ce que bon me semble et
je tiens à ce que vous le gardiez en souvenir du film
et de nos discussions. »

Touché, Victor ne sut que répondre. Il tourna les
pages, attendit de reprendre contenance.

« Merci, Francesca, dit-il enfin. C'est le cadeau le
plus précieux que j'aie jamais reçu. »

Rassérénée, elle lui sourit.

« Je suis navrée que nous ayons dû décommander
le week-end à Langley à cause de l'accident de papa,
dit-elle. Tout le monde est très déçu à la maison,
mais c'est aussi bien, en un sens. Nous aurions tous
regretté l'absence de Nick. »

Elle s'abstint de préciser que c'était en recher-
chant ce livre sur les rayons supérieurs de la bibliothèque que son père avait fait une chute.

Malgré lui, Victor éprouva une bouffée de jalousie, qu'il se força à chasser aussitôt. Comment pouvait-il être jaloux de Nick ? Conscient du silence et
de sa réponse qui tardait, il s'éclaircit la voix un peu
trop bruyamment :

« Oui, c'est vrai... Je n'ai pas encore eu la moindre nouvelle de lui, mais il est sans doute trop tôt.
Il se manifestera probablement la semaine prochaine. »

Francesca avait détecté l'inquiétude qui perçait
dans sa voix et voulut détourner la conversation :

« Quand j'ai eu Doris au téléphone, cet après-midi, elle a proposé que nous allions tous à Langley au début du tournage. Il fera beau, ce sera beaucoup plus agréable, n'est-ce pas ?

– Sans doute. Mais qui est donc cette Doris dont je vous ai tant entendu parler, depuis quelques jours ?

– Mon Dieu, j'ai oublié de vous le dire ! Doris Asternan est, je l'espère du moins, la fiancée de mon père. Kim et moi l'aimons énormément et nous poussons notre père à se décider enfin.

– Vous paraissez bien impatients de vous doter d'une belle-mère, répondit Victor en riant. Mais votre père a-t-il la même hâte à prendre femme ?

– Evidemment ! En tout cas, pas n'importe laquelle. C'est Doris qu'il lui faut. Elle est parfaite et le rendra très heureux. »

La sincérité de Francesca frappa Victor une fois de plus. Savait-elle seulement dissimuler ses sentiments ? Sans doute pas...

« Doris a bien de la chance de vous avoir dans son camp. Je connais peu de filles ou de belles-filles qui réagiraient comme vous le faites, avec une telle générosité.

– Peut-être, répondit-elle. Mais les enfants sont souvent très égoïstes. La plupart du temps, ils ne pensent qu'à eux sans faire l'effort de comprendre leurs parents et les problèmes que leur cause la solitude. Pourtant, on peut en mourir... »

Victor réagit avec surprise à la maturité d'esprit que dénotait cette dernière réflexion.

« Oui, la solitude est une sorte de mort... »

Il s'interrompit de peur de se trahir, se leva d'un bond et poursuivit avec une gaieté forcée :

« Encore un verre ?

– Je veux bien, merci. »

Son bref accès de mélancolie n'avait pas échappé à Francesca. Il connaît la solitude, se dit-elle. Il a affronté bien des épreuves dans sa vie. Son amitié fraternelle pour Nick s'éclairait d'un jour nouveau et Francesca sentit redoubler sa sympathie, son affection pour Victor. Voilà, se dit-elle, un homme à qui tout semble sourire. Jeune, beau, riche, célèbre, idolâtré par des millions de femmes dans le monde entier – et pourtant, il a lui aussi ses faiblesses, ses blessures secrètes. Cette constatation l'étonna, car elle ne s'était encore jamais attardée à y penser. Soudain consciente de l'adoration qui éclatait dans son regard, elle détourna les yeux.

Victor posa les verres pleins sur la table basse, se rassit en face d'elle :

« Parlez-moi donc de Doris. Elle s'appelle Asternan, m'avez-vous dit ?

– Oui. Elle est la veuve d'Edgar Asternan, un roi de la viande en conserve. Doris est sa seule héritière, et elle dirige l'entreprise, je crois. Vous avez l'air surpris, Victor. La connaissez-vous ?

– Pas personnellement, non. Mais le nom est célèbre aux États-Unis. Tout le monde a mangé ou mangera des conserves Asternan. Votre amie Doris est à la tête d'une fortune considérable.

– Peut-être... Papa est parfois bizarre, vous savez, dit-elle pensivement. J'ai l'impression que c'est précisément la fortune de Doris qui l'empêche de se décider.

– C'est une réaction parfaitement normale, Francesca. Un homme digne de ce nom a sa fierté... Mais ne vous inquiétez pas pour eux, ils trouveront moyen de s'arranger d'une manière ou d'une autre, s'ils le désirent sincèrement. Et maintenant, je ferais mieux de retourner à mes fourneaux avant que mes chefs-d'œuvre ne soient transformés en cendre.

– Je vais vous aider ! déclara-t-elle en se levant.

– Pas question ! Allumez les bougies sur la table si vous y tenez et préparez-vous à déguster le meilleur dîner italien du siècle ! Ce soir, je me suis surpassé.

– Quand le chef se décerne des éloges, j'aurais

mauvaise grâce à le contredire ! » répliqua-t-elle en riant.

Sur un clin d'œil complice, Victor s'éclipsa. Francesca éprouvait un tel bien-être qu'elle se vit rayonner de plaisir dans le miroir. A qui attribuer cette euphorie, au champagne ou à Victor ? A Victor, se répondit-elle. Elle s'était attendue à le trouver distant, inaccessible, elle appréhendait de ne savoir quelle attitude prendre à son égard. Ses craintes étaient dissipées. Avec elle, Victor se montrait détendu, naturel; mieux encore, il la traitait pour la première fois telle qu'elle était vraiment. En sa compagnie, Francesca se sentait merveilleusement à l'aise.

« Les hors-d'œuvre ! » annonça-t-il depuis le seuil.

Il disposa sur la table un assortiment d'assiettes et de raviers, une bouteille de vin, une corbeille à pain. Il avait remis sa veste et sa cravate et retrouvé son élégance de star. Francesca eut honte de la simplicité de sa mise. Ce soir, elle aurait voulu une toilette éblouissante.

« Quel extraordinaire numéro de jongleur ! s'écria-t-elle.

— Oui, mais j'ai de l'entraînement. J'ai été serveur de restaurant, croyez-le ou non, dit-il en souriant de sa surprise. En arrivant à Hollywood, il fallait faire vivre ma femme et mes deux garçons. Mes cachets de figurant ne suffisaient pas et j'ai pris le premier job où l'on voulait bien de moi. J'y suis d'ailleurs devenu une vraie vedette... »

Francesca l'avait écouté, les yeux ronds. Elle découvrait qu'elle ne savait finalement rien de lui, ou presque. Entre-temps, Victor l'avait fait asseoir. Il lui versa le vin, lui passa les plats.

« Où avez-vous trouvé toutes ces merveilles ? lui demanda-t-elle.

— Chez *Harte's*, bien entendu. Nulle part ailleurs je n'ai vu un choix aussi extraordinaire.

— C'est vrai. J'adore ce magasin. Sa propriétaire est une amie de mon père, ils sont voisins dans le Yorkshire. Un personnage exceptionnel.

Tout en mangeant, Francesca entreprit de relater en termes admiratifs tout ce qu'elle savait de la légendaire Emma Harte[1]. Victor l'écouta avec un intérêt croissant. Nick ne s'était pas trompé dans son jugement, Francesca possédait un réel talent de conteuse. Son récit l'avait captivée.

« Elle me plaît, votre Emma Harte, dit-il lorsqu'elle eut fini. J'ai toujours préféré les femmes résolues, sûres d'elles-mêmes et jalouses de leur indépendance. Les petites fleurs délicates m'ennuient prodigieusement.

— Les hommes se méfient pourtant des femmes fortes...

— Pas moi, en tout cas ! »

Elle eut un sourire amusé. Voilà encore un côté inconnu et inattendu de son caractère, se dit-elle.

Les hors-d'œuvre terminés, Victor débarrassa la table et revint de la cuisine en poussant une table roulante chargée d'une demi-douzaine de plats en argent.

« Grand Dieu, il y a de quoi nourrir une armée ! s'écria Francesca.

— C'est exact, je n'en fais jamais d'autres. Ce travers doit me rester de mon enfance malheureuse, dit-il avec un sourire qui démentait ses paroles. La peur de manquer... »

Il se pencha sur la desserte, souleva le couvercle des plats avec un cérémonial faussement compassé, emplit l'assiette de Francesca en disposant artistement escalope, pâtes, légumes.

« Mademoiselle est servie.

1. Du même auteur, lire *L'espace d'une vie*, Belfond, 1980.

– Oh ! Victor ! Tout a l'air exquis !

– Tout *est* exquis, corrigea-t-il. Goûtez, vous verrez. »

Il remplit leurs verres, leva le sien en portant un toast :

« Au chef ! le devança Francesca.

– *Grazie* ! répondit-il en souriant. Et à ma charmante malade, si bien remise de sa terrible maladie.

– Grâce à vous, Victor, qui m'avez merveilleusement soignée. »

Lorsqu'elle eut goûté à ses préparations, Francesca se rendit compte que Victor n'avait pas exagéré en vantant son talent. Tout était succulent.

« Où donc avez-vous appris à cuisiner si bien ? lui demanda-t-elle.

– Auprès du seul véritable maître, ma mère. D'ailleurs, j'adore faire la cuisine. Mais je ne m'en tiens pas là ! Un jour, il faudra goûter à mes grillades. Quant à mon poulet à la crème, il reste inégalé dans le monde entier.

– Je n'en doute pas un seul instant. »

Le cœur léger, l'âme en fête, Francesca riait, dégustait avec délices tout ce que Victor mettait dans son assiette. Ils ne s'étaient encore jamais retrouvés seuls; Katherine, Nick, une cohorte de relations les entouraient à chacune de leurs rencontres. Elle ne se rassasiait pas de la joie de l'avoir tout à elle et de découvrir sa personnalité.

Tout au long du dîner, Victor parla d'abondance et aborda de multiples sujets; il s'attardait cependant plus volontiers sur son ranch des environs de Santa Barbara, ses chevaux, sa vie au grand air, l'intimité paisible qu'il s'efforçait de préserver dès qu'il quittait les studios. Il décrivit aussi les milieux du cinéma, raconta d'amusantes anecdotes sur ses débuts à Hollywood et les personnages pittoresques qu'il y côtoyait. Sachant manier l'ironie sans méchanceté, distrayant, usant de ses ressources d'acteur pour faire vivre une scène, il fit rire Francesca sans interruption.

Victor s'amusait d'ailleurs autant qu'elle. Elle constituait son meilleur public et savait écouter. Quand elle l'interrompait, ses questions étaient toujours pertinentes; ses commentaires, volontiers irrévérencieux, se faisaient parfois cinglants. Victor n'avait pas passé des heures aussi plaisantes depuis des mois, voire des années; car s'il préférait généralement se détendre chez lui, en petit comité, il avait oublié le charme d'un tel tête-à-tête. Ses deux dernières épouses ne pensaient qu'à courir cocktails, galas et réceptions, où il se laissait entraîner de mauvaise grâce et s'ennuyait à mourir.

Le principal attrait de la soirée restait toutefois la compagnie de Francesca. Avec elle, Victor se sentait à l'aise, libre d'être lui-même. Son attirance pour elle devenait à chaque instant plus puissante et, à chaque instant, il en trouvait de nouvelles justifications. Simple, directe, franche dans son ingénuité, elle était aux antipodes des coquettes qu'il exécrait. Manifestement, elle ne lui tendait aucun piège. Son intelligence, son assurance faisaient oublier sa jeunesse, écueil sur lequel Victor revenait constamment buter depuis des semaines. En reconnaissant les innombrables qualités de Francesca, Victor ne se rendait pas compte que s'il y avait piège il se le tendait à lui-même.

Le dîner terminé, ils s'installèrent devant la cheminée. Victor était assis dans la bergère, Francesca se pelotonnait sur le canapé lui faisant face. Ils restèrent d'abord silencieux, mais d'un silence sans contrainte. Victor l'observait à travers la fumée de son cigare.

Francesca reprit la parole en versant le café :

« Quand commencerez-vous le tournage dans le Yorkshire ?

— Mai ou juin, je ne sais pas encore exactement.

La météo décidera. Les intérieurs en studio débuteront dans la première semaine d'avril.

— Je vous le demandais pour indiquer une date à mon père.

— Je vérifierai l'emploi du temps et je vous le confirmerai demain ou après-demain, avant mon départ. Je m'absente quelques jours la semaine prochaine. »

Francesca se raidit imperceptiblement :

« Ah ? Je ne savais pas... Vous partez pour Hollywood ?

— Non, simplement en Suisse. Klosters. J'avais prévu d'y aller avec Nick, et plutôt que d'annuler le voyage, j'ai décidé de m'y rendre seul. Il me faut un peu de repos et un changement d'air avant de me plonger dans le film. En principe, je compte partir mercredi pour une huitaine de jours.

— Très bien... Je vous souhaite un excellent séjour », dit-elle avec autant de sincérité qu'elle put.

Victor n'avait pas remarqué sa réticence. Le nez dans son ballon de cognac, il se demandait s'il profiterait de cette brève détente, privé de son inséparable compagnon. Il n'avait pour ainsi dire jamais voyagé sans Nick; tout d'un coup, la perspective de skier seul à Klosters lui parut infiniment moins attrayante.

Il reposa son verre sur la table basse, se pencha en avant :

« Ecoutez, Francesca, je viens d'avoir une idée. Pourquoi ne viendriez-vous pas avec moi ?... »

Le son de ses paroles le stupéfia et il s'interrompit soudain. De son côté, Francesca n'avait pas l'air moins effarée. Les yeux ronds, bouche bée, elle le dévisageait sans proférer un son.

Victor était tout aussi interdit. Déjà, les arguments se présentaient en foule pour lui démontrer l'absurdité de sa proposition. Par ailleurs, une fois lancée, l'invitation ne pouvait être retirée sans le faire paraître ridicule ou, à tout le moins, incorrect. Et puis, l'idée était peut-être choquante à première vue, mais pas aussi absurde qu'il y paraissait. De bonnes raisons plaidaient en sa faveur. Ce bref examen conclu, il décida de poursuivre :

« Alors, qu'en dites-vous ? »

Chez Francesca, l'étonnement avait fait place à une joie débordante. Elle était sur le point d'accepter mais elle se rendit compte des obstacles insurmontables dressés devant elle. Déçue, abattue, elle se mordit les lèvres nerveusement, cherchant des motifs plausibles à son refus – un refus contre lequel tout son être protestait.

« Eh bien... Cela me serait très difficile de vous accompagner sans prévenir mon père, n'est-ce pas... Vous comprenez... Je veux dire... Il serait probablement étonné... »

Elle ne put aller plus loin et leva vers Victor un regard désespéré. Il lui coûtait surtout d'admettre devant lui l'obligation de solliciter l'autorisation paternelle, avouer qu'elle n'était pas libre de ses mouvements.

Victor le comprit aussitôt. Ce fut son tour de la dévisager avec une stupeur mêlée d'un embarras extrême : elle s'était méprise sur le sens de son invitation. En la formulant impulsivement, il était cependant loin de penser à la séduire ! Il fallait immédiatement mettre les choses au point :

« Vous ne pensez quand même pas, j'espère, que j'ai des intentions... inavouables ! s'écria-t-il.

– Bien sûr que non, cette idée ne m'avait pas même effleurée, répondit-elle froidement et avec hauteur. Je voulais simplement vous faire comprendre que mon père a des principes un peu... vieux jeu. Il jugerait certainement déplacé que je parte seule en vacances avec un homme.

– Je serais le dernier à le lui reprocher, s'empressa de répondre Victor d'un ton dégagé. Vous avez raison, l'idée n'est pas si bonne que cela, tout compte fait. N'en parlons plus... Mais je tiens quand même à préciser que je ne pensais pas à mal, ajouta-t-il presque malgré lui. Je me disais simplement que l'air pur de la montagne vous ferait le plus grand bien, dans votre état. Et puis, j'avoue ne pas aimer voyager seul... Nous étions devenus si bons amis, cette semaine, que... C'est vrai, n'est-ce pas ? insista-t-il.

– Oui, c'est vrai », murmura Francesca.

Ce dernier coup l'accablait. Si bons amis... Je ne suis pour lui qu'un pâle substitut de Nick Latimer. Un bon copain. Pourquoi diable aller chercher autre chose dans ses paroles ?

« Allons, ne faites pas cette tête d'enterrement, dit-il en riant. Je comprends très bien pourquoi votre père s'y opposerait. Vous n'avez encore que dix-neuf ans, je l'oublie trop facilement... Puis-je me servir un autre verre ? »

Exaspérée par cette nouvelle allusion à son âge, Francesca répondit sèchement :

« Je vous en prie. J'en prendrai un moi aussi. »

Elle se redressa, déplia ses jambes et s'assit au bord de son siège. Les coudes sur les genoux, la tête dans les mains, elle réfléchit. Son désir de se rapprocher à tout prix de Victor, de s'intégrer plus étroitement à sa vie devenait si fort qu'elle se sentait prête à tout accepter. S'il le fallait, elle se contenterait d'une amitié platonique, de rester le « bon copain » quoi qu'il lui en coûte. N'es-tu pas folle de t'infliger une torture pareille ? lui dit une voix intérieure. Je m'y ferai, se répondit-elle en y croyant plus ou moins. Ce problème ainsi hâtivement résolu, elle se sentit plus libre de s'attaquer au suivant, le voyage à Klosters. Quoi qu'il arrive, se dit-elle alors, je partirai avec lui la semaine prochaine. Mais comment mentir ou, plus simplement, comment dissimuler la vérité ? Francesca s'en savait incapable, surtout vis-à-vis de son père. Il faudrait donc tromper sa propre conscience sans, pour autant, abuser son père de façon délibérée. Dilemme insoluble en apparence... Ses pensées tourbillonnèrent de plus belle.

« Voici votre verre.

— Merci », dit-elle distraitement.

Victor remarqua sa mine préoccupée. Se sentait-elle gênée d'avoir dû refuser ? Avait-elle des scrupules ?

« Ecoutez, Francesca, ne vous faites pas tant de soucis. N'en parlons plus, voulez-vous ? J'ai avant tout envie de faire du ski et vous ne vous amuseriez guère. Généralement, je chausse mes planches à l'aube pour ne les retirer qu'à la tombée de la nuit. Sans vouloir vous vexer, je ne vous crois pas capable de soutenir le même rythme...

— Faire du ski ? l'interrompit-elle.

— Oui, bien sûr. Que vous imaginiez-vous donc ? »

Pétrifiée, Francesca voyait une nouvelle idée germer dans sa tête. Un optimisme joyeux succédait à son abattement. La solution, elle la tenait ! Elle méritait pourtant un peu de réflexion, il faudrait surtout la présenter avec soin afin de ne pas risquer un refus humiliant. Au bout d'un instant, elle lui demanda :

« M'avez-vous bien dit, tout à l'heure, que l'idée d'être seul à Klosters ne vous plaisait guère ?

— C'est exact. J'ai tellement pris l'habitude d'être accompagné par Nick que je ne peux plus m'amuser tout seul. J'aime partager les endroits qui me plaisent, les paysages, le bon vin... »

Il la dévisageait avec curiosité, sans comprendre la raison cachée de sa dernière question.

« Si j'ai bien compris, la personne qui vous accompagne compte autant, pour vous, que l'endroit où vous allez ?

— En un sens, oui... Mais je ne comprends pas où

vous voulez en venir, Francesca ? Qu'avez-vous derrière la tête ?

– La Bavière.

– La Bavière ? répéta-t-il. Alors là, je ne vous suis plus du tout. »

Francesca se carra dans son siège et sourit avec assurance :

« C'est très simple. Si vous décidiez de modifier vos projets et de vous rendre, au lieu de Klosters, à un endroit en Bavière qui s'appelle Königssee, je pourrais parfaitement vous y accompagner. A moins, bien entendu, que vous ne préfériez inviter quelqu'un d'autre en Suisse, ce que je comprendrais parfaitement.

– Je ne vois personne d'autre avec qui j'aurais envie de voyager, répondit-il aussitôt. Mais je ne comprends toujours pas, Francesca. Si vous pouvez venir avec moi à Königssee, pourquoi pas à Klosters ?

– Tout bonnement parce que je n'ai pas besoin de demander à mon père la permission d'aller en Bavière. C'est là que vivent mes cousins Diane et Christian, je peux leur rendre visite quand je veux. Les pistes de ski sont superbes, la neige tient jusque très tard au printemps, il y a d'excellentes auberges aux environs et Diane se chargerait de vous réserver une chambre. Mon père n'y trouverait rien à redire : là-bas, je trouverais d'excellents chaperons, n'est-ce pas ? Alors, qu'en pensez-vous ? »

Victor la dévisagea un instant, amusé :

« L'idée me paraît excellente, mais... Avez-vous vraiment envie d'y aller ? demanda-t-il en hésitant. Vous sentez-vous capable de subir ma compagnie pendant près d'une semaine sans mourir d'ennui ? »

Le cœur battant, elle se força à lui rendre son regard sans trahir le bonheur qui l'envahissait :

« Ne dites donc pas de bêtises, Victor. Je ne périrai évidemment pas d'ennui. D'ailleurs, nous sommes *si bons amis*, comme vous l'avez dit vous-même...

– C'est vrai. Mais nous n'avons fait que parler des réactions de votre père, pas de ce que vous en pensiez vous-même. Depuis tout à l'heure, vous ne m'avez pas dit si cela vous ferait plaisir.

– J'en serai ravie. Et puis, l'air de la montagne finira de me guérir... Je ne vous aurais pas suggéré la première ce changement de programme si l'idée me déplaisait, précisa-t-elle en remarquant son expression encore hésitante.

– En effet... Eh bien, d'accord ! Je ferai le nécessaire dès lundi matin avec l'agence de voyages pour qu'ils modifient les billets. »

Il s'interrompit, hésita :

« Il reste un ou deux problèmes... Disons plutôt quelques questions à clarifier avec vous.

– Lesquelles ? » dit-elle, l'expression soudain grave.

Victor se leva, tisonna le feu, ajouta une bûche.

« Cela vous ennuierait-il de partir seule mardi ?

– Euh... non, répondit-elle avec étonnement. Mais pourquoi ne pas partir mercredi avec vous ?

– C'est parfaitement possible si vous y tenez. Mais, comprenez-moi bien, les gens pourraient se méprendre en nous voyant ensemble. Ce serait plus discret de voyager séparément... Katherine ne vous a pas parlé de mon divorce ? ajouta-t-il en voyant son expression troublée.

– Si, elle a mentionné en passant certaines de vos difficultés. Je suis peut-être idiote, Victor, mais je ne vois toujours pas le rapport. Pouvez-vous m'expliquer de quoi il s'agit ? »

En quelques mots, il résuma ses rapports avec sa femme et les efforts de cette dernière pour le compromettre. Il rapporta les avertissements d'Estelle Morgan, la menace que faisaient planer les magazines à scandale et la détermination d'Arlene à faire flèche de tout bois.

« En ce qui me concerne, conclut-il, je m'en moque éperdument. Les journaux ne m'ont jamais fait peur. Mais je refuse de vous entraîner dans un scandale. Notre voyage pourrait donner lieu à des interprétations qui déplairaient à votre père. A moi, également, cela va sans dire.

– Je comprends, répondit-elle. Je partirai donc mardi, c'est d'ailleurs une très bonne idée. Je m'occuperai de votre hôtel avec Diane. Je lui téléphonerai demain pour la prévenir. »

Victor hocha la tête, hésita à reprendre la parole :

« Ce n'est pas tout, Francesca. Comptez-vous prévenir votre père que vous rendez visite à vos cousins en Bavière ?

– Bien entendu. Pourquoi ?

– Il vaudrait peut-être mieux pas. Je connais votre franchise, mais... s'abstenir de dire quelque chose ne peut pas être vraiment considéré comme un mensonge.

– Si, un mensonge par omission !

– Evidemment... »

Il se leva, alla s'accouder pensivement à la cheminée, se tourna enfin vers elle :

« Si je vous le demande, Francesca, c'est parce que j'ai mes raisons. D'excellentes raisons. Ecoutez, poursuivit-il d'un ton plein de persuasion, si vous prévenez votre père, Kim sera lui aussi au courant et il dira à Katherine où je suis. Très sincèrement, je préférerais qu'il n'en soit pas ainsi. Il vaut mieux que tout le monde me croie à Klosters, pour les raisons que je vous ai expliquées tout à l'heure.

– Comment pouvez-vous soupçonner Katherine d'indiscrétion ? s'écria Francesca avec indignation. Elle est ma meilleure amie, vous la connaissez encore mieux que moi. Jamais Katherine n'ouvrirait la bouche pour vous trahir ! Je lui fais aveuglément confiance.

– Moi aussi, Francesca. Cependant... »

En pesant ses mots, il s'efforça de lui exposer comment une seule parole en l'air, prononcée sans penser à mal, risquait de provoquer bien des drames. Il respectait et partageait l'horreur de Francesca pour la dissimulation, mais son désir de la protéger de la malveillance primait son besoin de franchise. Pour elle, plus encore que pour lui, il était essentiel d'observer le secret. Elle l'écouta attentivement, parut admettre son raisonnement. En conclusion, il lui dit :

« A notre retour à Londres, vous pourrez raconter à votre père que nous nous sommes rencontrés par hasard dans les Alpes et même lui dire que j'ai passé quelques jours non loin de chez vos cousins, par exemple. »

Francesca était bien forcée de reconnaître le bien-fondé de son raisonnement. Elle comprenait aussi que si elle s'obstinait, Victor se rabattrait sur son projet initial et partirait seul pour Klosters. Son désir d'être avec lui fut le plus fort et étouffa ses derniers scrupules à l'égard de son père.

« Vous avez raison, Victor, dit-elle enfin. Mon pauvre père serait bouleversé ni notre nom devait se trouver traîné dans la boue. Nous serons donc prudents. D'ailleurs, il ne s'étonnera pas d'apprendre que je suis allée passer quelques jours chez mes cousins, j'y vais presque toujours à cette époque-ci de l'année. Ainsi, conclut-elle en rassemblant son courage, c'est décidé. Si vous êtes d'accord, je le suis aussi.

– Eh bien, c'est parfait ! s'écria-t-il en souriant. Nous nous amuserons comme des petits fous ! »

Ce fut le tour de Francesca d'exprimer une réticence :

« Il faudra quand même que j'explique la situation à Diane pour ne pas prendre de risques inutiles. Etes-vous d'accord ?

– Bien sûr, s'il n'y a pas moyen de faire autrement. Mais assurez-vous qu'elle ne se méprenne pas, elle non plus, sur nos... sur nos rapports.

– Naturellement, voyons », répondit-elle avec un regard chargé d'innocence.

Elle réprima à grand-peine un fou rire. Elle avait qualifié son père de vieux jeu, mais Victor ne valait guère mieux, dans son genre...

« Au fait, demanda-t-il, comment se fait-il que vos cousins vivent en Allemagne ?

– Parce qu'ils y sont nés. La sœur aînée de mon père, ma tante Arabella, a épousé un Allemand vers la fin des années 20. Diane et Christian sont parfaitement bilingues, vous n'aurez donc aucun problème de communication avec eux.

– Votre oncle et votre tante habitent-ils Königssee eux aussi ? Ferai-je leur connaissance ? »

Il y eut un court silence.

« Non, je ne le pense pas », répondit Francesca d'une voix étouffée.

L'éclair de tristesse qui avait traversé son regard s'était évanoui et Victor se demanda s'il ne s'était pas trompé.

« Parlez-moi un peu de vos cousins. Quel âge ont-ils, comment sont-ils ? »

Francesca balaya le souvenir de la tragédie qui avait assombri leur vie et répliqua en souriant :

« Christian a trente ans et s'occupe de musique. Il est excellent violoniste et critique spécialisé dans l'œuvre de Mozart. Diane a vingt-six ans, un caractère toujours gai. Elle possède une boutique à Munich et une autre à Königssee. C'est également une skieuse émérite et elle vous guidera sur les meilleures pistes.

– Je m'en réjouis d'avance. Christian skie-t-il, lui aussi ?

– Non, pas du tout, répondit-elle très vite.

– Et vous, Francesca ? Aurai-je le plaisir de votre compagnie sur les pentes ? »

Elle pouffa de rire et fit une grimace :

« Au bas des pentes, à la rigueur ! Je suis à peine capable de me tenir sur mes skis et je passe mon temps à faire des glissades dans des postures qui n'ont rien de réglementaire !

– J'ai du mal à vous croire.

– Ce n'est malheureusement que la triste vérité. Mais ne vous réjouissez pas trop vite. Diane vous donnera du fil à retordre : elle a fait partie de l'équipe olympique. »

Le grognement de détresse dont Victor salua cette nouvelle les fit tous deux éclater de rire. Débordante de joie, Francesca aurait saisi le premier prétexte pour y donner libre cours.

17

En ce mercredi matin, l'aérogare de Salzbourg était calme lorsque Victor Mason y débarqua. Il franchit la douane, un porteur déposa ses valises près de la sortie et appuya ses skis contre le mur. Victor fit quelques pas à l'extérieur, embrassa d'un coup d'œil le paysage qui l'entourait.

Il faisait un temps radieux, ensoleillé, sec et froid. Après la grisaille humide de Londres, ce fut pour Victor comme un renouveau. A grandes bouffées gourmandes, il aspira l'air pur, le trouva enivrant. A l'arrière-plan, de hautes montagnes violettes, coiffées de blanc, se dressaient contre le bleu du ciel. Cet éblouissant décor l'enthousiasma. S'il avait éprouvé des doutes jusqu'au moment de son départ, ils étaient entièrement balayés. Ce voyage imprévu allait être une réussite, Victor le pressentait. Avant de se replonger dans le surmenage et les problèmes, ces brèves vacances l'invitaient à profiter sans arrière-pensées des plaisirs qu'elles lui offraient.

Les joyeux appels d'un avertisseur lui firent tourner la tête. Une Volkswagen rouge stoppait à quelques mètres; il vit Francesca accourir vers lui en riant. Son visage ensoleillé et sa tenue vivement colorée de jaune et de rouge amenèrent sur ses lèvres un sourire amusé. Il fit un pas vers elle, les bras tendus. Elle s'y jeta et se laissa serrer contre lui.

Cette manifestation spontanée d'affection fit battre le cœur de Francesca. Elle contempla Victor avidement, le trouva plus séduisant que jamais. Avec effort, elle se dégagea :

« Nous sommes en retard, je suis désolée. Il y avait du verglas sur la route.

– Aucune importance, je n'attends que depuis cinq minutes à peine... »

Puis, faisant voler d'une pichenette le pompon de son bonnet de laine, il ajouta en souriant :

« Vous avez l'allure aussi gaie que mon humeur. A chaque fois que je respire, j'ai l'impression de m'enivrer.

– Je vous avais prévenu, l'air d'ici vaut mieux que le champagne... Ah ! voici ma cousine Diane ! »

Victor dut réprimer sa surprise derrière un sourire courtois lorsqu'il jeta les yeux sur elle. Diane von Wittingen était entièrement vêtue de blanc. D'un blond pâle, presque argenté, ses longs cheveux descendaient en souples ondulations jusqu'à sa taille. Petite, d'aspect presque délicat à côté de Francesca qui la dépassait d'une tête, elle avait les traits fins, l'expression assurée et paisible. Un sourire de Madone, se dit Victor... Les yeux gris pétillaient d'intelligence, le teint uniformément hâlé, d'un ton presque doré, trahissait l'habitude de vivre au grand air. Seule, une légère touche de rouge à lèvres tenait lieu de maquillage. Victor, en la contemplant, sentait croître son admiration.

Francesca fit les présentations. Sa cousine s'excusa aussitôt :

« Je rentre un instant dans l'aérogare pour téléphoner. Ce ne sera pas long. »

Il la suivit des yeux et se tourna vers Francesca :

« Votre cousine est extraordinaire !

– Vous n'êtes pas le seul de cet avis. La moitié de l'Allemagne est jonchée de cœurs brisés... Et maintenant, chargeons vos bagages dans la voiture. »

Victor empoigna ses valises, jeta sur le véhicule un regard sceptique :

« Vous me paraissez bien optimiste... Je ferais sans doute mieux de prendre un taxi.

— Mais non, tout tiendra. Nous avons transporté mes deux valises hier matin. Je n'avais pas de skis, c'est vrai. Nous ferons de notre mieux. »

Victor s'attaqua à la tâche. Avec l'aide de Francesca, tout était casé au retour de Diane. Elle éclata de rire en voyant Francesca coincée à l'arrière entre une grosse valise et la paire de skis, dont l'extrémité sortait par la vitre.

« Pauvre chou ! s'écria-t-elle. Heureusement que tu es mince et que le trajet n'est pas trop long.

— Je suis très bien comme cela. Allons, dépêche-toi plutôt que de prolonger mon supplice ! »

Toujours riant, Diane claqua sa portière et lança le moteur. Elle traversa le parking à toute vitesse, ralentit pour s'engager sur la route.

« J'espère que vous ne serez pas déçu de ne pas visiter Salzbourg, Victor. Je préfère prendre le chemin direct pour Königssee. Si vous voulez, nous y reviendrons dans quelques jours. »

Il répondit d'un geste évasif; il préférait de beaucoup passer son temps sur les pistes de ski plutôt que visiter des monuments.

Diane s'adressa à Francesca sans se retourner :

« Tu le dis à Victor ou préfères-tu que ce soit moi ?

— De quoi s'agit-il ? intervint ce dernier.

— Je m'en charge, dit Francesca en souriant à Victor dans le rétroviseur. Il y a un léger changement de programme. Diane ne vous a pas retenu de chambre d'hôtel, elle juge préférable que vous descendiez chez nous. »

Victor eut un geste de surprise et se tourna vers Diane :

« Je suis très heureux d'accepter votre hospitalité,

néanmoins ne serait-il pas plus raisonnable que je descende à l'hôtel, comme prévu ?

– Plus raisonnable, je ne crois pas, répondit Diane en souriant. Vous y seriez immédiatement reconnu – l'Allemagne ne manque pas de journalistes, vous savez. Tandis que nous habitons en pleine montagne, à des kilomètres de tout. Chez nous, personne ne saura que vous êtes en Bavière. Une fois sur les pistes, avec un bonnet et des lunettes noires, vous serez méconnaissable.

– C'est vrai... Mais qu'en pense Francesca ? »

Elle se pencha en avant, le visage illuminé par un sourire :

« J'en pense que je serai ravie que vous restiez avec nous à Wittingenhof. D'ailleurs, je suis allée avec Diane à l'hôtel de Königssee et il ne leur restait qu'une chambre sinistre. Vous serez beaucoup mieux installé chez nous. »

De plus en plus étonné, au souvenir des scrupules qu'elle avait exprimés au sujet de son père quelques jours auparavant, Victor la contempla avec attention. Sa gaieté semblait sincère, il ne vit aucune trace de réticence dans son regard. Francesca savait donc ce qu'elle faisait.

« Le château est très logeable, Victor, intervint alors Diane. Vous y serez chez vous, vous pourrez aller et venir à votre guise. Nous n'avons pas pour habitude de surveiller nos invités, ajouta-t-elle en riant.

– Cette idée ne m'avait même pas effleuré ! Eh bien, soit. J'accepte votre invitation », conclut-il en voyant le regard implorant de Francesca.

Celle-ci réprima un cri de joie :

« Tant mieux ! »

Victor n'insista pas. Si Francesca considérait la situation de manière si insouciante, si sa présence au château lui causait si visiblement plaisir, comment pourrait-il protester davantage ? La décision prise, il se détendit et admira le paysage.

« Nous voici presque à la frontière. Avez-vous votre passeport ? lui demanda Diane quelques instants plus tard. On ne nous réclamera probablement rien, mais il vaut mieux préparer nos papiers. »

En effet, en la reconnaissant par la vitre ouverte, les gardes-frontières lui firent signe de passer avec un large sourire. Le même manège se renouvela, quelques mètres plus loin, au poste allemand. La voiture s'élança sur la route et Victor se pencha pour mieux regarder autour de lui.

Bordée de majestueuses forêts de sapins d'un vert sombre presque noir, aux branches chargées de neige, la route serpentait sur le flanc de la montagne. A perte de vue, les pentes boisées paraissaient vierges de toute présence humaine. Très loin au-dessus, les sommets étincelants des Alpes se détachaient sur l'azur d'un ciel immaculé.

« C'est admirable ! s'écria Victor en désignant de la main les montagnes aux alentours. J'ai hâte d'explorer les pistes.

— Francesca m'a dit que vous étiez un skieur émérite.

— Elle m'a appris que vous étiez championne.

— Bah ! je me débrouille, répondit Diane nonchalamment. La neige a été bonne depuis le début de l'hiver. Vous aurez un temps idéal.

— Ne comptez pas sur moi, en tout cas ! dit Francesca. J'ai toujours eu une peur panique de ces planches diaboliques. Pendant que vous irez faire la course sur les pistes, je tiendrai compagnie à Christian, c'est plus sûr.

— Il en sera ravi, tu le sais... Il paraît que vous allez habituellement à Klosters, poursuivit Diane. La neige est aussi belle ici, vous verrez. Quand on dépasse deux ou trois mille mètres, peu importe ce qui grouille au-dessous. On se sent plus près de Dieu et le monde vous apparaît sous une perspective bien différente. On le voit plus clairement, en quelque sorte. »

Avant que Victor, surpris de cette réflexion, ait eu le temps de répondre, le rire de Diane résonna dans la voiture :

« Grand dieu, je deviens si pompeuse que c'en est ridicule ! Vous n'êtes pas venu ici m'écouter philosopher, Victor. Ces quelques jours seront consacrés à la détente et nous avons décidé de bien nous amuser. Le programme vous convient-il ?

— A merveille.

— Au fait, intervint Francesca, l'anniversaire de Diane tombe à la fin de la semaine. Elle avait prévu un petit dîner jeudi soir, avant d'apprendre notre arrivée. Cela ne vous ennuie pas de faire la connaissance de quelques amis, j'espère ?

— Au contraire. D'ailleurs, je m'en remets entièrement à vous deux et je souscris d'avance à vos initiatives. »

Tout en écoutant les deux jeunes filles bavarder avec animation, Victor prit note de l'anniversaire à venir en espérant trouver en ville de quoi acheter un cadeau. La personnalité de Diane le surprenait. Elle lui semblait remarquablement mûre pour son âge — une maturité acquise au travers de maintes épreuves, sans doute. Quant à Francesca, jamais elle ne lui avait paru plus attirante, plus adorable. Et plus lointaine.

D'un seul coup, sa bonne humeur l'abandonna. Incapable de faire taire les sentiments qu'il éprouvait pour elle, il se demanda non sans désarroi comment passer les prochains jours, comment résister à son attirance pour elle en vivant sous le même toit.

Ils roulaient depuis près d'une heure lorsque Diane annonça :

« Nous arrivons ! »

Elle s'engagea dans un chemin étroit qui s'élevait en lacet entre deux talus de neige glacée. Peu à peu, les troncs d'arbres s'espacèrent, la route s'élargit et la voiture parvint sur un assez vaste plateau. Droit devant, le chemin était barré par une construction de pierre au crépi blanc zébré de colombages de chêne sombre, au milieu de laquelle s'ouvrait un porche. Les vantaux d'une grille de fer étaient largement ouverts. Au passage, Victor remarqua une inscription gravée en lettres gothiques dans la pierre : SCHLOSS WITTINGENHOF et une date : 1833.

Le porche franchi, la voiture stoppa le long des communs, écuries, remises, prolongeant de chaque côté le pavillon central où devaient loger les gardiens. Diane descendit et prit les skis qui dépassaient de la vitre arrière. Francesca s'extirpa de son inconfortable position, s'étira et fit la grimace :

« Ouf ! Cinq minutes de plus et j'allais hurler !

— Ne me le reprochez pas ! protesta Victor en descendant à son tour. Je vous avais proposé de mettre les bagages dans un taxi. »

Il voulut empoigner ses valises. Diane l'arrêta d'un geste :

« Laissez, Victor. Manfred s'en chargera tout à l'heure. »

Elle leur fit signe de la suivre dans un sentier tracé à travers une vaste étendue de neige vierge, au-delà de laquelle on voyait le château. Francesca trottinait déjà derrière sa cousine et Victor la regarda en souriant. Elle lui paraissait plus libre, moins réservée qu'à Londres, déchargée du fardeau des contraintes quotidiennes. La gaieté insouciante de son humeur déteignait sur lui.

Tout en marchant, il admira le château de Wittingenhof. Diane avait dit, tout à l'heure, qu'il était « logeable », mais Victor ne s'attendait pas à un bâtiment aussi vaste et impressionnant. Assez bas, il se composait d'une suite d'ailes et de bâtiments articulés autour d'un spacieux corps de logis central. De l'ensemble des toits d'ardoise bleutée, du crépi blanc cassé, des volets peints en noir et blanc rehaussé de ferrures noires, se dégageait un pittoresque plein de charme.

A l'arrière-plan, de hauts conifères montaient à l'assaut de la montagne. Celle-ci, en dépit de son imposante altitude, n'écrasait pas le château de sa masse; elle le mettait au contraire en valeur, comme le velours d'un écrin fait scintiller un bijou. Victor dut s'abriter les yeux d'une main pour contempler ce spectacle et la lumière éblouissante de pureté.

« Le château est splendide, dit-il à Francesca en se mettant à son pas. Son style est-il typique de l'architecture de la région ?

– Oui, mais pas tout à fait. Il est beaucoup plus classique que les constructions récentes. Les communs ont à peine cent ans, mais le château proprement dit date de bien avant. L'un des ancêtres de Diane l'avait fait bâtir pour sa femme, d'une santé délicate, mais il n'a été que rarement habité après sa mort. C'est Diane qui l'a rouvert et en a fait son domicile permanent avec Christian, il y a quelques années. Il est aussi beau en été, d'ailleurs. Là, toute cette neige recouvre des pelouses. Plus loin, derrière, ce sont des prairies, une pièce d'eau... Mais venez, Diane nous attend. »

Devant la porte, Diane les accueillit en souriant :

« Je vois que Francesca vous fait déjà les honneurs de la maison. Laissez-moi simplement y ajouter un mot de bienvenue, Victor. Vous êtes ici chez vous. »

Sans attendre les remerciements de son hôte, elle poursuivit :

« Francesca vous montrera où ranger vos skis. Je vais prévenir Christian de votre arrivée. En attendant, mettez-vous à l'aise. »

Victor pénétra dans le vestibule à la suite des deux jeunes filles et regarda autour de lui avec curiosité. Le hall d'entrée frappait par ses proportions imposantes. Un large escalier, dominé par une immense tapisserie, menait aux étages en une courbe gracieuse. Peu de meubles, un lustre de fer forgé pendu à une longue chaîne, un parquet sombre se combinaient pour former un décor d'une sobre élégance.

Diane se dirigea vers la droite, Francesca entraîna Victor vers la gauche. Elle lui fit descendre quelques marches menant à un couloir bordé de portes-fenêtres donnant sur une terrasse pavée. Au loin, on distinguait la pièce d'eau prise par les glaces, un bouquet d'arbres aux branches noircies soulignées de givre.

« Les skis, par ici, dit Francesca en ouvrant un vaste placard. Le vestiaire, c'est là. »

Elle ouvrit une autre porte, accrocha son bonnet et son anorak parmi un assortiment de vêtements semblables et de capes en loden, indiqua la porte du cabinet de toilette.

« Voulez-vous que je vous attende ?
– Merci, répondit Victor. Je saurai retrouver mon chemin. »

Francesca grimpa les marches en fredonnant. La présence de Victor dans la maison la mettait d'humeur joyeuse. Ici, leur amitié allait pouvoir se développer mieux qu'à Londres. Elle l'avait tout à elle, sans plus devoir lutter avec Nick et tant d'autres pour attirer son attention.

Elle s'engouffra dans la grande galerie, surprit des éclats de voix derrière la porte de la bibliothèque. Francesca ralentit, tendit l'oreille. Diane s'exprimait en allemand, avec un débit trop précipité pour qu'elle comprenne. Sa discrétion l'emporta sur sa curiosité et elle s'éloigna aussitôt, soucieuse. Diane se mettait rarement en colère, surtout pas contre son frère. Mais tout cela ne regardait pas Francesca qui, par ailleurs, préférait ne pas approfondir certains sujets trop délicats.

Une fois au salon, elle mit un disque classique sur le plateau de l'électrophone et alla s'asseoir devant la cheminée, les mains tendues vers les flammes. Son esprit était occupé de Victor et des cinq jours à venir. Hier soir, après avoir expliqué à Diane les causes de sa visite inattendue et du désir de discrétion manifesté par Victor, elle lui avait fait des confidences. Elle s'était cependant abstenue de tout dire, de révéler ses sentiments trop secrets pour être confiés à quiconque, même à sa cousine. Pour la même raison, elle n'avait rien dit non plus à Katherine – de peur de paraître naïve.

Après avoir attentivement écouté Francesca, Diane lui avait répondu : « Si tu ne veux pas gâcher ces quelques jours, ne tiens pas compte de son attitude protectrice envers toi. Sois naturelle, laisse-lui même entrevoir l'attrait qu'il exerce sur toi et que tu éprouves de l'affection ou de l'amour pour lui. Les hommes ne sont pas différents de nous, tu sais. Eux aussi aiment plaire et redoutent de se voir rejetés. Parfois, il leur faut un encouragement pour qu'ils se sentent à l'aise. Victor a beau être célèbre, c'est un homme comme les autres... » Les deux cousines avaient longuement poursuivi leur conversation sur ce thème. En allant se coucher, Francesca avait décidé de suivre les conseils de Diane. Qu'ai-je à perdre ? s'était-elle demandé. Rien. Au contraire, j'ai peut-être énormément à y gagner...

Quelques minutes plus tard, après s'être rafraîchi, Victor s'engagea à son tour dans la grande galerie. Une impressionnante collection de trophées de chasse en ornait les murs; plus loin, il remarqua une armoire vitrée abritant des fusils. Chasseur lui-même et collectionneur d'armes rares, il s'approcha avec intérêt. Tous ces fusils paraissaient en parfait état, certains étaient des pièces anciennes d'aspect remarquable. Il se promit, à l'occasion, de demander à Diane s'il pouvait les examiner de plus près.

Le salon ouvrait tout au bout de la galerie. Victor y pénétra et fut d'abord frappé par la lumière qui régnait dans la pièce. Il perçut une série de bruits familiers et paisibles, le sifflement des bûches dans la cheminée, les accents amortis d'un concerto de piano maintes fois entendu. A l'autre bout du salon, Francesca mettait une touche de couleur contre la cheminée de pierre grise. Tandis qu'il s'avançait vers elle, Victor prit mieux conscience de l'atmosphère à la fois reposante et luxueuse où tout invitait à la détente. Au hasard, il remarqua des meubles anciens, des tapis d'orient, des vases de fleurs et des canapés moelleux. Sur un vaisselier, les nuances fraîches des porcelaines de Meissen faisaient paraître plus éclatant le scintillement d'objets d'argent et de cristal.

Francesca se leva, le prit par le bras avec naturel et l'emmena vers la cheminée.

« Diane donne plusieurs coups de téléphone, je crois. Elle nous rejoindra avec Christian dans quelques instants. Dès qu'ils seront là, nous aurons à boire et à grignoter en attendant le déjeuner.

– Excellente idée, je meurs de faim ! »

Victor se carra devant la cheminée, le dos au feu. Il alluma une cigarette, regarda autour de lui :

« Le peu que j'ai vu de la maison m'a conquis, reprit-il. D'une certaine manière, elle me rappelle mon ranch. J'y retrouve la même tranquillité, le même apaisement.

– Je savais que vous vous plairiez ici, Victor... »

Elle s'interrompit pour aller retourner le disque puis le rejoignit aussitôt.

« Diane a pensé que vous préféreriez ne pas skier aujourd'hui, si tôt après votre voyage. Mais nous pouvons faire une promenade à pied tout à l'heure, si vous voulez. Les bois sont splendides. »

Un serviteur aux cheveux gris apparut sur le seuil, attira respectueusement l'attention de Francesca. Ils échangèrent quelques mots en allemand. Quand il se fut retiré, Francesca expliqua :

« Diane est apparemment retenue plus longtemps que prévu. Elle a dit à Manfred de servir le champagne sans l'attendre.

– C'est ce que j'avais cru comprendre. Il m'a semblé également entendre le mot « Prinzessin ». Diane serait-elle princesse ? demanda-t-il avec un air de reproche.

– Oui, je ne vous l'avais pas dit ? répondit Francesca d'un ton désinvolte.

– Non, petite tête de linotte ! Vous auriez pu aussi me prévenir de son anniversaire, j'aurais apporté un présent de Londres.

– Oh ! Victor, j'en suis la première désolée ! Je ne m'en suis souvenue que trop tard, j'étais déjà dans l'avion.

– Existe-t-il au moins quelques magasins convenables dans les environs ?

– Il y a une boutique en ville, mais elle ne dispose pas d'un grand choix, répondit-elle.

– Et le dîner de jeudi ? Je n'ai pas apporté mon smoking. Faudra-t-il se mettre en tenue de soirée ?

– Seigneur, je n'en ai pas la moindre idée... Mais je demanderai à Diane. Ecoutez, Victor, tant que nous sommes seuls, je voulais vous dire à propos de Christian que... »

Le retour de Manfred l'empêcha de terminer sa phrase. Le majordome déposa un plateau chargé de flûtes et d'une bouteille. Il était suivi d'une jeune fille qui tenait un plat. Pendant que les serviteurs disposaient l'en-cas et échangeaient quelques paroles, Victor partit à la recherche d'un cendrier et s'aventura dans la pièce. Derrière l'un des canapés, il découvrit une table basse munie d'un cendrier où il écrasa sa cigarette; il y remarqua surtout un certain nombre de photographies dans des cadres d'argent. En les parcourant rapidement des yeux, son regard s'arrêta sur le portrait d'une jeune femme blonde en robe du soir. Le cliché datait visiblement des années 20 et Victor devina qu'il s'agissait de la tante de Francesca, avec qui la ressemblance était évidente. Son attention se porta ensuite sur quelques instantanés où l'on voyait deux jeunes enfants, vraisemblablement Diane et son frère. Légèrement à l'écart, il vit enfin le portrait d'un homme brun et très beau, dans une pose un peu guindée comme on les affectionnait à l'époque. Etait-ce leur père ?

Victor se pencha pour examiner la photographie de plus près. Cet homme possédait une dignité exceptionnelle. Ses traits reflétaient un ensemble unique de qualités humaines, courage, bonté, droiture. Mais c'était le regard des yeux sombres et expressifs, d'une intensité, d'une ferveur hypnotiques qui retenait plus que tout. Malgré lui, Victor se laissa envoûter.

« Bonjour, tout le monde ! »

Une forte voix masculine rompit le charme. Victor se redressa et pivota sur ses talons. Le choc qu'il ressentit fut si vif qu'il espéra ne pas s'être trahi en rendant son salut au nouvel arrivant.

Car le jeune homme qui venait d'annoncer sa présence était assis dans un fauteuil roulant. C'était moins cet objet, à vrai dire, que l'aspect de son occupant qui avait provoqué la surprise de Victor : le jeune homme était le portrait vivant de l'inconnu sur la photographie.

Déjà, l'invalide manœuvrait avec une aisance confondante entre les meubles et Victor ne put s'empêcher de penser que seule une longue habitude permettait d'acquérir une telle habileté.

« Ah! Christian, te voilà! s'écria Francesca. Je demandais justement à Manfred d'aller te chercher. Je te présente Victor...

— Soyez le bienvenu à Wittingenhof, dit-il en tendant la main.

— Je suis sincèrement enchanté de faire votre connaissance et je tiens à vous remercier d'avoir bien voulu m'inviter ici.

— Tout le plaisir est pour nous. Acceptez mes excuses de n'avoir pas été présent au moment de votre arrivée. Un vieil ami de mon père nous a fait une visite surprise, il s'est attardé plus longtemps que prévu...

— Ne vous excusez surtout pas. Francesca s'est fort bien occupée de moi.

— Je n'en attends pas moins de ma cousine! dit Christian en riant. Je vois que j'arrive bien, juste à temps pour le champagne. Francesca, joue ton rôle de maîtresse de maison, veux-tu!

— Avec plaisir. »

Elle remplit les flûtes, les posa sur la table basse. Victor s'assit à côté d'elle sur un canapé. Ils levèrent tous trois leurs verres.

« Je suis désolé du retard de Diane, dit Christian, j'espère qu'elle nous rejoindra bientôt. Permettez-moi de vous dire quel plaisir nous cause votre visite à cette époque-ci de l'année. Une fois les fêtes passées, nous nous retrouvons généralement trop au calme. Nos amis ne reviennent que pour le festival de Salzbourg. »

Diane réapparut peu après et se mêla tout naturellement à la conversation. Victor examina le frère et la sœur avec curiosité. Il se posait d'innombrables questions sur les Wittingen et le mystère dont leur vie semblait entourée. Oserait-il demander à Francesca de le renseigner? Elle était probablement sur le point de lui expliquer l'infirmité de son cousin quand l'arrivée inopinée de Manfred l'avait interrompue. Malgré tout, Christian paraissait en excellente santé. Il émanait de sa personne une vitalité morale et physique, une énergie puissante mal dissimulées sous l'urbanité de son comportement.

Lorsque la conversation en vint à la région, Victor observa :

« Francesca m'a dit tout à l'heure que le château était resté longtemps inhabité. J'ai du mal à m'imaginer qu'on ne veuille pas vivre dans un endroit aussi agréable. Vos parents ne vous y emmenaient donc pas pendant les vacances ? » demanda-t-il à Diane.

Celle-ci ne répondit pas. Victor perçut aussitôt le malaise provoqué par son innocente question. Avant qu'il ait pu s'interroger sur les raisons, Diane se ressaisit et répondit en souriant :

« Non, en effet, nous ne venions pas ici. Nos parents n'aimaient guère la Bavière, à vrai dire... Au cours des années 20 et 30, poursuivit-elle après une légère hésitation, la région était extrêmement politisée. Elle abritait des mouvements dont les orientations déplaisaient à mon père... »

Elle s'interrompit, consulta son frère du regard. Christian reprit le fil de l'explication :

« Notre père, activement antinazi, s'était fait de nombreux ennemis aux environs. N'oubliez pas que Hitler et sa bande de brigands avaient établi leur quartier général à Munich. Le climat était donc plutôt malsain pour un opposant aussi connu que mon père. Il ne se contentait pas de paroles, voyez-vous, Victor, il mettait son temps, ses forces et sa fortune au service de ses convictions. Mieux valait donc, pour lui, rester dans l'anonymat et la sécurité relatifs de Berlin. Voilà pourquoi Wittingenhof était inhabité. »

Bien que partielle, cette explication clarifiait un certain nombre d'énigmes qui intriguaient Victor.

« Ce sont, en effet, d'excellentes raisons, répondit-il. Votre père me semble un homme en tout point remarquable et j'espère avoir le plaisir de le rencontrer... »

Il arrêta net sa phrase : Francesca lui faisait des signes désespérés. Encore une fois, il avait involontairement commis un grave impair. Un silence gêné s'abattit.

Christian fut le premier à le rompre :

« Vous avez raison, Victor, il y a peu d'hommes au monde comme mon père. L'un des premiers, il a su reconnaître l'esprit du Mal et il a été l'un des rares à le combattre sans relâche, en y consacrant toutes ses ressources. Mais le moment est mal choisi, je crois, pour une conversation aussi sérieuse, ajouta-t-il avec un sourire. Terminons plutôt l'histoire de cette maison. Si nous sommes revenus ici après la guerre, c'est parce que nous n'avions guère le choix. Notre maison de Berlin était rasée et notre propriété de Prusse englobée dans la zone d'occupation soviétique. Nous ne disposions donc d'aucune autre position de repli. Diane était d'ailleurs persuadée que l'air de la montagne serait salutaire pour ma santé – sans parler de notre désir d'échapper à notre grand-mère, dit-il avec un sourire malicieux. Nous l'aimons beaucoup, mais la vérité me force à reconnaître qu'elle tient plutôt du dragon... »

Un concert de rires et de protestations salua cette irrévérencieuse déclaration. Toute gêne désormais dissipée, la conversation se poursuivit gaiement jusqu'à l'arrivée de Manfred, venu annoncer que le déjeuner était servi.

Longue et relativement étroite, dominée par une cheminée monumentale, la salle à manger par de larges fenêtres offrait une vue spectaculaire sur un panorama montagneux. L'atmosphère sévère jusqu'à l'austérité était égayée de nombreuses gerbes de fleurs et de feuillages disposées dans de grands récipients de cuivre. Christian s'installa au haut bout de la longue table de chêne; Victor s'assit en face de Francesca. Manfred et la jeune servante disposèrent sur la table et la desserte des plats d'où émanaient d'appétissants fumets. Peu après le début du repas, Victor se pencha pour murmurer à Francesca :

« Tout cela sent aussi bon que mon fameux dîner italien, vous ne trouvez pas ? »

Elle lui décocha un sourire provocant puis, se penchant à son tour, répondit du même ton :

« Aucun dîner ne sera jamais comparable à celui-là. Il m'a paru délicieux à bien des égards. »

Ses paroles furent ponctuées d'un regard si expressif que Victor, désarçonné, la gorge nouée, stupéfait de la voir aussi ouvertement flirter avec lui, faillit renverser son verre. Les commentaires de Nick, le prévenant que Francesca lui réserverait bien des surprises, lui revinrent alors à l'esprit et cette pensée l'obséda pendant tout le repas. Il l'observa, écouta ses moindres propos, détecta les plus infimes nuances de sa voix, de ses attitudes, comme pour mieux se pénétrer de sa personnalité dans ce qu'elle avait de plus secret. A mesure qu'il s'emplissait ainsi de Francesca, son attirance pour elle se faisait plus forte et son désir plus puissant.

Quand ils revinrent au salon pour le café et les liqueurs, Victor avait complètement révisé ses jugements initiaux sur la jeune fille. Il ne pouvait s'illusionner sur ses sentiments envers elle, non plus que sur leur réciprocité. Mais était-il prêt, lui, à les assumer – comme elle y paraissait disposée ? L'incertitude aggrava son trouble.

Ouvre donc les yeux, imbécile ! finit-il par se morigéner. La réalité est assez aveuglante : tu la désires depuis le premier instant où tu l'as vue. Si ce n'est pas de l'amour, qu'est-ce donc ?...

18

Depuis une demi-heure, Victor et Francesca gravissaient d'un bon pas le sentier en lacet. Ils se trouvaient déjà très haut dans la montagne et au-dessous d'eux le château prenait l'allure d'une maison de poupée. Ils se parlaient peu, trop absorbés chacun dans ses propres pensées. Le sentiment d'être si proches l'un de l'autre les retenait de s'extérioriser. Victor prenait enfin conscience de l'effet qu'il exerçait sur Francesca.

Sans tourner la tête, il caressa du regard la finesse de son profil, la fierté de son port de tête, ses cheveux où le soleil faisait jouer des reflets dorés. Loin de l'alourdir, sa cape de loden trop large et trop épaisse accusait sa fragilité. Jamais elle ne lui avait paru plus féminine, plus vulnérable et cette découverte éveillait en lui des réflexes protecteurs.

Après le déjeuner, lorsqu'elle l'avait accompagné pour lui montrer sa chambre, il avait failli céder au désir de la prendre dans ses bras. Tandis qu'il défaisait ses bagages, son parfum resté derrière elle ajoutait à son trouble. Et maintenant, alors qu'il contemplait son corps souple, si plein de jeunesse et de vitalité, Victor s'émerveillait de ressentir tant d'émotions oubliées, d'en éprouver de nouvelles.

Ils poursuivirent leur chemin en silence, s'enfoncèrent au cœur de la forêt. La pénombre verte y créait une atmosphère de paix profonde digne d'une cathédrale. Puis, à mesure que les arbres s'espaçaient, le ciel réapparaissait, la lumière se frayait un passage entre les branches, dessinait sur la neige des ombres mouvantes et fantastiques. Un rayon de soleil perça enfin la voûte végétale en faisant étinceler les stalactites de glace : alors, une lueur cristalline, irréelle, se refléta sur la blancheur du sol en une féerie dont l'aspect sublime arracha à Victor un cri d'admiration. Dieu, qu'il est bon d'être en vie ! se dit-il. Il se rappela le vœu formulé quelques jours auparavant, lors de la mort de Marcia. Ne gaspille plus ton temps. Profite du moment qui passe. Saisis chaque instant de bonheur. Imprudent ? Oui, sans doute. Mais que vaut la vie sans le piment du risque ?...

« Voici le kiosque dont parlait Diane au déjeuner. »

La voix de Francesca le tira de sa rêverie. De la main, elle désignait un petit bâtiment de pierre dressé sur la crête, à quelque distance de l'orée du bois. De forme circulaire, il comportait une toiture en dôme et était flanqué de piliers.

« De là-haut », reprit-elle, la vue porte à des kilomètres à la ronde, jusqu'à l'autre versant de la vallée.

En riant, Victor la défia à la course et s'élança. Francesca le rejoignit en haletant et il lui tendit la main pour gravir les marches menant à l'intérieur du pavillon. Elle l'entraîna aussitôt vers la baie opposée, d'où l'on découvrait un immense panorama. Les sommets enneigés se détachaient contre le bleu du ciel; le soleil déclinant projetait des ombres violettes sur le fond de la vallée.

Côte à côte, ils admirèrent en silence le paysage. D'un geste naturel, empreint de camaraderie, Victor entoura d'un bras les épaules de Francesca, l'attira contre lui. Serrée contre Victor, elle respirait à peine.

Son cœur battait la chamade, elle se sentait frémir d'un bonheur mêlé de crainte. Elle doutait encore de la réciprocité de ses sentiments. Victor se trouvait pourtant en proie à une émotion identique. Plus il retenait Francesca contre son épaule, plus son désir croissait et plus il lui coûtait de relâcher son étreinte.

Alors, comme s'ils s'étaient devinés, ils se tournèrent lentement l'un vers l'autre. Leurs regards se croisèrent pour ne plus se quitter, leur révélant dans toute son intensité une passion mutuelle si forte qu'ils en restèrent interdits. Francesca entrouvrit les lèvres, ne put extraire un son de sa gorge serrée. Victor sut toutefois lire sur ses traits l'expression d'un amour si total qu'il ne pouvait se méprendre; elle s'offrait à lui irrévocablement. Ils avaient tous deux atteint le point de non-retour; chaque seconde les rapprochait et resserrait leurs liens.

La maîtrise qu'il s'imposait depuis des semaines l'abandonna soudain. Il l'enlaça avec fougue, posa ses lèvres sur celles de Francesca, avidement. Elle lui rendit son baiser avec une ardeur, un abandon tels qu'il en fut bouleversé. Le sang lui martelait les tempes tandis qu'il couvrait de baisers ses lèvres, son cou, son visage...

Sans desserrer son étreinte, Victor l'entraîna vers l'intérieur du pavillon, à l'abri du vent froid. Adossée contre un pilier, Francesca ne voyait plus que son visage tout proche, ne sentait plus que la chaleur de son corps contre le sien. Leurs bouches se réunirent avec la même exigence passionnée, s'attardèrent dans la volupté d'un baiser où leurs âmes semblaient communier par leurs souffles mêlés. Francesca sentait se dissoudre sa volonté, n'aspirait qu'à se fondre tout entière en Victor; un délicieux frisson la parcourait, la faisait vibrer d'ondes brûlantes qu'elle aurait voulu prolonger éternellement.

Le premier, Victor retrouva sa lucidité. Poursuivre plus longtemps un tel paroxysme serait folie. Il lui incombait de mettre un frein à ce déchaînement que Francesca ne pouvait ni, sans doute, ne voulait entraver. Avec effort, il s'écarta enfin, drapa Francesca dans sa lourde cape qui avait glissé à terre. Puis il la serra dans ses bras avec une infinie tendresse et ils restèrent longuement enlacés, haletants, jusqu'à ce que s'apaisât le tourbillon de leurs sens. Lorsqu'ils se séparèrent, leurs yeux restèrent unis pour leur dévoiler à chacun le reflet de son propre émerveillement. C'est alors que Victor éprouva, pour la seconde fois, le choc de reconnaître un souvenir dont, malgré son désir, il ne parvint pas à préciser la réalité. Troublé, il leva la main, la posa sur la joue de Francesca. Leurs regards suffisaient à confirmer la profondeur de ce qui les unissait désormais. Sans un mot, ils sortirent du pavillon et reprirent le chemin du retour.

La main dans la main, encore bouleversés par la découverte de leur désir mutuel et de son intensité, ils dévalèrent la pente à grands pas. Le soleil avait depuis longtemps disparu derrière les montagnes, le ciel s'assombrissait, la fraîcheur vivifiante de l'atmosphère se muait en un froid mordant. En pénétrant sous le couvert des arbres, où l'obscurité se faisait plus épaisse, il serra la main de Francesca, lui adressa un sourire rassurant. Mais il leur tardait à tous deux de retrouver la chaleur réconfortante de la maison.

La brume s'était levée et roulait à leur rencontre sur le flanc de la montagne. Elle enveloppait les arbres d'écharpes translucides dont les formes fantasmagoriques trompaient la vision et modifiaient les perspectives. D'un accord tacite, ils pressèrent l'allure et c'est en courant qu'ils abordèrent le dernier tronçon du sentier. Quand ils émergèrent enfin de la forêt, la nuit tombait. Au bout de la longue prairie, ils aperçurent alors les lumières du château.

Avec un soupir de soulagement, Victor ralentit le pas.

« Nous arrivons à temps. J'aime autant ne pas être surpris par l'obscurité en pleine montagne.

— C'est vrai, on peut facilement se perdre. Diane m'a toujours avertie de rentrer avant le coucher du soleil. Elle doit déjà s'inquiéter. »

Ils arrivèrent enfin sur le seuil, traversèrent le grand vestibule. Une fois dans le vestiaire, pendant que Victor se débarrassait de son parka, il se tourna soudain vers Francesca et éclata de rire.

« Que se passe-t-il ? demanda-t-elle avec étonnement.

— Rien... Je pensais simplement au temps que nous avons perdu, à toutes les occasions que nous avons laissé passer, ces dernières semaines. C'est ma faute, je crois. Je n'arrivais pas à me décider, dit-il avec un sourire contrit.

— Pourquoi, Victor ?

— Tous mes problèmes, sans doute. Le film. Mon divorce. Ma décision de ne plus m'attacher à personne. Ton âge y a également été pour beaucoup, je crois. »

Francesca releva la tête, lui lança un regard de défi :

« J'aurai vingt ans en mai !

— Et moi, quarante en juin, répondit-il avec gravité. Je suis trop vieux pour toi, Francesca. De vingt ans... Avant que tu naisses, j'étais déjà marié. Non, vois-tu, poursuivit-il d'un ton de regret, ce serait injuste envers toi. Ce qu'il te faut, c'est un garçon de ton âge, pas un vieux débauché dans mon genre.

— Je n'ai rien entendu de plus idiot ! » s'écria-t-elle.

Son expression changea tout à coup, une soudaine tristesse assombrit son regard :

« Veux-tu dire que tu regrettes ce que... ce qui nous est arrivé tout à l'heure, là-haut ?

« – Voilà une question encore plus idiote que tout ce que j'ai dit », répliqua-t-il.

D'un geste résolu, il la prit par le bras, l'attira contre lui, l'embrassa comme pour effacer la peine encore visible sur ses traits. Il avait été sincère en exprimant les remords que lui causait leur différence d'âge. Mais peut-être avait-elle raison, tout compte fait. Cela importait-il autant qu'il se l'imaginait? Leurs sentiments mutuels ne l'emportaient-ils pas sur les autres considérations?

« Non, ma chérie, je ne regrette pas ce que nous avons fait », lui chuchota-t-il tendrement.

Francesca resta immobile, hypnotisée par l'intensité du regard posé sur elle où se lisait la puissance du désir qu'il éprouvait. Un frisson la parcourut, un vertige la fit vaciller. Elle dut baisser les yeux; quand elle les releva, elle répondit à la question informulée de Victor :

« Oui », dit-elle dans un souffle.

Avec un sourire plein de tendresse, Victor déposa un léger baiser sur son front. Il laissa courir un doigt sur la courbe de sa joue, le fit descendre jusqu'à son cou où il s'attarda.

« Allons vite tranquilliser Diane, dit-il. J'ai hâte d'être enfin seul avec toi... Tu le veux toi aussi, n'est-ce pas ? »

Incapable d'articuler un mot, Francesca hocha la tête.

Quelques minutes plus tard, lorsqu'ils pénétrèrent dans le grand salon, Diane les attendait patiemment au coin du feu. Francesca s'empressa de s'excuser de leur retard. Sa cousine l'interrompit d'un geste :

« Aucune importance, ma chérie. J'avoue m'être quand même inquiétée en voyant la nuit tomber. Venez vous réchauffer, vous avez l'air transis, tous les deux. Du thé brûlant vous fera du bien. »

Tout en remplissant leurs tasses, Diane demanda à Victor ses premières impressions. A un moment, elle interrompit sa phrase :

« Ah! j'allais oublier! Un M. Watson vous a appelé de Londres, tout à l'heure. Il m'a chargée de vous dire que votre valise vous parviendra demain après-midi au plus tard. Elle sera livrée par porteur spécial, du service de messageries dont *Monarch* se sert pour l'envoi des films. »

Stupéfaite, Francesca mit un instant à comprendre la signification de ce qu'elle venait d'entendre.

« Il était inutile de vous faire envoyer votre smoking, Victor! s'exclama-t-elle. L'anniversaire de Diane ne justifiait pas une pareille dépense, voyons! »

Il eut un geste nonchalant :

« Bah! J'avais oublié deux ou trois choses en partant, autant profiter de l'occasion. Le messager trouvera-t-il la maison sans trop de mal ?

– J'y ai pensé, répondit Diane. M. Watson et moi sommes convenus que Manfred ira au-devant du porteur à l'aéroport et rapportera votre valise ici.

– Je ne sais comment vous remercier...

– Ce serait plutôt à moi d'être confuse d'une telle marque de galanterie, l'interrompit Diane en riant. Francesca a raison, mon petit dîner ne méritait pas que vous vous donniez tout ce mal.

– C'est au contraire la moindre des choses. Si les hommes restent en tenue de ville, les dames n'auront pas l'occasion de montrer leurs belles robes du soir. Car c'est bien le but de l'opération, n'est-ce pas ? »

Ils rirent tous trois de la boutade. Diane et Victor se lancèrent ensuite dans une conversation animée sur les pistes de ski avoisinantes. Francesca ne les écoutait plus; les yeux mi-clos, apparemment baissés vers sa tasse de thé, elle observait Victor. Quelle extravagance! se disait-elle. Seule, une vedette hollywoodienne pouvait se permettre ce genre de fantaisie : se faire expédier son smoking par avion pour une soirée !... Venant de tout autre que Victor, elle aurait aussitôt jugé ce coup d'éclat prétentieux et de mauvais goût. De tels qualificatifs ne pouvaient cependant s'appliquer à Victor. Elle comprenait, au contraire, qu'il ne s'était soucié ni du coût de son geste, ni de l'effet qu'il produirait. Il n'avait cherché qu'à faire plaisir – à Diane, bien entendu, et à elle-même aussi. Diane avait su trouver le mot juste : il s'agissait d'une marque de galanterie.

Francesca posa ouvertement son regard sur Victor, que Diane écoutait avec attention. Elle se força à le considérer objectivement, tel qu'il apparaissait aux autres. Victor était beau, inutile de le nier. Elle détailla ses traits virils, sa physionomie ouverte, ses yeux expressifs. Il émanait de toute sa personne une vitalité, une autorité impossible à mésestimer. Au souvenir de ses baisers, elle se sentit frémir. Une rougeur lui monta aux joues à l'évocation de ses caresses.

« Vous m'avez laissé du thé, j'espère ! »

La voix chaleureuse de Christian l'arracha à sa rêverie. Elle se retourna, sourit à son cousin sur le seuil de la pièce. Soulagée de cette diversion, elle lui fit signe de s'approcher :

« Viens donc, qu'attends-tu ? Il en reste une pleine théière. »

Tandis que le jeune homme manœuvrait son fauteuil roulant, Victor espéra que son sourire dissimulait sa déconvenue. Francesca et lui se trouvaient pris au piège. Il leur devenait impossible, sans incorrection grave, de s'éclipser aussi vite qu'il l'aurait souhaité. Résigné, il se laissa retomber dans son fauteuil, alluma une cigarette. Il fallait d'urgence trouver un moyen élégant de prendre la fuite.

Victor s'engouffra en courant presque dans le couloir et ouvrit sans ralentir la porte de Francesca. Enfin à l'intérieur, adossé au vantail, il lui décocha un regard faussement réprobateur :

« Bravo ! Riche idée de demander à Christian de me faire les honneurs de sa collection de fusils de chasse ! »

Francesca pouffa de rire :

« Je ne comprends pas moi-même ce qui m'est passé par la tête...

— Il y a de quoi te faire d'amers reproches, répondit-il en retenant mal son sourire. Une demi-heure, une longue demi-heure à l'écouter discourir pendant que je brûlais d'impatience de te rejoindre ici !

— Tu as eu de la chance de t'en tirer à si bon compte. Mon cher cousin devient volontiers intarissable sur la question.

— C'est le moins que l'on puisse dire ! »

Ils rirent ensemble, mais d'un rire contraint. Victor restait près de la porte, hésitait à s'approcher. Francesca était assise près de la cheminée, toujours vêtue de sa tenue de ski et la pièce était dans la pénombre.

Un sourire hésitant, craintif encore, apparut sur ses lèvres, s'évanouit aussitôt pour faire place à l'expression d'un désir où Victor reconnut le reflet du sien. Alors, sans plus hésiter, il tourna la clef dans la serrure, traversa la chambre les bras tendus. Francesca s'y jeta, se blottit contre lui. Leurs lèvres se joignirent dans un renouveau d'impatience. Etroitement enlacés, ils prolongèrent leur baiser. Leurs cœurs battaient à l'unisson, leur désir croissait. En un instant, sans s'être consultés, ils se dévêtirent et se retrouvèrent allongés côte à côte sur le lit.

Soudain frappée d'un dernier sursaut d'appréhension, Francesca se sentit paralysée, agitée d'un tremblement incontrôlable. Avec douceur, il la prit dans ses bras, lui caressa le visage, les épaules. Blottie contre lui, elle attendit qu'il apaisât sa nervosité.

« Je craignais que tu ne me rejoignes pas, murmura-t-elle. Je t'attendais, effrayée que tu aies changé d'avis. En vérité, je t'attendais depuis des semaines, des mois... »

Et moi, je t'attendais depuis de longues années. Stupéfait d'une telle pensée, surgie à l'improviste de son inconscient, Victor se retint de la formuler et le regretta aussitôt. D'autres paroles lui vinrent aux lèvres :

« Nous nous sommes trop longtemps attendus, Francesca. Ne perdons plus le temps qui nous est imparti. »

Encore tremblante sous ses caresses, elle les lui rendit avec la même ardeur qui l'habitait quelques heures plus tôt dans le pavillon, sur la montagne. Peu à peu, elle se détendit, se sentit s'épanouir sous la main de celui qu'elle aimait. Et lui, bouleversé par l'innocence, la profondeur et la sincérité de l'amour qu'il découvrait en elle, comprit en cet instant qu'il ne pouvait ni ne voulait se séparer d'elle. Cette attirance, inexplicablement éprouvée pour elle dès leur première rencontre, était-ce de l'amour? Il ne pouvait plus en douter.

Longtemps plus tard, leur étreinte se relâcha et ils se séparèrent, épuisés mais au comble du bonheur; Francesca mesura alors pleinement l'étendue de son amour pour lui. Ils s'étaient donnés l'un à l'autre, ils s'appartenaient aussi totalement que le peuvent deux êtres. Peu lui importait qu'il y ait eu, avant elle, d'innombrables femmes dans la vie de Victor. Elle avait reconnu intuitivement qu'un événement exceptionnel était survenu, pour lui aussi bien que pour elle. Du fond du cœur, elle savait que Victor l'aimait désormais autant qu'elle l'aimait. Loin de s'estomper, son extase atteignait de nouveaux sommets et elle crut éclater de bonheur. Blottie contre lui, dans ses bras, elle se serra plus fort avec un renouveau de tendresse passionnée.

Epuisé, Victor était dans un état second. Il avait aimé Francesca comme aucune femme auparavant, avec toute la passion de son cœur et de son âme. Il ne savait plus ce que nous éprouvons lorsque toutes nos aspirations, tant morales que physiques, se voient comblées. Sans doute était-ce sa faute. Il avait toujours cherché le réconfort là où il n'existait pas et n'y avait trouvé que le néant. Pour la première fois, il n'en était pas de même.

Dressé sur un coude, il contempla Francesca. Le feu mourait, l'obscurité avait gagné la chambre, mais il y voyait assez clair. Qu'a-t-elle de si différent des autres ? se demanda-t-il. Que possède-t-elle qui me trouble si profondément ? L'intensité de son regard, la manière dont elle prononce mon nom ? La sensation de déjà vu lui revint. Cet éclair dans les yeux, cette intonation, il les avait vus, entendus longtemps, très longtemps auparavant. Dans un passé évanoui...

Ellie ! Francesca lui rappelait Ellie, sa première femme, la seule qu'il eût aimée. Elles ne se ressemblaient en rien, leurs personnalités différaient, certes. Mais il y avait entre elles un rapport, celui du caractère. L'une comme l'autre, elles possédaient la franchise, la sincérité, la bonté foncière qui révèlent une beauté intérieure dont toutes deux étaient dotées. La gorge nouée par l'émotion, il se pencha, déposa un baiser sur le front de Francesca, la serra tendrement contre lui. Tout s'éclairait enfin dans son cœur.

Etroitement enlacés, ils restèrent un long moment sans parler, chacun perdu dans ses propres pensées, le regard distraitement fixé sur la lueur ondoyante des braises. Lorsqu'il vit Francesca frissonner, Victor tira sur elle la couverture en un geste plein de tendresse; et ils poursuivirent leur rêverie.

Un dernier scrupule, qui ne l'avait pas quitté, poussa enfin Victor à rompre le silence :

« J'étais... je suis le premier, n'est-ce pas ? » murmura-t-il.

Sans répondre, Francesca fit signe de la tête.

« Pourquoi ne me l'as-tu pas dit ?

— Je n'y avais même pas pensé. Quelle importance ? Cela compte-t-il pour toi ?

— Oui... Oui, à bien des égards, répondit-il en hésitant. Mais tu as raison. Peu importe, maintenant.

— C'était... merveilleux, tu sais », dit-elle en rougissant.

Il sourit, ému de cet aveu pudique. En se détournant, Francesca vit le cadran de sa pendulette de voyage. Elle se leva d'un bond :

« Mon Dieu ! Déjà huit heures.

— Nous avons à peine le temps de nous changer pour le dîner. Je file dans ma chambre. »

Victor se leva à son tour, remit ses vêtements à la hâte. Debout l'un devant l'autre, ils se dévisagèrent, s'étreignirent, incapables de se séparer. Le premier, Victor s'écarta :

« Dépêchons-nous, dit-il avec un sourire contraint. Si nous tardons davantage, tes cousins vont jaser. »

Longtemps après qu'il eut tiré la porte derrière lui, Francesca était toujours immobile au même endroit.

19

Le lendemain soir, une fois exécutées les dernières retouches à la robe que Diane avait prêtée à Francesca pour la réception, les deux jeunes filles bavardèrent longuement. Prête à partir, la main sur la poignée de la porte, Diane se retourna une dernière fois :

« Je suis si heureuse pour toi, ma chérie. J'avais raison, je crois, en te prédisant que tout s'arrangerait. »

Francesca eut un sourire plein de gaieté :

« Victor trouvait un aspect magique à Wittingenhof. Tu vois, le charme a opéré. Oh ! Diane ! Si tu savais comme il est merveilleux...

– Et si plein de sang-froid.

– Que veux-tu dire ? »

Devant l'expression inquiète de sa cousine, Diane s'empressa de préciser :

« Je ne le critique pas, au contraire. Je fais simplement allusion à son comportement d'hier soir, pendant le dîner. Son impassibilité m'a vivement impressionnée. Quant à toi, tu m'as stupéfaite. Quel calme, quelle dignité !

– Tu ne t'attendais quand même pas à me voir sauter de joie ou tomber en pâmoison ! Christian et toi êtes au courant, mais ce n'est pas une raison pour nous afficher. D'ailleurs, Victor pousse très loin son désir de discrétion. Il m'a fait mille recommandations pour ce soir, figure-toi.

– Je le comprends. Mais ce qui compte, plutôt que les apparences, ce sont vos véritables sentiments l'un pour l'autre. Allons, il faut que je me dépêche si je ne veux pas recevoir nos invités en robe de chambre. »

Une fois seule, Francesca retourna s'asseoir à sa coiffeuse. La carte y était restée, qu'elle relut en souriant : *Pour toi, ma chérie, parce que tu l'es pour moi. Victor.* Elle l'avait trouvée avec le paquet posé sur son lit lorsqu'elle était venue se rafraîchir avant le déjeuner, peu après le retour de Diane et de Victor partis skier de bon matin. La signification de la phrase lui avait échappé jusqu'à ce qu'elle défît le paquet : *Joy,* de Patou. Le plus gros flacon qu'elle eût jamais tenu entre ses mains ! Le sous-entendu lui fit autant de plaisir que le cadeau lui-même.

Elle déboucha le flacon, appliqua quelques gouttes de parfum derrière ses oreilles. Quel homme merveilleux jusque dans ses extravagances, se dit-elle en imaginant le mal qu'il s'était donné pour se procurer les cadeaux à Londres. Il avait communiqué ses instructions par téléphone à Jake Watson, qui avait joint au smoking une collection de disques pour Diana. Le tout était parvenu à Königssee peu avant midi.

Un bruit de pas dans le couloir rappela Francesca à la réalité. Elle se jeta un dernier regard critique dans le miroir, lissa une mèche de cheveux pourtant impeccable, vérifia son discret maquillage avant de se diriger vers la porte.

Christian était seul au salon lorsqu'elle y pénétra. Francesca se pencha pour l'embrasser :

« Quel chic ! s'écria-t-elle gaiement. J'avais peur d'être horriblement en retard. Je vois que je suis la première.

– Recule-toi que je t'admire, répondit-il en souriant. Je te trouve particulièrement ravissante, ma cousine. Moins gamine, si tu me pardonnes l'expression. Plus féminine. Serait-ce ta coiffure relevée ? En tout cas, ta nouvelle personnalité me plaît infiniment. Ce soir, les hommes n'auront d'yeux que pour toi.

– Tu es trop bon, mon cousin ! Disons plutôt que tu n'as pas l'habitude de me voir aussi élégamment vêtue, grâce à Diane, je m'empresse de préciser. »

Mon bonheur serait-il aussi visible ? se demandat-elle. L'amour transparaît-il sur les traits du visage ? Francesca n'en avait cure. Victor préférait le secret mais elle aurait voulu clamer sa joie à la face du monde.

Diane les rejoignit à ce moment-là, s'excusa de les avoir fait attendre.

« Le résultat en vaut la peine. Tu es éblouissante ! s'écria Christian. Entre Francesca et toi, nos pauvres invitées vont être malades de jalousie. »

La coiffure de Diane, dont les longs cheveux tombaient en souples boucles entremêlées de rubans et de fleurs, était en effet spectaculaire. Elle contrastait de façon parfaite avec sa robe de soie bordeaux dont les lignes simples mettaient admirablement sa silhouette en valeur.

« Je ne sais pas ce que vous en pensez, mais je meurs de soif ! reprit Christian. Victor ne tardera sans doute pas à nous rejoindre et j'estime qu'il est grand temps de déboucher le champagne. D'accord ? »

Assise à sa place favorite, près de la cheminée, Diane l'interrompit soudain :

« Ah ! Victor, vous voilà. J'allais justement leur raconter vos prouesses de ce matin. »

Souriant, le visage hâlé, Victor s'avança vers eux. Francesca ne l'avait encore jamais vu en tenue de soirée et elle sentit son cœur palpiter. S'accoutumerait-elle un jour à sa présence, à son incomparable séduction ? Déjà, Victor s'inclinait devant Diane, lui offrait son cadeau d'anniversaire dans une éblouissante imitation de Clark Gable. Il alla serrer la main de Christian. Tous ensemble, ils levèrent leurs verres à la santé de Diane en lui souhaitant un bon anniversaire. Ils avaient à peine terminé quand Manfred apparut à la porte pour annoncer l'arrivée des premières voitures à la grille.

« Excusez-moi, il faut que j'aille accueillir nos hôtes. Tu viens, Christian ?

– Je te suis. »

Francesca remit de l'ordre, rassembla les emballages froissés pour les jeter dans la cheminée. Comme elle passait devant Victor, il la prit par le bras et l'attira contre lui.

« Attention, cher monsieur, dit-elle d'un ton réprobateur que démentait son regard. Si l'on nous voyait, on s'imaginerait je ne sais quoi.

– Très juste ! fit-il en riant. En attendant, ne t'éloigne pas et renseigne-moi sur les gens à mesure qu'on me les présentera. »

Ils se placèrent dans l'axe de la porte, à distance respectueuse l'un de l'autre :

« Je ferai de mon mieux, répondit Francesca, mais je ne connais pas tout le monde. Celle qui embrasse Diane en ce moment, c'est la princesse Astrid von Böler. Kim en était amoureux fou jusqu'à ce que son mari y mît bon ordre.

– Pas possible ! Il a bon goût, ton frère. Avec qui est-elle, son mari ?

– Non. Un comte polonais affligé d'un nom imprononçable, Vladimir quelque chose. Son dernier... ami intime, je crois.

– Et ces deux-là ?

– Les Dürmann. Il est dans la banque ou la finance. Des gens charmants. »

Pendant les quelques minutes qui suivirent, Francesca fit ainsi la présentation des invités, huit couples en tout. Bientôt, Victor et elle se trouvèrent séparés l'un de l'autre. Deux hommes s'efforcèrent d'accaparer l'attention de Francesca tandis que Victor attirait les femmes comme un aimant. Très à l'aise dans son rôle de vedette, il tenait l'avant-scène avec un plaisir évident – sans négliger de lancer à Francesca un regard complice ou un sourire de temps à autre. Elle abandonna très vite tout espoir de le rejoindre et constata, non sans dépit, avec quelle habileté il donnait à chacune de ses admiratrices l'impression de ne flirter qu'avec elle, tout en répandant ses attentions sur toutes. Piquée par ce manège, elle décida alors de lui rendre la pareille – ce qu'elle réussit sans peine. Elle eut même la satisfaction, à un moment, de surprendre le regard courroucé que Victor lui décochait de loin. Ravie, elle eut du mal à ne pas éclater de rire au nez de son interlocuteur.

Le dîner fut enfin servi et tout le monde se dirigea vers la salle à manger. La beauté particulière de la maison, dont Victor avait été frappé lors de son arrivée, semblait plus éclatante encore ce soir-là. Sous la lumière de dizaines de bougies, la pièce prenait un aspect féerique. Le cristal et l'argenterie scintillaient sur la table, des gerbes de fleurs posaient des touches de couleur. Une atmosphère de gaieté régna dès le début du repas, la conversation s'établit sans contrainte. Assis chacun en bout de table, Victor et Francesca communiquaient par un regard, un sourire. Mais Francesca comprit vite que Victor, aux yeux de tous, passait pour le chevalier servant de Diane – impression qu'il s'employait d'ailleurs à renforcer discrètement.

Amusée, Francesca le contempla avec la satisfaction que donne le sentiment de la possession. Il était à elle, tout à elle. A la pensée de se retrouver seule avec lui dans quelques heures, elle fut parcourue d'un frisson de plaisir. La vie réserve bien des surprises, se dit-elle. Moins d'une semaine auparavant, elle se desséchait comme une feuille d'automne privée de sève, elle se désolait de lui vouer un amour sans espoir et de le savoir hors de sa portée. Ce soir, elle jouissait de la vie comme jamais et respirait le bonheur. Cette métamorphose, elle ne la devait qu'à une seule personne : Victor. Il était devenu le centre de son univers. Auprès de lui, plus rien n'existait, les autres pâlissaient...

Elle prêtait une oreille distraite aux propos de ses voisins, répondait par un sourire. Puis, d'un seul coup lui sembla-t-il, le dîner se termina. L'assistance porta des toasts à l'hôtesse. Un gâteau d'anniversaire fit son apparition.

Penché vers Diane, Victor lui glissa à mi-voix :

« Vingt-sept bougies ! C'est de l'héroïsme de dévoiler ainsi votre âge.

— Mon cher Victor, une femme qui préfère ignorer son âge ne se connaît pas elle-même. Pour ma part, je fais de mon mieux pour savoir qui je suis. »

Les derniers invités se retirèrent bien après minuit. Tandis que Diane et Christian faisaient leurs adieux, Victor et Francesca demeurèrent seuls au salon.

« Enfin ! dit Victor avec un soupir de soulagement. J'ai l'impression de ne pas t'avoir vue de la soirée.

— Moi aussi. Mais la soirée était amusante, tu ne trouves pas ?

— C'est vrai... »

Confortablement installé sur un canapé, un cognac au creux de la main, Victor se détendit, regarda distraitement autour de lui. Ses yeux se posèrent alors sur les photographies qui l'avaient intrigué le jour de son arrivée.

« Je ne veux pas paraître indiscret, mais je suis dévoré de curiosité. Je sens une sorte de mystère autour de ton oncle et de ta tante. Où sont-ils ? Nous ne les verrons donc pas ? »

Francesca se raidit, son expression devint grave :

« Ma tante habite Berlin-Ouest... Je préférerais ne pas en parler, Victor. »

Du seuil de la pièce, la voix de Christian parut lui faire écho :

« Quant à mon père, nous ignorons où il se trouve. En fait, nous ne savons même pas s'il est toujours vivant. »

Tout en parlant, le jeune homme était venu les rejoindre à côté de la cheminée. Gêné, Victor s'éclaircit la voix :

« Je vous présente mes excuses. Rien de tout cela ne me regarde et...

– Pas du tout, Victor, votre curiosité est bien naturelle. J'ai entendu votre question à Francesca et je n'ai aucune raison de ne pas y répondre. Nous n'aimons guère parler de notre père, c'est vrai, car il est plus facile de fermer les yeux. Il n'empêche que nous ne pouvons oublier et que nous nous posons toujours des questions sur son sort...

– Il est mort, tu le sais très bien ! »

L'interruption de Diane, son ton véhément les firent sursauter. Elle s'avança, très pâle, prit sa place habituelle et poursuivit :

« Moi, en tout cas, je crois à sa mort. Je n'accorde aucun crédit aux histoires invraisemblables que... Victor, soyez gentil. Donnez-moi quelque chose à boire, voulez-vous ? »

Les mains jointes, Francesca regardait furtivement ses cousins et regrettait l'inopportune intervention de Victor. Il aurait mieux valu, la veille, lui faire un pieux mensonge et lui dire, par exemple, que son oncle et sa tante vivaient tous deux à Berlin.

Victor revint, tendit à Diane son ballon de cognac :

« N'en parlons plus. Je suis vraiment navré...

– Pas du tout, intervint Christian. Nous vous devons une explication, n'est-ce pas Diane ? »

Celle-ci approuva d'un signe de tête.

« Asseyez-vous, mon cher ami. L'histoire sera longue. Je l'ai reconstituée, ces dernières années, à l'aide de renseignements fragmentaires obtenus auprès de ma mère, de ma grand-mère, de quelques amis de mon père. Je ne vous infligerai pas un long exposé historique sur la prise du pouvoir par Hitler. Cependant, afin de mieux comprendre ce qui est arrivé à mon père, rappelez-vous l'état de l'Allemagne à cette époque-là. »

En quelques phrases, il brossa un tableau du pays au moment de la chute de la République de Weimar. L'économie en ruine, le chômage, l'inflation, la décomposition sociale et politique avaient préparé l'ascension du dictateur, l'« homme providentiel ». Pour les libéraux, il s'agissait d'un drame que certains, tel le prince von Wittingen, combattirent activement mais secrètement. Militant d'un réseau, dont les membres s'étaient donné des noms de fleurs, Kurt von Wittingen devint conseil de la firme Krupp vers 1935. Se déplaçant dans toute l'Europe, il pouvait recueillir de précieux renseignements et agir en conséquence. Dès 1938, conscient du cours inéluctable des événements, il résolut de mettre sa famille à l'abri en Suisse où il se rendait parfois.

« Nous l'avons fort peu vu en 1941, poursuivit Christian, encore moins en 1942, mais il réussit à passer quelques semaines avec nous au début de 1943. Ma mère s'alarmait de ses activités clandestines et le pressait de rester en Suisse. Il refusa : le réseau avait plus que jamais besoin de lui, disait-il. Il était également préoccupé du sort de sa mère, veuve depuis plusieurs années, qui habitait seule à Berlin. Il rentra donc en Allemagne à ce moment-là, décision funeste s'il en fut. »

Victor avait écouté avec une extrême attention :

« Vous n'avez donc plus revu votre père après cela ?

– Moi, si. Ma mère et Diane n'ont pas eu cette joie. Mais n'anticipons pas sur le déroulement de mon histoire... »

De retour à Berlin au printemps de 1943, Kurt von Wittingen ne donna plus signe de vie à sa famille. Alors âgé de près de dix-huit ans, Christian décida de tranquilliser sa mère dont l'inquiétude croissait de jour en jour et de partir à son tour pour Berlin. Il y parvint en faisant jouer les relations de sa famille et arriva sans encombre chez sa grand-mère. Elle lui dit avoir vu son père quelques mois auparavant et, depuis, être elle aussi sans nouvelles. Elle ne s'en inquiétait cependant pas outre mesure : ignorante des menées subversives de son fils, elle le croyait en voyage pour le compte de Krupp, car il appartenait toujours officiellement à cette firme.

« Le lendemain de mon arrivée, j'ai été arrêté par la Gestapo. Ils avaient apparemment réussi à découvrir en la personne de mon père un meneur antinazi et faisaient surveiller la maison... »

Christian s'interrompit brièvement. Un sourire amer apparut sur ses lèvres.

« Ces messieurs m'ont offert l'hospitalité six mois, reprit-il. Ils m'ont interrogé sans relâche nuit et jour, pour se résoudre finalement à me libérer. Depuis, je n'ai plus été capable de me servir de mes jambes. »

Ses mots furent accueillis par un silence si profond que, plusieurs minutes durant, l'on n'entendit que le sifflement et le crépitement des bûches. Victor porta son verre à ses lèvres d'une main tremblante, dévisagea Christian qui lui rendit son regard avec gravité :

« J'ai tenu, dit-il calmement. N'y voyez aucun héroïsme particulier de ma part, mais simplement le résultat de mon ignorance. Je ne savais rien des faits et gestes de mon père, aussi n'ai-je eu aucun mal à le leur répéter sans me contredire. Ma grand-mère a réussi à me soigner de son mieux, compte tenu des difficultés de l'époque. En 1944, Dieter Muller, l'ami de mon père venu récemment nous rendre visite, m'a fait parvenir un message : *La gentiane bleue est en fleur.* J'ai aussitôt compris l'allusion; mon père était sain et sauf, ce qui a suffi à me redonner courage. Puis, au printemps de 1945, peu avant la chute de Berlin, mon père a miraculeusement reparu à la maison. Il ne nous a rien dit et je me suis bien gardé de le questionner. Au bout d'une quinzaine de jours, il est sorti un beau matin en annonçant qu'il rentrerait en fin de journée. Ni ma grand-mère ni moi ne l'avons revu... Veux-tu terminer le récit, ma chérie ? dit-il en se tournant vers Diane.

— Non, je vous en prie, c'est inutile, protesta Victor. Je ne sais comment exprimer mes regrets d'avoir ranimé de si douloureux souvenirs. J'ai agi avec une étourderie inqualifiable.

— Vous n'avez rien à vous reprocher, Victor, lui dit Diane. Et puisque le récit est commencé autant le terminer. Vous comprendrez mieux ainsi pourquoi Christian et moi manifestons tant de répugnance à évoquer ces événements. Au début, donc, Christian et ma grand-mère ne se sont pas autrement inquiétés de ne pas le voir revenir à l'heure prévue. Mon père les avait trop habitués à ses mystérieuses allées et venues pour qu'ils y trouvent quelque chose d'anormal. Il n'y avait d'ailleurs plus lieu de s'alarmer : la chute du Reich était consommée, Berlin tombait aux mains des Alliés. Que pouvait-il survenir à Gentiane Bleue, ennemi du régime défunt mais résistant héroïque aux yeux des vainqueurs ? Cependant, à mesure que les jours puis les semaines s'écoulaient, leur anxiété s'accrut et ils entreprirent des recherches. En vain : mon père s'était purement et simplement volatilisé. A quelque temps de là, un de ses camarades de réseau fit savoir à Dieter Muller qu'il avait été vu en train de parler à des officiers soviétiques, dans leur zone d'occupation, peu après avoir disparu de chez ma grand-mère. Cet informateur était persuadé que mon père avait dû être victime des derniers combats qui s'étaient déroulés à ce moment-là. Aussitôt, les recherches reprirent de plus belle, sans plus de résultat. Hôpitaux civils et militaires, cimetières, champs de ruines, rien... Mon père n'a jamais été retrouvé et nous nous sommes peu à peu habitués à admettre qu'il avait effectivement dû être tué par une balle perdue au cours d'un de ces engagements de dernière minute. »

Avec un soupir, Diane s'interrompit, alluma une cigarette pour se donner une contenance.

« Neuf ans s'étaient écoulés quand, il y a deux ans, Dieter Muller est venu voir ma mère. Il possédait, disait-il, une explication vraisemblable à la mystérieuse disparition de mon père. Au moment de la chute de Berlin, de nombreux civils allemands avaient été arrêtés par les Soviétiques. Un certain nombre d'entre eux commencèrent à être libérés vers 1953, 1954. Plusieurs détenus de la Loubianka, à Moscou, avaient eu connaissance d'un prisonnier enfermé au secret depuis 1945. Son signalement, évidemment très vague, correspondait, paraît-il, à celui de mon père. Convaincu d'avoir résolu l'énigme, Muller est alors venu en parler à ma mère et c'est à compter de ce jour-là que ses problèmes ont empiré.

– Que voulez-vous dire ? demanda Victor avec étonnement.

– Jusque-là, ma mère avait réussi à s'accoutumer à son veuvage et menait une vie retirée mais presque normale. A l'idée que son mari était peut-être encore en vie, en train de pourrir dans un cachot de la Loubianka, elle s'est métamorphosée au point... d'en perdre la raison. Elle oscille continuellement entre des crises de désespoir et des accès d'un optimisme excessif et, à mon avis, totalement injustifié.

— Vous ignorez donc toujours si ce prisonnier est ou non votre père ?

— En effet. Nous avons fait agir toutes nos relations dans le gouvernement. Celui-ci a présenté officiellement des demandes aux Soviétiques, mais le Kremlin a catégoriquement nié l'existence d'un tel prisonnier. Personne n'a rien pu obtenir. Voilà où nous en sommes.

— Pardonnez mon ignorance, demanda Victor, mais pourquoi les Russes auraient-ils arrêté votre père en 1945 ?

— Nous nous sommes posé la même question et nous heurtons une absurdité. Les Soviétiques l'ont vraisemblablement accusé d'espionner pour le compte des Américains, donc d'être un ennemi de l'U.R.S.S. Nombre d'Allemands se sont trouvés dans son cas à la même époque. Mais ce qui importe, c'est que ma mère le croit encore vivant dans un cachot à Moscou ou ailleurs.

— Et vous, Christian, quelle est votre opinion ?

— Franchement, je ne sais que penser. Un jour, je suis de l'avis de ma mère parce que j'espère, contre toute raison, revoir mon père vivant. Le lendemain, sans plus de justification, je partage la conviction de Diane et je suis persuadé de sa mort.

— Nous n'avons aucune preuve concrète, ni dans un sens ni dans l'autre ! s'écria Diane. Personnellement, je *préfère* savoir qu'il a été tué à la fin de la guerre et que son corps fait partie des milliers de cadavres non identifiés retrouvés dans les ruines. Je *préfère* le savoir mort que m'imaginer les souffrances qu'il a dû subir... »

Elle dut s'interrompre, la voix étouffée par l'émotion. Francesca se leva aussitôt pour aller s'asseoir près d'elle et la réconforter. Christian se tourna vers Victor, la mine pensive :

« Et vous, que pensez-vous après avoir entendu les faits tels que nous les connaissons ? »

Victor hésita longuement :

« Il m'est impossible de vous répondre, Christian. Je suis cependant d'accord avec vous deux sur un point : la situation est trop pénible pour ne pas tenter de l'oublier ou, du moins, éviter d'en parler. Ce soir, tout est ma faute. Ma curiosité est impardonnable...

— Arrêtez donc de vous excuser, voyons ! l'interrompit Christian. Vous n'avez pas du tout gâché la soirée.

— Au contraire, renchérit Diane avec un sourire courageux, vous me l'avez rendue doublement mémorable. Et maintenant, si vous le voulez, parlons d'autre chose. Pensons au présent et aux quelques jours à venir. Demain, Christian et moi devons nous rendre à Munich passer la journée avec notre mère et notre grand-mère. Astrid et Vladimir seront ravis de vous accompagner sur les pistes à ma place. Etes-vous d'accord ?

— Avec plaisir. Mais que va faire Francesca ?

— Elle ne restera pas toute seule, rassurez-vous ! dit Diane en riant. Elle vous rejoindra chez Astrid pour le déjeuner. Mais il est tard, nous devons partir de bonne heure demain matin. »

Elle embrassa Francesca, souhaita une bonne nuit à Victor. Christian prit congé peu après. Dès qu'ils furent seuls, Victor se tourna vers Francesca :

« Je suis vraiment insortable ! Quel imbécile j'ai été, ce soir ! Fourrer ainsi mon nez dans ce qui ne me regarde pas.

— Chut ! dit-elle en se blottissant contre lui. N'en parlons plus, mon chéri. Diane a raison, mieux vaut ne pas remuer les tragédies du passé et ne penser qu'à l'avenir. Ils ne t'en veulent pas de ta curiosité, rassure-toi. Ni moi non plus.

— Je ne m'en serais jamais consolé, dit-il en souriant. Es-tu fatiguée ? Pouvons-nous rester encore un peu ici ?

– Pourquoi pas ? Je vais mettre un disque. »

Elle se leva, éteignit quelques lampes. Dans la lueur chaude et dansante des flammes de la cheminée, ils demeurèrent enlacés sur le canapé, sans presque se parler, tout à la joie d'être seuls ensemble. Par la fenêtre, l'on distinguait la brillance des étoiles dans un ciel indigo où la lune, par moments, jetait des reflets argentés. Enseveli sous la neige, le paysage prenait une majesté paisible en accord avec le silence de la pièce.

Victor détourna les yeux, se laissa entraîner par ses pensées. Cette soirée avait été joyeuse, raffinée; les hôtes pleins de charme, cultivés, élégants. L'atmosphère insouciante convenait à la célébration d'un anniversaire. Et pourtant, en un contraste choquant, la sinistre histoire de Kurt von Wittingen rappelait une réalité toute proche encore, l'existence d'un monde où les noms de Dachau, Auschwitz ou Buchenwald projetaient leur ombre maléfique. Le Mal empoisonnait de sa présence éternelle jusqu'à l'innocence de cette nuit paisible... Un soupir lui échappa. Francesca leva les yeux vers lui :

« Qu'y a-t-il, mon chéri ? »

Il la contempla, fut tenté de lui communiquer ses réflexions, s'abstint sans savoir pourquoi.

« Rien. Tout va bien... »

Il lui caressa les cheveux, la joue, posa un baiser sur son front. Elle se blottit de nouveau dans ses bras. Le silence retomba.

Longtemps après, Victor se leva. Les braises étaient noires, le ciel pâlissait insensiblement. Il prit Francesca par la main, l'entraîna dans la galerie, en haut de l'escalier. Et à aucun moment il ne lâcha la main qu'il serrait dans la sienne.

20

PARVENU sur la place du Marché de Ripon, Terrence Ogden jeta une enveloppe dans la boîte aux lettres. En sifflotant allégrement, il reprit le chemin de l'hôtel où logeait l'équipe des *Hauts de Hurlevent*. Le temps splendide de cette matinée de juin lui rappelait son enfance, seuls souvenirs agréables conservés de sa jeunesse misérable à Sheffield. Heureusement, cette époque était bel et bien révolue. Pour lui, comme pour toute l'Angleterre, les temps avaient changé et sa réussite lui permettait de profiter de la vie en transformant celle de ses parents.

Il se redressa, respira profondément. Jamais, il ne s'était senti si bien physiquement et si heureux de vivre. Sans aller jusqu'à s'imposer une abstinence complète, il avait considérablement réduit sa consommation d'alcool; plutôt que de gaspiller ses forces dans une « noce » parfois sordide, il les consacrait tout entières à sa carrière.

Une voix le héla soudain :

« Terry ! Où vas-tu donc si vite ? »

Juché sur une bicyclette, Jerry Massingham le rejoignit en pédalant vivement. Une fois à sa hauteur, le directeur de production sauta de sa machine, encore essoufflé.

« Et toi ? répondit Terrence. Pourquoi fais-tu la course à une heure pareille ?

– La bicyclette est un excellent exercice. De toute façon, il fallait que j'aille à la poste avant la fermeture et il n'y avait plus une voiture disponible.

– Moi aussi, je reviens de la poste. Contrairement à ce que tu imagines, je n'ai pas l'habitude de traîner au lit à onze heures du matin !

– J'ai simplement été surpris de te trouver ici, compte tenu de ta mine cette nuit... Le tournage était dur et tu devais être crevé. Katherine aussi, d'ailleurs. Heureusement, tout s'est bien passé. Sauf accident, nous devrions pouvoir terminer vendredi prochain comme prévu. J'avoue que je ne serai pas fâché de nous voir tous rentrer à Londres. Une semaine de raccords en studio, et tout sera enfin mis en boîte !

– Tu dois être fou de joie, Jerry. Malgré la météo et les problèmes, nous n'avons dépassé ni le budget ni le temps de tournage.

– Un vrai miracle... En tout cas, je t'admire. Mark Pierce t'en a fait voir de toutes les couleurs. Quel empoisonneur, ce type !

– Oui, mais un réalisateur de premier ordre. Je n'ai pas été la seule victime de son mauvais caractère, tu sais. Tout le monde y est passé. »

Massingham hocha la tête. L'animosité de Mark Pierce pour Terrence Ogden crevait pourtant les yeux. Le directeur de production croyait en connaître la véritable cause. Victor soupçonnait quelque chose mais n'avait rien découvert de précis. Depuis le début, le tournage du film avait été pénible pour tout le monde. Il régnait sur le plateau une atmosphère pesante, faite de sourdes rivalités. Le dernier tour de manivelle apporterait un véritable soulagement.

Les deux hommes poursuivirent leur chemin en silence et parvinrent à l'entrée de l'hôtel. Ils stoppèrent, se lancèrent un regard étonné :

« Tiens, notre vedette nous quitte ? dit Terry. Je

croyais qu'il devait rester jusqu'au début de la semaine prochaine.

— Moi aussi, jusqu'à mardi. Il ne m'a même pas prévenu et j'avais encore des tas de questions à régler...

— Excuse-moi, se hâta de l'interrompre Terry, j'ai encore mille choses à faire jusqu'au déjeuner. »

Il abandonna le directeur à ses grommellements et pénétra dans le hall. Après s'être assuré qu'il n'y avait pas de messages pour lui à la réception, il prit l'ascenseur, monta au second étage et consulta sa montre. Il était onze heures trente, Katherine ne lui en voudrait pas s'il allait la voir maintenant. Elle lui avait dit qu'elle répétait son rôle en l'attendant.

« Te voilà, mon chou! s'écria-t-elle en lui ouvrant. Tu es dans une forme éblouissante, ce matin! »

Terry la toisa d'un regard connaisseur :

« Toi aussi. Le tournage de nuit te réussit. »

Elle l'entraîna vers des fauteuils disposés près de la fenêtre :

« Viens donc au soleil. J'ai commandé du thé et ces petits gâteaux au gingembre dont je raffole. Tu me tiendras compagnie.

— Volontiers. J'aurais tué père et mère pour en manger un, quand j'étais gamin. Pas de citron, du lait s'il te plaît... Dis donc, poursuivit-il en s'asseyant, savais-tu que Victor s'en allait? Jerry en est resté stupéfait. Tu étais au courant?

— Oui, il est venu me dire au revoir tout à l'heure.

— Evidemment, dit Terry en pouffant d'un rire ironique.

— Que suis-je censée comprendre par cet « évidemment »?

— Que le grand patron n'aurait pas pris congé sans faire ses zadieux zémus à son chouchou...

— Réjouis-toi d'en faire partie toi aussi, car il s'est également arrêté chez toi pour te faire des *zadieux*

301

non moins *zémus,* répliqua-t-elle d'un ton désinvolte. Comme tu étais sorti, il m'a chargée de te les transmettre.

— Ah ! bon, je vois !

— Je t'en prie, arrête de me taquiner au sujet de Victor ! s'écria Katherine avec agacement. Il ne fait pas plus attention à moi qu'aux autres membres de l'équipe.

— Allons, Katherine, à d'autres ! Tu déjeunes avec lui tous les jours ou presque, ton fauteuil sur le plateau est toujours à côté du sien, tu t'enfermes avec lui dans sa loge entre les prises et il ne te quitte jamais des yeux !

— Rappelle-toi que je suis sous contrat avec *Bellissima Productions* et que c'est mon premier film. Toi, tu as déjà l'expérience du cinéma. Victor veut simplement m'aider...

— En s'enfermant avec toi dans sa loge ? Amusant.

— Terry, ça suffit ! s'écria-t-elle avec colère. Tes sous-entendus sont souverainement déplaisants. D'ailleurs, tu sais très bien que je sors avec Kim Cunningham.

— Allons, ne monte pas sur tes grands chevaux, Minouche ! répondit-il d'un ton apaisant. Je n'ai donc plus le droit de te taquiner ? A propos, comment va Kim ? Il n'avait pas l'air fou de joie, hier soir. »

L'expression de Katherine s'assombrit :

« Il va bien, du moins je le pense, dit-elle avec un soupir. Il a l'impression que je le néglige, j'en ai peur. Il espérait que nous nous verrions tous les soirs pendant le tournage dans le Yorkshire et refuse de comprendre que c'est impossible. Pauvre Kim, ajouta-t-elle en faisant la moue, je n'ai pas eu beaucoup de temps à lui consacrer et j'ai l'impression qu'il m'en veut.

— Il devrait savoir qu'avec toi le travail passe

302

avant tout. Tu ne l'as donc pas averti ? répondit-il avec un sourire ironique.

— Si, mais... Explique-moi plutôt ce dont tu voulais me parler, poursuivit-elle. Tu avais l'air si mystérieux que je meurs de curiosité depuis ton coup de téléphone. Allons, je t'écoute. »

Terry la dévisagea prudemment, réprima un nouveau sourire :

« J'ai l'impression de passer mon temps à t'exprimer ma gratitude, depuis quelques mois. Je suis venu te voir ce matin pour te remercier encore une fois. »

Katherine hésita, parut fouiller dans sa mémoire :

« J'y suis ! s'écria-t-elle avec un cri de joie. Hillard Steed, n'est-ce pas ? Cela a marché ?

— Oui, comme sur des roulettes. Il m'a offert un contrat de trois films avec *Monarch,* je l'ai reçu hier par l'intermédiaire de mon imprésario, je l'ai signé et je viens de le mettre à la poste. Nous allons nous retrouver tous les deux à Hollywood, Katherine ! Le tournage de mon premier film débute en octobre, en même temps que le tien. Hillard a des projets grandioses à mon sujet, il parle de faire de moi une star... C'est à toi que je le dois, ma chérie. Je ne sais pas ce que tu as raconté à Steed sur mon compte, mais c'était manifestement efficace.

— J'en suis ravie, Terry ! s'écria Katherine avec une sincérité non feinte. Mais je n'ai pas eu grand-chose à faire, crois-moi. Tout le mérite t'en revient.

— Avoue quand même. Comment as-tu manigancé l'affaire ?

— Tu tiens à le savoir ? Eh bien, tu te rappelles que j'ai déjeuné avec lui aux studios de Shepperton, le mois dernier. Je me suis répandue en éloges sur ton compte, en ajoutant que Victor se montrait encore plus enthousiaste, au point d'avoir déjà préparé un contrat. Du coup, Hillard est devenu vert d'envie — tu sais comme il se montre jaloux de Victor dans son rôle de producteur. Alors, je n'ai eu qu'à lui donner le coup de grâce : « Quel dommage « que vous n'ayez pas pensé le premier à prendre « Terrence Ogden sous contrat ! Vous m'avez déjà « manquée d'un cheveu, et Victor en profite pour « rafler tous les jeunes acteurs de talent. » Après cela, le malheureux n'a pu avaler une bouchée ! poursuivit-elle en riant. Il m'a posé quelques questions, auxquelles j'ai répondu de manière très évasive, et je lui ai suggéré de prendre contact avec toi. Voilà toute l'histoire », conclut-elle avec une innocence désarmante.

Terry hocha la tête à plusieurs reprises, partagé entre l'incrédulité et l'admiration :

« Tu es incorrigible, dit-il enfin.

– Je sais ! Mais n'est-ce pas amusant comme tout ? Surtout quand j'obtiens des résultats.

– Ouais... Mais que serait-il arrivé si Hillard en avait d'abord parlé à Victor ? De quoi aurais-tu eu l'air ? »

Katherine lui décocha un regard exaspéré :

« Tu ne connais pas Hillard Steed. J'étais sûre, moi, qu'il mordrait à l'appât et prendrait d'abord contact avec toi pour couper l'herbe sous le pied de Victor. Elémentaire, mon cher Watson, dit-elle avec un haussement d'épaules nonchalant.

– Certes, mon cher Holmes... »

Il feignit de boire son thé pour mieux réfléchir à ce qu'il venait d'entendre. Certains n'auraient pas hésité à accuser Katherine de duplicité, voire de fourberie. Pour sa part, il préférait considérer ses tractations avec Hillard Steed sous un jour moins désobligeant et les attribuer à l'habileté d'une diplomate née, rompue à toutes les astuces de la négociation. En outre, se disait-il, Katherine savait user des ressources de son intelligence et profiter de sa beauté et de son apparente innocence pour décontenancer ses interlocuteurs. Etait-ce répréhensible ?

« Encore un peu de thé ? lui demanda-t-elle.

– Oui, merci. »

Terry l'observa avec objectivité. Ce matin-là, elle portait une blouse blanche de coupe simple et une jupe bleu marine qui lui donnaient l'allure d'une pensionnaire. En fait, avec sa chevelure tombant sur ses épaules et son visage dépourvu de maquillage, elle paraissait avoir seize ans. Et pourtant, se dit-il, ces dehors dissimulent une volonté inébranlable et une ambition dévorante servies par une exceptionnelle sûreté de soi. Fallait-il chercher dans cette dualité le secret de sa séduction ? Quelques mois auparavant, Terrence Ogden avait sérieusement envisagé d'y succomber ou, plutôt, d'user sans scrupule de son propre charme. Il y avait renoncé et, depuis lors, il n'éprouvait plus cette tentation, sans qu'il sût pourquoi. Maintenant, il lui importait peu de séduire Katherine. Il avait retrouvé le seul véritable amour de sa vie et un sens à son existence.

« Tu as l'air bien sérieux, Terry. Quelque chose qui ne va pas ? lui demanda-t-elle au bout d'un silence prolongé.

– Non, rien. Je rêvassais...

– A Barbara, sans doute ? » dit-elle en souriant.

Terry réprima un haut-le-corps. Sa remarque était-elle fortuite ? Que savait-elle, au juste ? Au prix d'un effort sur lui-même, il répondit négligemment :

« Barbara ? Que vient-elle faire là-dedans ?

– Je me demandais simplement comment elle prenait la nouvelle de ton prochain départ pour Hollywood.

– Elle est enchantée. Tu la connais, elle se réjouit toujours des succès de ses amis.

– C'est vrai, elle a un cœur d'or... »

Katherine se détourna en retenant à temps la suite de sa réflexion. Terry et elle avaient beau être liés par une solide amitié, Katherine savait jusqu'où aller.

« Et Norman, que dit-il de tout cela ? reprit-elle.

– Ce bon vieux Norman ! Il est ivre de joie. Tu te doutes que je l'emmène avec moi, bien entendu. Il restera mon habilleur, mon secrétaire, mon factotum. J'ai hâte de traverser l'Atlantique, je ne te le cache pas. Pour ma carrière, aussi bien que pour ma vie privée, le moment est admirablement choisi. Je n'aurais pu rêver mieux.

– Quelle joie de nous retrouver là-bas ! Nous allons nous amuser comme des petits fous, tu verras.

– Je l'espère bien... »

Il s'interrompit, retrouva un instant sa mine pensive :

« Il peut être très déroutant, tu ne trouves pas ?

– Qui cela ?

– Victor Mason.

– Je ne vois pas ce que tu veux dire...

– En apparence, on le croit insouciant, facile à vivre, mais c'est loin d'être vraiment le cas. Victor est dur, quand il le veut. Obstiné. Je l'ai vu, récemment, se bagarrer avec Mark Pierce, pas toujours pour des questions de budget d'ailleurs. Victor veut que les choses soient faites exactement comme il l'entend. Je le soupçonne volontiers de se montrer tyrannique, malgré son sourire charmeur...

– Tu as raison, en un sens. N'oublie cependant pas que Victor est le producteur du film, pas seulement sa vedette.

– Je sais et ce n'était pas vraiment une critique de ma part. Je remarquais simplement que Victor est beaucoup plus intelligent et volontaire qu'il ne veut bien le laisser croire. Non seulement je n'ai pas à me plaindre de lui, mais il a été parfait à mon égard depuis le début du tournage. Puisque nous en sommes au chapitre de tes admirateurs, que pense donc ton cher vicomte de ton prochain départ pour les lointains rivages de la Californie ? »

306

Katherine ne releva pas le sous-entendu et répondit calmement :

« Kim a d'abord été plutôt surpris de la nouvelle, mais il s'est fait à l'idée de notre séparation. Je ne serai d'ailleurs absente que quelques mois.

— Ah ! bon ? Je croyais que Victor avait déjà prévu de te faire tourner un autre film aussitôt après celui que tu dois faire avec Stanton.

— Il ne m'en a pas parlé. A mon avis, il n'y a rien de définitif à l'horizon. »

Terry s'abstint d'exprimer sa surprise. Il jeta un coup d'œil à sa montre, se leva :

« Il faut que je te quitte, Minouche. Estelle Morgan doit m'interviewer dans dix minutes et je suis obligé de l'inviter à déjeuner ensuite. C'est d'ailleurs aussi l'une des raisons de ma visite : peux-tu te joindre à nous ?

— Il n'en est pas question, voyons ! Estelle voudra rester seule avec toi.

— Mais moi, je ne veux pas rester seul avec Estelle. Elle me terrorise ! Sois gentille, je t'en supplie. Accepte. »

Katherine éclata de rire :

« On aura tout vu ! Toi, avoir peur d'un tête-à-tête avec une femme ? Elle ne te mangera pas, tu sais, et tu es parfaitement capable de te défendre... Enfin, si tu y tiens, je veux bien voler au secours d'un malheureux opprimé. Mais pas pour l'interview. Disons vers une heure, vous devriez avoir fini.

— Tu me sauves la vie ! Merci, ma chérie. Pendant que j'y pense, j'invite quelques amis à déjeuner demain au Lion Rouge, tu sais, cette merveilleuse vieille auberge dont je t'ai parlé. Veux-tu venir ? Avec Kim bien entendu. Invite aussi Francesca.

— J'en serai ravie. Francesca doit arriver d'une minute à l'autre, je le lui demanderai.

— C'est bien. Et n'oublie pas de me rejoindre à

treize heures au plus tard, je compte absolument sur toi. »

En sortant dans le couloir, il se trouva nez à nez avec Francesca. Ils se saluèrent, se sourirent et Terry disparut en courant. Katherine alla à la rencontre de son amie en poussant un cri de joie :

« Ta visite me fait un tel plaisir ! »

Francesca lui tendit un panier de fleurs :

« Tiens, voilà pour toi, lâcheuse ! Je les ai cueillies ce matin même dans notre jardin.

– Tu es un amour ! Installe-toi pendant que je les mets dans l'eau, je reviens tout de suite. »

Francesca se laissa tomber dans un fauteuil.

« Si je n'avais pas dû venir à Ripon faire des courses, je ne t'aurais pas revue ! Tu me manques, tu sais ! »

Katherine revenait à ce moment-là, chargée d'un grand vase plein d'eau fraîche. Tout en parlant, elle disposa les fleurs.

« Je sais, c'est idiot de ne pas nous voir plus souvent. Mais Mark nous mène comme des esclaves. »

Elle recula d'un pas, cligna les yeux pour juger son bouquet.

« Tout se passe bien, au moins ?

– Oui, tout le monde est enchanté... »

Il lui paraissait inutile de mettre Francesca au courant de l'atmosphère tendue qui régnait dans l'équipe. Avec un sourire insouciant, elle vint s'asseoir en face de son amie.

« J'ai une grande nouvelle à t'annoncer, déclara Francesca. Papa et Doris ont enfin décidé de se marier. »

Katherine pâlit, resta bouche bée :

« C'est merveilleux », réussit-elle à articuler.

Francesca lui jeta un regard surpris :

« Qu'as-tu, Katherine ? Tu as l'air toute chose. Je pensais que la nouvelle te ferait plaisir.

– Je suis étonnée, c'est tout. Depuis le temps qu'ils se fréquentent, je n'y croyais plus et j'avais cru comprendre que Doris retournerait vivre aux Etats-Unis. Après tout, elle y possède des intérêts considérables... A part cela, je suis ravie, naturellement. Ton père doit être très heureux, ajouta-t-elle en se forçant à sourire. Kim est impardonnable, il ne m'a rien dit quand je l'ai vu hier soir.

– Il n'était pas encore au courant à ce moment-là. Papa a téléphoné ce matin du Midi de la France et Kim était déjà sorti. Quoi qu'il en soit, ils ont l'intention de donner une grande réception à la villa que Doris a louée pour l'été, en août probablement. Tout le monde est invité, bien entendu. Promets-moi de venir, Katherine ! »

Katherine parvint à faire l'un de ses sourires les plus étincelants :

« C'est trop aimable de la part de Doris... »

L'invitation ne vient-elle pas plutôt de Francesca ? se demanda-t-elle.

« Elle sait combien Kim est amoureux de toi, voyons ! Elle m'a d'ailleurs précisé que tu pouvais séjourner aussi longtemps que tu voudrais à la villa. J'y resterai sans doute tout le mois d'août et tu devrais pouvoir te libérer au moins une quinzaine de jours, n'est-ce pas ?

– Sans doute, oui. Quand le mariage doit-il avoir lieu ? »

Katherine avait du mal à dissimuler son étonnement devant cette preuve d'amabilité de la part de Doris Asternan. Dès leur première rencontre, les deux femmes avaient éprouvé une vive antipathie réciproque.

« Pas avant novembre, je crois. Papa tient à ce qu'il soit célébré à Langley. Oh ! Mais tu seras en Californie à ce moment-là ! Je n'y pensais plus. Je nous voyais déjà demoiselles d'honneur ! »

Katherine ne put s'empêcher de pouffer de rire.

« Nous comptons quand même sur toi au Cap-Martin ? insista Francesca.

– Avec plaisir. Un peu de repos me fera du bien entre les deux films. Cette matinée aura décidément été pleine de surprises.

– Ah oui ? Lesquelles ?

– Terry est venu m'annoncer qu'il a signé un contrat avec *Monarch*. Pour célébrer l'événement, il donne un déjeuner demain et m'a chargée de te transmettre l'invitation.

– Quel dommage, Katherine, je ne pourrai pas. Je repars pour Londres cet après-midi.

– Pour Londres ? s'écria Katherine avec étonnement.

– Oui, as-tu déjà oublié ? Je t'ai dit que ma cousine Diane débarque de Paris demain matin. Elle vient passer quelques jours à la maison avec moi.

– C'est vrai, je n'y pensais plus. C'est dommage, si j'avais su, j'aurais demandé à Victor de t'emmener en voiture. Il vient de partir il y a moins d'une heure. »

Francesca se racla la gorge et plongea précipitamment vers son panier en affectant d'y chercher quelque chose. Sans relever la tête, incapable de regarder Katherine en face, elle répondit :

« Oui, en effet, c'est dommage. Mais j'aime autant prendre le train, tout compte fait. J'aurai le temps de relire mes notes.

– Le livre avance bien ?

– Mieux que je ne l'espérais. Mais j'ai encore un travail fou devant moi. Allons bon, j'ai oublié de faire une des courses... »

Katherine n'avait pas remarqué l'étrange comportement de son amie et reprenait le fil de la conversation :

« Tu ne pourras donc pas dîner avec moi ce soir ni déjeuner demain ? Je m'en faisais une telle fête, dit-elle avec dépit.

« – Réjouis-toi, au contraire. Tu auras Kim pour toi toute seule ! »

Katherine baissa les yeux à son tour pour dissimuler sa déception. Elle redoutait, précisément, de se retrouver en tête-à-tête avec Kim. Francesca, par sa seule présence, lui aurait évité une scène désagréable.

« Ecoute, autant que je te l'avoue. Kim est furieux contre moi, ces temps-ci. Il me reproche de l'avoir laissé tomber toute la semaine, alors que je n'y suis pour rien, je te l'assure. Il oublie que je ne suis pas ici en vacances mais pour travailler. J'ai déjà tant de problèmes que je supporte mal ses accès de jalousie. Mark est un tyran, poursuivit-elle avec un soupir, Victor se comporte en dictateur. Quant à Kim, il fait preuve d'une incompréhension totale. »

Francesca s'abstint de répondre aussitôt. Elle compatissait aux problèmes de Katherine, mais ne pouvait s'empêcher de comprendre le désappointement de son frère. Elle subissait le même genre d'épreuve avec Victor, trop plongé dans son travail pour lui prêter une attention autre que distraite, et elle en souffrait.

« Je crois pourtant que Kim se rend compte de l'injustice de son comportement envers toi, répondit-elle enfin. Nous avons eu une longue conversation, l'autre jour, et je ne me suis pas gênée pour lui dire ce que je pensais de sa conduite. Je l'ai même prévenu que s'il continuait à agir comme un enfant gâté il risquait de te perdre. Tu ne m'en veux pas de m'en être mêlée ?

– Au contraire, je t'en suis profondément reconnaissante ! s'écria Katherine. Tu as peut-être raison pour ce soir, mieux vaut que nous soyons seuls tous les deux. Nous aurons l'occasion de nous expliquer franchement.

– N'oublie cependant pas l'essentiel : Kim est follement amoureux de toi. Il trouve donc normal d'être à tes côtés le plus souvent et le plus longtemps possible. Quant à sa jalousie, poursuivit-elle en riant, elle est compréhensible. Tu es ravissante, constamment entourée d'hommes. Tu ne peux pas lui reprocher de voir des rivaux partout !

— Non, c'est vrai. Mais il n'a aucune raison de l'être...

— Les hommes n'ont pas besoin de raisons pour se conduire comme des imbéciles, ma chérie ! Allons, ne t'inquiète pas. Tout se passera à merveille ce soir, tu verras. Si j'en crois ce que disait Kim hier, il va se jeter à tes pieds et te demander pardon. »

Les deux jeunes filles se levèrent. Katherine prit Francesca par le bras pour l'escorter jusqu'à la porte.

« Il n'empêche, je serai contente de retourner à Londres la semaine prochaine, dit-elle. Les choses reprendront leur cours habituel... Oh ! Francesca, poursuivit-elle en l'embrassant. Tu es la meilleure, la seule amie que j'aie jamais eue de ma vie. Je ne sais pas ce que je deviendrais sans toi.

— Toi aussi, Katherine. Tu es la sœur dont j'ai toujours été privée. Non, les sœurs ne s'aiment pas toujours. Tu vaux mieux qu'une sœur », ajouta-t-elle avec gravité.

Les yeux de Katherine se voilèrent de larmes.

« Je ressens la même chose envers toi, dit-elle d'une voix étranglée par l'émotion. Et il en sera toujours ainsi. »

La spontanéité de Francesca, la sincérité de son affection redonnèrent à Katherine un profond sentiment de sécurité. Sans amour ou, plus simplement, sans louanges, elle perdait pied et doutait d'elle-même. Mais son amitié pour Francesca était trop grande pour qu'elle n'y puisât pas le réconfort d'un sentiment partagé.

312

Son euphorie ne dura pourtant guère. Ses pensées revinrent au prochain mariage de Doris Asternan et de David Cunningham et ses inquiétudes reparurent.

Le temps avait confirmé sa première impression : elle trouvait en Doris un adversaire. Son antipathie restait voilée de courtoisie, certes, mais Katherine ne s'y était pas trompée. Sa compatriote ne l'aimait pas et désapprouvait ses relations avec Kim. Doris manifestait en outre un instinct de propriété abusif envers tout ce qui concernait les Cunningham. Elle s'était instaurée leur protectrice et accueillait avec une méfiance particulière tout ce qui provenait d'Amérique. Katherine ne pouvait oublier l'inquisition qu'avait subie Victor, lors de leur week-end à Langley au mois de mai. Elle avait elle-même été jaugée, scrutée, questionnée sans relâche sur ses origines et son enfance à Chicago. Elle avait réussi, espérait-elle, à déjouer la curiosité de Doris sans lui laisser soupçonner qu'elle lui cachait quelque chose.

Je n'ai pourtant rien à cacher ! se dit-elle avec un mouvement de colère. Elle était cependant seule responsable de cette situation ridicule. L'innocent mensonge auquel elle avait recouru en déclarant être orpheline, au moment de son inscription au Conservatoire, avait pris au fil des années des proportions invraisemblables et l'avait enserrée dans un réseau d'autres mensonges. Elle ne trouvait plus la possibilité de s'en dégager et de dire la vérité. Pourquoi s'être laissé prendre à un tel piège ? Elle ne parvenait plus à expliquer l'absurdité de son comportement.

Elle fut tentée de s'apitoyer sur son sort et se ressaisit à temps. Il lui fallait maintenant sortir de cette impasse et rétablir la vérité. Il devenait urgent, indispensable de faire connaître son passé, dont elle n'avait pas à rougir. Le problème était ardu et Katherine abandonna très vite l'espoir de le résoudre en quelques instants. Malgré l'agilité de son esprit et les ressources de son imagination, cela prendrait du temps et de la réflexion.

Mais pourquoi, se demanda-t-elle, pourquoi Doris l'invitait-elle à passer des vacances sur la Côte d'Azur ? Ne serait-ce pas plutôt une initiative de Francesca ou de son père ? Doris aurait-elle lancé l'idée pour paraître large d'esprit aux yeux des Cunningham — avec le secret espoir d'attirer Katherine dans un piège, et de la « démasquer » ? Cette éventualité la fit frémir. Là encore, il faudrait longuement réfléchir, calculer, agir avec prudence.

Enervée par ces énigmes, elle se leva d'un bond. Elle devait rejoindre Terry Ogden dans moins d'un quart d'heure, elle ne pouvait plus se permettre de perdre son temps en de stériles spéculations. Au diable Doris Asternan ! Après tout, l'on n'était encore qu'au mois de juin, la confrontation n'aurait lieu qu'en août. D'ici là, elle saurait trouver la solution.

Elle quitta en hâte sa blouse et sa jupe, enfila un tailleur de lin bleu, se regarda dans le miroir. Elle se trouva pâle, les traits tirés, les yeux cernés. Malgré son peu de goût pour le maquillage, elle se résigna à corriger sa mine défaite à l'aide d'un fond de teint et d'une légère touche de fard sur les paupières. Satisfaite, elle se brossa les cheveux, arrangea sa coiffure. Ce soir, il lui fallait se montrer particulièrement tendre envers Kim, déployer des trésors de charme et de séduction pour s'assurer de son attachement. C'est ainsi, sans doute, qu'elle préparerait sa victoire sur Doris et garantirait le succès de son mariage avec Kim. Une expression de contentement effaça l'inquiétude de son visage, un sourire apparut sur ses lèvres. Lorsqu'elle pénétra dans le bar de l'hôtel, elle avait réussi à se persuader qu'elle était capable d'infléchir sa vie et les événements à sa guise.

21

PAR la porte ouverte à deux battants, le soleil pénétrait à flots dans le grand vestibule du château de Langley. Ses reflets dorés adoucissaient l'austérité des pierres grises et Francesca, un instant immobile sur les marches, admirait ce spectacle dont elle ne se lassait jamais. Bâtie en 1360 par James Cunningham de Langley, compagnon d'armes du Prince Noir, la forteresse n'avait guère changé d'aspect depuis. Ce passé belliqueux revivait dans cette vaste pièce : armures, bannières multicolores, épées et hallebardes disposées en faisceaux sur les murs.

Sur la longue table de chêne, une gerbe de fleurs cueillies le matin même par Francesca apportait une note de gaieté. La paisible beauté du lieu l'emplissait de joie; par une belle journée estivale comme celle-ci, le château de son enfance constituait un univers privilégié qu'elle n'aurait jamais voulu quitter.

Si seulement Victor avait pu rester ici pour le week-end au lieu de se précipiter à Londres ! se dit-elle avec dépit. Il souhaitait avant tout s'éloigner de l'hôtel de Ripon et de la curiosité de ses collaborateurs. Pour lui autant que pour elle-même, les dix derniers jours avaient été particulièrement éprouvants. S'ils n'avaient guère pu se voir, au moins s'étaient-ils fréquemment téléphoné. Victor n'avait cessé de se plaindre de la promiscuité dans laquelle il devait vivre, de son manque de liberté d'action, des contraintes imposées par son rôle d'arbitre dans les conflits soulevés par l'incompréhensible intransigeance de Mark Pierce, le metteur en scène. Il omettait toutefois de prendre en compte les contradictions de son propre comportement dont Francesca avait souffert : possessif lorsqu'ils étaient seuls, froid et détaché en public. Plus encore, cependant, lui répugnait le secret dont il fallait entourer ses faits et gestes. La dissimulation lui faisait horreur, particulièrement vis-à-vis de Kim et de Katherine à qui elle aurait tant aimé se confier.

L'arrivée d'un groupe de visiteurs la tira de sa rêverie. Elle échangea quelques mots avec Osborn, le guide, et disparut dans l'aile réservée aux appartements privés. Après avoir traversé une antichambre, la bibliothèque-fumoir et un couloir, elle ouvrit la porte de la cuisine. A son entrée, Val, la gouvernante, tourna la tête :

« Je suis prête à partir, lui dit Francesca. Je reviendrai le week-end prochain avec ma cousine.

– Quel plaisir de revoir Mlle Diane ! Tout sera prêt, mademoiselle, ne vous inquiétez pas. Je vous souhaite un bon voyage. Ne vous mettez pas en retard, surtout ! »

Avec un sourire, Francesca prit congé et rebroussa chemin. Au passage, elle saisit une petite valise et son sac à main posés sur un banc de l'antichambre. Puis, après avoir descendu le grand escalier de pierre, elle traversa la terrasse dallée et s'engagea dans une allée du jardin, abrité par un haut mur moussu. Ce jardin d'agrément, créé au XVIIIe siècle par la sixième comtesse de Langley dont le portrait par Gainsborough ornait le salon, constituait un ravissant tableau. Symphonie de couleurs vives ponctuées de touches de verdure aux mille nuances, il embaumait les roses et les fleurs estivales. A son extrémité, une porte de chêne rompait la monotonie du mur. Francesca l'ouvrit en faisant grincer les gonds, la referma avec soin et avança d'un pas vif dans l'avenue menant à l'imposante grille d'entrée commandant l'accès du parc.

Cette partie de la propriété n'était pas ouverte au public; aussi Francesca fut-elle étonnée de voir un homme et un jeune garçon assis sur un muret bordant une pâture. Parvenue à leur niveau, elle s'arrêta :

« Excusez-moi, leur dit-elle aimablement, peut-être ignorez-vous que le parc est propriété privée ? »

L'homme la toisa avec une certaine impertinence :

« J'vous d'mande pardon, madame, nous n'en savions rien. Si vous insistez, on s'en ira... »

Il laissa sa phrase en suspens, considéra Francesca avec une curiosité non dissimulée. Celle-ci hésita. Ces pauvres gens venaient probablement d'une des villes industrielles des environs, où ils n'avaient guère l'occasion de respirer le bon air et de profiter des beautés de la campagne... Mais l'on ne pouvait se fier à n'importe qui, aussi répondit-elle en souriant, mais d'un ton ferme :

« Je suis en effet obligée de vous demander de partir. Vous seriez cependant beaucoup mieux installés dans la cour d'honneur du château. Vous y trouverez une buvette, des tables et des chaises où vous pourrez pique-niquer... »

L'homme secoua la tête et l'interrompit d'un geste :

« On n'a pas les moyens. Enfin, puisqu'il faut déguerpir...

— Allons, passe pour cette fois, consentit Francesca. Mais si vous revenez veuillez limiter votre visite aux parties du parc ouvertes au public, je vous prie. »

Elle salua le garçonnet d'un sourire qui se figea sur ses lèvres : elle venait de remarquer des jumelles posées près de lui sur le muret. Que faisaient donc ces deux individus, mal vêtus et d'allure misérable, avec un objet visiblement neuf et aussi coûteux ?

L'homme suivit la direction de son regard et dit aussitôt :

« Nous sommes venus observer les oiseaux. C'est mon Jimmy qui a gagné les jumelles à un concours. La nature, c'est sa passion à ce gamin. »

Francesca fit un signe de tête assez sec :

« Félicitations, Jimmy. Profitez bien de votre promenade. »

Elle s'éloigna d'un pas rapide. Il lui tardait de rejoindre Victor, qui l'attendait sur la route, juste au-delà de la clôture. En dépit de la chaleur, elle se sentit frissonner; l'allure des deux inconnus lui avait profondément déplu. Mais que pouvait-elle faire, seule, contre eux, même s'ils étaient des braconniers – comme elle le soupçonnait ?

Comment avaient-ils pu s'introduire jusque-là ? A son vif soulagement, elle trouva le cadenas de la grille intact. Une brèche dans le mur, sans doute... Elle referma la grille avec soin et, avant de s'éloigner, se retourna pour jeter un dernier coup d'œil aux deux intrus. Ils étaient toujours assis sur le muret et semblaient manger leur frugal repas avec insouciance. Peut-être s'était-elle méprise, après tout; peut-être n'étaient-ils que d'inoffensifs habitants d'un des faubourgs ouvriers venus prendre l'air à la campagne. Quoi qu'il en fût, elle téléphonerait ce soir même à Kim pour le mettre en garde contre une recrudescence éventuelle du braconnage.

La Bentley était garée sur le bord de la route, à quelques mètres de la grille. Victor en descendit et se précipita à la rencontre de Francesca. Elle posa sa valise et courut se jeter dans ses bras en riant de plaisir. Ils restèrent enlacés un long moment, tout à la joie d'être enfin seuls ensemble. Victor la couvrit de baisers.

« Dieu, que c'est bon de te retrouver, dit-il enfin.

Je n'en pouvais plus de te voir comme nous étions forcés de le faire ces derniers temps.

— Moi aussi, mon chéri. J'avais l'impression que le monde entier nous épiait et faisait tout pour nous séparer...

— Sinon le monde entier, du moins une bonne partie ! dit-il en riant. Mais c'est fini. Viens, ma chérie. Allons-nous-en. »

Quelques minutes plus tard, Victor lançait la voiture sur la route de Harrogate. Comme toujours lorsqu'elle était seule avec lui, Francesca se détendit aussitôt et ne pensa plus qu'à son bonheur. Les contraintes du secret, le comportement déroutant de Victor n'avaient plus d'importance. Une fois encore, sa présence balayait tout le reste. En dépit de son rythme de travail épuisant et des innombrables problèmes qui avaient mis ses nerfs à rude épreuve, il paraissait éclatant de santé et d'équilibre. A mesure que Francesca détaillait du regard son profil harmonieux et puissant, ses mains fermement posées sur le volant, elle sentait déborder son amour pour lui et résistait mal à l'envie de le caresser. Oui, elle l'aimait avec tant de force et de profondeur qu'il lui était insoutenable d'être séparée de lui un seul instant.

Surprise de ressentir de si troublantes émotions, Francesca détourna les yeux, avala sa salive à plusieurs reprises. Lorsqu'elle eut enfin recouvré son calme, elle aborda un sujet de conversation banal :

« Gus, ton chauffeur, est bien parti ?

— Oui. Nous avons eu une heure à perdre à Harrogate en attendant son train et il en a profité pour manger quelque chose. Il est ravi d'avoir le week-end à lui.

— Tant mieux, ce brave Gus le mérite. Tu ne m'as pas attendue trop longtemps, j'espère ?

— Une vingtaine de minutes. J'en ai profité pour relire le scénario... et penser aux quelques jours à venir. Tu sais, dit-il en lui jetant un regard malicieux, j'ai toute la semaine devant moi. Pratiquement rien à faire jusqu'au retour de l'équipe pour les raccords en studio. Tu ne vas pas passer ton temps le nez dans tes bouquins du British Museum, j'espère ? »

La perspective d'une semaine entière avec lui amena un sourire d'extase sur les lèvres de Francesca :

« Non, mon chéri. Je serai toute à toi.

– Je l'espère bien ! »

Je ne le suis déjà que trop, se surprit-elle à penser.

« Oh ! pendant que j'y pense, dit-elle. J'ai de bonnes nouvelles à t'annoncer. Papa m'a téléphoné ce matin du Cap-Martin. Il se décide enfin à épouser Doris. Bien entendu, elle a accepté. Ils comptent se marier en novembre

– J'en suis enchanté pour eux. Pour toi aussi, je sais combien tu aimes Doris... J'ai eu l'occasion de parler d'elle une ou deux fois avec Katherine et j'ai eu nettement l'impression que ces deux-là ne sont pas follement amoureuses l'une de l'autre, en revanche.

– Qu'est-ce qui te fait dire cela ?

– Franchement, je n'en sais rien. Une sorte de jalousie féminine peut-être ? Mais, tu sais, Doris me plaît infiniment. Ton père a de la chance de l'avoir trouvée.

– Je suis bien d'accord. Mais ce que tu me dis au sujet de Katherine et d'elle m'étonne, Victor. Qu'elle ait été surprise, sur le moment, de l'invitation de Doris d'aller séjourner à la villa, je veux bien. Mais de là à dire qu'elles ne s'aiment pas...

– A-t-elle accepté ?

– Oui, et même avec plaisir.

– Alors, je me suis trompé. »

Il était cependant certain de n'avoir pas commis d'erreur en détectant l'antipathie mutuelle que se vouaient les deux femmes. Mais Francesca possédait une nature confiante, toujours portée à ne voir que le bien chez les autres. Aveuglée par son affection pour les deux antagonistes, elle ne discernait pas leur véritable caractère. Autant ne pas lui faire perdre ses illusions...

« Doris prévoit déjà une grande réception, en l'honneur de leurs fiançailles en quelque sorte. Tu viendras, n'est-ce pas ?

— Ah ! bon ? dit-il en riant. Parce que je suis invité, moi aussi ?

— Tu es sur le point de l'être officiellement, de même que Nick. Doris tient à ce que vous veniez, lui et toi. D'ailleurs, tu as toujours l'intention de passer quelque temps à Beaulieu, si je ne me trompe ? »

Elle avait prononcé cette dernière question avec une pointe d'inquiétude qui n'échappa pas à Victor.

« Bien sûr, la rassura-t-il aussitôt. Nick et moi avons retenu nos chambres à la Réserve. Je sens que nous allons énormément nous amuser cet été, ma chérie, tu verras ! »

Il n'éprouvait cependant pas l'insouciance qu'il affectait. La présence inattendue de Katherine sur la Côte d'Azur lui faisait redouter des complications dont il se serait volontiers passé. Mais à quoi bon s'en soucier ? Le présent seul comptait.

Francesca répondit avec un enthousiasme plein de gaieté :

« Tu as raison, mon chéri, nous allons passer un été extraordinaire ! Ce sera encore mieux qu'à Königssee, j'en suis sûre. »

J'ai bien peur que non, faillit-il répondre. Il préféra s'absorber dans la conduite de la voiture. La route sinueuse lui donnait l'excuse de ne pas répondre.

Quelques instants plus tard, sans quitter la route des yeux, il reprit la parole :

« A propos de Nick, j'ai moi aussi de bonnes

nouvelles à t'apprendre, ma chérie. Il revient de New York demain. J'ai pensé que nous pourrions dîner avec lui demain soir. Qu'en penses-tu ?

— Je serais si contente de le revoir ! Il a été parti des siècles...

— Du calme, l'interrompit Victor en riant. Tu veux me rendre jaloux ? »

Il lui prit la main, la porta à ses lèvres, lui embrassa longuement, voluptueusement la paume.

« Tu ne peux pas savoir combien tu m'as manqué ces derniers temps, mon amour », dit-il à mi-voix.

Puis, ayant reposé sa main sur ses genoux, il affecta une mine sévère :

« Allons, suffit comme ça ! grommela-t-il. Si je continue, je vais être obligé de m'arrêter au bord de la route et de te faire subir les derniers outrages.

— Venant de toi, je m'attends à tout — même au pire ! répondit-elle en pouffant de rire.

— Hélas ! Tu aurais raison...

— Puisque nous parlions de voyages et de visites, reprit-elle, tu n'as pas oublié que Diane arrive demain, elle aussi ? Il va falloir que j'aille la chercher à l'aéroport.

— Que *nous* allions, tu veux dire ! J'entends ne pas te lâcher d'un pouce toute la semaine, que tu le veuilles ou non. Et puis, je serai ravi de revoir ton adorable cousine. Au fait, elle pourra se joindre à nous demain soir, quand nous dînerons avec Nick !... Tu sais quoi ? poursuivit-il avec un sourire malicieux. Je suis prêt à parier que ces deux-là auront le coup de foudre.

— Eh bien, tu sais quoi ? répondit Francesca en riant. J'ai bien l'impression que tu gagneras ton pari. »

Le silence retomba. Francesca glissa sur son siège, se blottit contre l'épaule de Victor, posa sa main sur la sienne, au volant. Elle lui lança un regard plein d'amour :

« Tu me manques tellement quand je suis loin de toi, mon chéri », murmura-t-elle.

Il lui rendit son regard sans chercher à dissimuler ses propres sentiments. A son tour, il lui prit la main, la porta une nouvelle fois à ses lèvres, s'attarda à l'embrasser du poignet jusqu'au bout des doigts.

« Moi aussi, mon amour, répondit-il à mi-voix. Mais bientôt nous ne nous quitterons plus. »

22

Un jeudi après-midi de juillet, une dizaine de jours
après son retour à Londres, Nick Latimer rangea sa
voiture sur le parking de Shepperton et se dirigea à
grands pas vers les studios de tournage. Une fois de
plus, la comparaison s'imposa à lui : ces bâtiments
ressemblaient à des usines. D'allure froide, plutôt
laids à l'extérieur, ils regorgeaient de machines
compliquées et de techniciens. Des usines, oui – mais
des usines à rêves. Nick éprouvait toujours le même
plaisir à se retrouver sur un plateau, à participer à
l'activité qui y régnait, à entendre son texte prendre
vie dans la bouche des acteurs. Le tournage devait
s'achever aujourd'hui. A quinze heures, Victor
s'avancerait devant les caméras pour jouer sa dernière scène avec Katherine Tempest et Terrence
Ogden. Une heure plus tard, sauf catastrophe, serait
donné le dernier tour de manivelle. Enfin !

Depuis son retour de New York, Nick avait
entendu Victor lui relater en détail les péripéties du
tournage, l'un des plus pénibles de sa carrière,
disait-il. La réalisation d'un film ne va jamais sans
anicroches, Nick en était conscient; selon les deux
responsables de la production, la fin du tournage
provoquerait un soupir de soulagement unanime.
Dès le début, et sans discontinuer, l'équipe entière
s'était trouvée soumise à une atmosphère exceptionnellement pesante.

Nick en avait été désolé. L'un des aspects les plus captivants du cinéma résidait, à ses yeux, dans l'esprit d'équipe, la camaraderie qui se développe presque toujours entre les différents protagonistes, acteurs et techniciens, attelés à la même tâche et tendus vers le même but : faire un film, un bon film. Or, seuls la diplomatie de Victor et ses efforts constants pour arbitrer des conflits continuels et apaiser des susceptibilités anormalement chatouilleuses avaient, semblait-il, permis au film d'être mené jusqu'à sa fin. C'était dommage...

« Nicolas ! Salut ! »

Il reconnut aussitôt la voix perçante qui le hélait. Il se retourna, fit l'effort de dissimuler son agacement sous un sourire poli mais sans chaleur :

« Tiens, Estelle ? Comment va ?

– On ne peut mieux ! »

La journaliste l'empoigna d'autorité par le bras et se mit à son pas, sans remarquer son exaspération.

« Vous venez pour le cocktail de fin de tournage ? demanda-t-il.

– Je ne l'aurais manqué pour rien au monde ! C'est pourtant ce qui a bien failli m'arriver. Je viens juste de revenir de la Côte. »

Tout en parlant, ils avaient atteint la porte du studio 3. Nick se dégagea du bras qui l'agrippait, manœuvra le lourd vantail métallique et s'effaça pour laisser entrer sa compagne.

« A tout à l'heure, Estelle, dit-il avec un sourire contraint.

– J'ai bien l'intention de ne pas vous laisser filer, Nicolas ! » répondit-elle.

Il allait s'éloigner lorsqu'elle le rappela. Son expression avait changé du tout au tout, et c'est avec une émotion inattendue qu'elle reprit :

« Au fait, je voulais vous dire... J'ai été sincèrement bouleversée quand j'ai appris... pour votre sœur. »

Sans attendre de réponse, Estelle Morgan tourna les talons et se perdit dans la foule des électriciens et des machinistes. Nick la suivit des yeux, stupéfait par cette imprévisible manifestation de sympathie. Aurait-il mal jugé la journaliste ? Etait-elle capable de sentiments humains ?

La voix de Jake Watson l'arracha à sa réflexion. Il le salua de la main et traversa le plateau pour le rejoindre, en enjambant précautionneusement les câbles et autres obstacles dressés sur son parcours. Les techniciens s'affairaient, déplaçaient des projecteurs, réglaient les éclairages. Le régisseur général et le directeur de production étaient engagés dans une discussion animée auprès de la caméra lorsque Nick les rejoignit.

« Bonjour, Jerry. Bonjour, Jake, dit Nick en serrant les mains tendues. Comment se fait-il que règne un si grand calme ?

— Espérons que ce n'est pas celui qui précède les tempêtes, grommela Jerry Massingham.

— Dois-je en déduire que la matinée a été rude ?

— Disons que le débarquement en Normandie était une promenade digestive, à côté ! Puisque tu es là, prie, jette des sorts, invoque Dieu, Bouddha ou le Diable si ça te chante, mais fais quelque chose pour que tout se passe bien cet après-midi, Nicolas. Je n'ai qu'une hâte, c'est de remballer nos outils et de filer le plus loin possible. Ce ne serait pas une mauvaise idée de commencer par fusiller Mark Pierce.

— Veux-tu que je l'exécute tout de suite ? Il y a de la place dans le parking... »

Jake Watson éclata de rire :

« Je suis drôlement content de te revoir, Nick ! Au moins, quand tu es là, on a l'occasion de s'amuser. »

Nick regarda autour de lui. Peu à peu, les techniciens revenaient sur le plateau et rejoignaient leurs postes.

« Où est notre dictateur maison ? demanda-t-il.

– Pierce ? Probablement en train de torturer Terry Ogden. C'est sa distraction préférée.

– Allons, les amis, ne faites pas cette tête-là ! Aujourd'hui, c'est le dernier jour ! Et Victor, où est-il ?

– Dans sa loge.

– Bon, je vais l'y rejoindre...

– Non, l'interrompit Jake. Il s'est enfermé avec Katherine et ne veut pas être dérangé.

– Mais non, il compte sur moi... »

L'arrivée inopinée de la scripte mit fin à leur dialogue. L'air surexcité, elle tendit une liasse de feuillets à Jerry, lui jeta quelques mots et disparut comme s'il y avait le feu.

« Qu'est-ce qu'il se passe encore ? grogna le régisseur. Il faut que j'aille voir ça. »

Il s'éloigna en lâchant une bordée de jurons. Restés seuls, Jake Watson et Nick échangèrent des regards soucieux.

« Et voilà, ça s'est passé ainsi cent fois par jour, soupira Watson. Je tire mon chapeau à Victor, il n'a jamais perdu son calme. Sauf ces derniers temps. Je ne sais pas ce qui lui prend, il n'est plus le même. Un visage de bois. Tu sais ce qu'il a, toi ?

– Non... La semaine dernière, avant votre retour du Yorkshire, il m'a même paru d'excellente humeur. Je l'ai vu ou je lui ai parlé presque tous les jours sans rien remarquer qui sorte de l'ordinaire.

– Bizarre, répondit Jake Watson pensivement. A vrai dire, je m'en inquiète, il n'est plus du tout le même. Il me paraît préoccupé, inquiet. Tu es sûr de n'avoir rien remarqué, Nick ? Sois franc. Si tu sais quelque chose, dis-le-moi.

– Je ne te cache rien, Jake, je te l'assure ! Il ne s'agit peut-être que de surmenage, l'atmosphère du film qui a fini par déteindre sur lui. Tu as travaillé avec lui assez souvent pour savoir que Victor aime le calme. Tout cet énervement, dont tu me parlais encore il y a cinq minutes, a fini par l'exaspérer.

– Ouais, tu as peut-être raison. Je me fais des idées... Il y a de quoi devenir paranoïaque, avec ce fichu film.

– Arrête de te faire de la bile, mon vieux Jake. Les résultats sont spectaculaires. J'ai visionné quelques rushes hier soir et, crois-moi, ils sont fabuleux. Mark Pierce est certainement un empoisonneur de première grandeur, mais quel réalisateur ! Et puis, laisse-moi ajouter qu'aucun des problèmes du tournage ne se remarque à l'écran. »

Jake Watson hocha lentement la tête.

« Oui, c'est souvent le cas, aussi paradoxal que cela paraisse. Mais dis-moi, poursuivit-il en baissant la voix, que penses-tu de Tempest ? A mon avis, on ne voit qu'elle. Elle écrase tout le monde.

– Je n'irai quand même pas jusque-là. Elle joue son rôle mieux qu'à la perfection, c'est vrai. Mais personne ne pourra jamais éclipser Victor. Il a une présence, une richesse d'expression... Tu sais, il m'a fait pleurer dans plusieurs scènes. A mon avis, c'est son meilleur rôle, et de loin. Nous sommes bons pour des oscars, Jake. Terrence Ogden, lui aussi, se surpasse et je comprends que *Monarch* se soit empressé de le prendre sous contrat. Tout le film tient du chef-d'œuvre.

– Mon vieux Nick, tu ne peux pas savoir le bien que tu me fais ! A force d'avoir le nez dans ce qu'on exécute, on perd objectivité et sens des perspectives. Quant à Terry, je suis d'accord avec toi, il se prépare une brillante carrière. C'est pour cela que je ne m'explique pas l'hostilité constante que lui manifeste Mark Pierce. Terry joue à la perfection, mais l'autre énergumène n'est jamais content.

– Je sais, Victor m'en a parlé, lui aussi. Ils doivent avoir quelque problème personnel que nous ignorons.

– Justement. Pour en avoir le cœur net, Victor et moi avons essayé de tirer les vers du nez de Katherine, car elle en sait sûrement plus qu'elle ne veut bien le dire. Rien à faire... Elle est futée, la petite. Elle connaît la musique, crois-moi. »

La réflexion de Jake Watson et son ton sarcastique prirent Nick Latimer par surprise. Ainsi, il n'était pas le seul à rester insensible au charme de la jeune actrice ?

« Où veux-tu en venir ? demanda-t-il prudemment.

– Comprends-moi bien, Nick, je ne la critique pas sur le plan professionnel. Katherine est une comédienne de première force, il n'y a rien à lui reprocher. Mais c'est personnellement qu'elle me chiffonne. Je ne peux pas te dire pourquoi, je ne sais pas exactement ce qui me déplaît chez elle, mais... il y a quelque chose. »

Nick hésita à répondre. Il lui paraissait inutile de dévoiler sa propre antipathie pour Katherine Tempest.

« Moi aussi, par moments, elle me donne l'impression d'être lointaine, intouchable. Hautaine, en un sens, ou même froide. Comme si elle voulait rester à l'écart de tout. Elle possède aussi une solide ambition, c'est assez manifeste. Mais de là à lui donner le qualificatif de sournoise...

– Je n'ai pas dit cela et le mot est trop fort. Fuyante, plutôt. Insaisissable. Elle sait profiter des situations et les tourner à son avantage. Ce film était son premier, d'autres qu'elle auraient pu craquer. Eh bien, il s'est trouvé que tout le monde l'a aidée, protégée, guidée par la main. Victor, bien entendu, mais aussi Mark Pierce, qui était moins odieux avec elle qu'avec les autres. Quant à Ossie Edwards, le chef opérateur, il en perd littéralement la tête – sauf quand il la regarde à travers l'oculaire de sa caméra. Katherine est belle et photogénique, c'est vrai. Il n'empêche que Ossie a rarement fait un meilleur travail photographique. Pour chacune de ses scènes, il passait des heures à régler les éclairages, à calculer les angles. C'est toujours sur elle et à son avantage qu'il cadrait les plans... Je suis sans doute le seul à ne pas avoir succombé ! Dans ces conditions, Nick, imagine les jalousies qu'elle provoque depuis le début. »

La tirade de Jake Watson laissa Nick stupéfait. Que Katherine soit intelligente, habile, il n'en doutait pas. Qu'il ait sous-estimé ses capacités et l'étendue de ses ambitions, il s'en rendait maintenant compte. Le jugement sévère que Jake Watson venait de porter sur elle restait cependant honnête, car l'homme possédait une lucidité et une franchise que Nick avait su maintes fois apprécier. Troublé par ce qu'il entrevoyait de Katherine, il réfléchit avant de formuler une réponse prudente :

« Il est sans doute normal qu'elle fasse des jaloux. Katherine a la beauté, le talent, le courage et la discipline. Personne ne le lui pardonne, c'est évident – même si c'est injuste.

– Où as-tu pris que la justice existait en ce monde, Nick ? répondit Jake avec un rire amer. Katherine n'a qu'une idée en tête, grimper au sommet, devenir une star. La réussite et la gloire coûtent toujours cher, très cher. Elle réussira, j'en suis certain. Katherine est déjà une star et elle s'imposera malgré elle. A moins qu'elle ne se retire du monde pour s'enfermer dans un couvent, ce dont nous pouvons douter, elle est condamnée au succès. »

Etonné de la franchise avec laquelle Jake venait de parler, Nick s'écria :

« Tu te contredis ! Tout à l'heure, tu la traitais d'arriviste toujours prête à manigancer je ne sais quoi. Maintenant, tu me déclares qu'elle est née pour devenir une star, même contre son gré !

– Il n'y a là aucune contradiction, Nick. Il est vrai que Katherine est ambitieuse et dépourvue de scrupules. Mais le plus extraordinaire, comprends-tu, c'est qu'elle n'a pas *besoin* de l'être ! Elle a tout pour elle, tout pour réussir sans devoir tricher ou influencer les gens. Elle n'a qu'à laisser les événements suivre leur cours, sans perdre son temps et ses forces comme je la vois faire. Espérons qu'elle n'ira pas jusqu'à y perdre *aussi* son talent.

– Oui, je te comprends. Mais ne t'inquiète pas pour elle, Jake. Elle saura se défendre, elle a de quoi... »

Jake Watson éclata de rire :

« J'adore tes euphémismes ! A partir de ce soir, ce sera au tour des braves gens de *Monarch* de s'arracher les cheveux.

– Cœur de pierre ! répondit Nick en riant à son tour. Tiens, voici venir notre grande vedette masculine. La conférence doit être enfin terminée. »

Il fit signe à Victor qui traversait le plateau, déjà en costume.

« Salut, les amis, leur dit-il en serrant les mains tendues. Tu es là depuis longtemps, Nick ?

– Une petite demi-heure. Tu étais occupé, paraît-il.

– Oui, je répétais la scène avec Katherine après les sévères remontrances de notre cher metteur en scène. Et de ton côté, Jake, ça va ? Pas de nouveaux problèmes ?

– Aucun pour le moment. Si tu n'as pas besoin de moi, je ferai mieux d'aller surveiller la mise en place des équipes. »

Victor entraîna son ami vers des sièges alignés derrière la caméra :

« Voici le programme. Ce week-end, je visionne avec Pierce l'essentiel du pré-montage. La semaine prochaine, je fais la postsynchronisation des extérieurs. Mais, après cela, je me disais que nous pourrions peut-être passer quelques jours à Paris avant de descendre à Beaulieu. Qu'en penses-tu ?

– Parfait. Mais n'oublie pas que j'emporte ma machine à écrire. Il faut absolument que je me remette au travail, Vic.

– Oui, je sais. Tu travailleras tant que tu voudras à la Réserve, vieux frère. La Côte sera déjà plus calme – bien qu'il se puisse que nous trouvions encore pas mal de têtes connues. Richard Stanton, par exemple. Il a loué une villa au Cap-d'Antibes, paraît-il. Je l'ai rencontré l'autre jour, il était à Londres pour discuter avec Hillard Steed du prochain film qu'il doit tourner pour *Monarch*. Au fait, tu ne le sais sans doute pas encore, mais ce bon Hillard va être nommé directeur général de la production. Il sera basé à Los Angeles à partir du mois d'octobre.

– Excellente nouvelle, surtout pour *Bellissima* !

– Exactement. Hillard tient à poursuivre notre collaboration. Mais pour en revenir à nos vacances... »

Nick ne prêta qu'une oreille distraite aux projets que Victor lui décrivait avec enthousiasme. Les yeux mi-clos, il l'observait attentivement pour déceler sur sa physionomie des traces de mauvaise humeur. Apparemment, il n'en était rien; mais son métier le rendait habile à dissimuler ses véritables sentiments, Nick en avait fréquemment eu la preuve. Ainsi, le secret dont il entourait ses rapports avec Francesca. Diane et lui étaient les seules personnes au monde au courant de leur liaison. Par ailleurs, Victor possédait l'inestimable faculté de reléguer à l'arrière-plan les problèmes susceptibles d'interférer avec sa profession. Le moment serait donc mal choisi, juste avant la grande scène finale, de lui poser des questions. D'ailleurs, Nick savait que Victor lui confierait tôt ou tard ses soucis, s'il en avait. Il tenta de reprendre le fil d'une conversation à laquelle il n'avait participé que par monosyllabes.

Un regain subit d'activité se manifesta à l'autre bout du plateau. Les deux amis tournèrent la tête :

« Ah ! voilà Mark. Je te laisse, Nick. J'espère qu'on tournera cette scène en moins de six prises, j'ai hâte d'en finir. »

Victor traversa le plateau en direction de Katherine et de Terry Ogden, qui venaient d'arriver. Les techniciens apparaissaient un peu partout, comme par magie; machinistes, électriciens, preneurs de son, assistants allaient, venaient en un ballet bien réglé. Derrière la caméra, Ossie Edwards conférait avec son premier opérateur tandis que Mark Pierce prenait position à leur côté. La voix de Jerry Massingham tenta de dominer le brouhaha : « Eteignez vos cigarettes ! Silence sur le plateau ! Lumières !... J'ai demandé le silence ! »

Le décor s'illumina. Le metteur en scène leva la main : « Son, caméra, moteurs !... Allez. » Penché en avant, le menton dans les mains, Nick s'absorba dans la contemplation des acteurs. En un clin d'œil, il avait été subjugué par la présence et la réalité des deux premiers rôles. Ce n'étaient plus Katherine Tempest et Victor Mason qu'il voyait évoluer sous ses yeux, mais bien Catherine et Heathcliff.

A mesure que la scène progressait, Nick sentait la qualité du silence se modifier autour de lui. Pourtant blasés, les techniciens cédaient, comme lui-même, à la fascination. Une sorte de miracle survenait sur le plateau et transfigurait les témoins. Lors d'un échange de répliques particulièrement touchantes, dites avec une sincérité convaincante, l'on vit des mouchoirs apparaître. Une même émotion étreignait tous les participants.

« Coupez ! C'est une prise. »

La voix du réalisateur résonna avec une soudaineté brutale. Le charme était rompu. Autour du plateau tout le monde resta figé. Seuls dans le décor, Katherine et Victor se tournèrent lentement vers Mark Pierce, le dévisagèrent avec incrédulité.

« Ai-je bien entendu, Mark ? demanda enfin Victor. Tu gardes la scène en une seule prise ?

— Oui, mon cher Victor, répondit le réalisateur avec un sourire suffisant. Pour le plan général, c'était impeccable. Je ne crois pas que vous puissiez faire mieux. Nous allons maintenant pouvoir passer aux gros plans et aux contre-champs. J'espère que vous vous montrerez capables de nous redonner la même qualité d'interprétation et que le tournage sera terminé. »

En quelques mots, le metteur en scène avait balayé l'atmosphère magique.

A demi étendu sur un canapé dans la loge de Victor, Nick observait son ami en train d'ôter son costume.

« J'ai bien envie d'écrire un scénario original pour Katherine et pour toi », dit-il au bout d'un long silence.

Victor lui jeta un regard ironique :

« Je te connais, plumitif ! Si tu me dis cela, c'est que tu as déjà une idée derrière la tête. Avoue !

— C'est vrai, en partie du moins. Une idée à développer, sans plus. Qu'en dis-tu ? Voudrais-tu refaire un film avec elle ?

— Pourquoi pas ? répondit Victor en commençant à se démaquiller. J'ai un engagement à remplir avec la *Fox* pendant que Katherine tournera son film pour *Monarch.* Après cela, je suis libre. Elle aussi, je crois. Nous pourrions y penser.

— Que vas-tu faire pour la *Fox* ? Il ne s'agit pas encore d'un western, j'espère ?

— Bien sûr que si... Pour en revenir à ce que tu disais, je me demandais justement que faire de Katherine si je ne tournais pas avec elle. Il fallait lui trouver un scénario qui lui convienne et puisse être produit par *Bellissima*. Si tu peux en écrire un, le problème sera résolu et je n'aurai pas de mal à négocier une coproduction avec *Monarch*. Quelle est ton idée ?

— Une comédie dramatique contemporaine. Quelque chose de romanesque et de pétillant à la fois... D'ici quelques jours, j'y verrai plus clair et je te soumettrai un synopsis de quelques pages. Tu te rendras mieux compte.

— D'accord. Je te fais confiance. »

Victor se leva, alla se rincer le visage dans le lavabo. Puis il se rhabilla tout en bavardant de choses et d'autres. Il connaissait assez Nick pour savoir qu'il était inutile de lui poser d'autres questions sur son scénario tant qu'il ne l'aurait pas mis au point.

« En tout cas, conclut-il, je suis enchanté que les choses se soient aussi bien passées cet après-midi. Au moins, l'atmosphère sera respirable tout à l'heure, pendant le cocktail. »

Nick tourna brièvement la tête vers l'amoncellement de paquets près de la porte.

« Tu as encore fait des folies, à ce que je vois. Un cadeau pour chaque membre de l'équipe, selon ton habitude.

— Naturellement. Ils l'ont tous amplement mérité.

— Que vas-tu offrir à Mark Pierce ? Un pistolet ou un flacon d'arsenic ? dit-il en souriant.

— Tu exagères ! Non, je lui fais cadeau d'une caméra.

— C'est toi qui manques de tact, Vic ! Tu aurais voulu lui suggérer de reprendre son ancien métier d'opérateur que tu ne t'y serais pas pris autrement ?

— J'avoue avoir souvent été tenté de le lui dire en face. Il y a eu des moments où je l'aurais étranglé avec plaisir !

— Et pour Katherine ?

— Une babiole. Un bracelet de diamants. »

Nick ne put retenir un long sifflement de surprise :

« Eh bien, tu n'y vas pas de mainmorte ! J'espère que Francesca ne fera pas une crise de jalousie. »

Ce fut au tour de Victor de prendre l'air stupéfait :

« Pourquoi veux-tu qu'elle soit jalouse ? Elle n'est pas comme cela, tu la connais. D'ailleurs, elle sait pertinemment que Katherine l'aura bien mérité. Et puis, poursuivit-il, Katherine n'a pas seulement prouvé son talent sur le plan professionnel, sa contribution au succès du film va plus loin. Je ne te l'avais jamais dit, mais c'est grâce à elle que Terry Ogden et Mark Pierce sont revenus sur leur décision initiale. Cela mérite bien un gage de reconnaissance. »

Nick étouffa un juron de surprise. Ainsi, les soupçons de Jake Watson sur les manigances occultes de la jeune actrice étaient mieux fondés qu'il ne le croyait. Par quels obscurs détours, par quel chantage était-elle parvenue à ses fins ?

« Mais, reprenait Victor, j'ai déjà offert à Francesca le collier de perles qu'elle portait mardi soir. Tu l'as remarqué, j'espère ? J'ai eu assez de mal à le lui faire accepter !

— Tiens, pourquoi cela ?

— Elle affirmait que son père serait fort mécontent qu'elle reçoive un cadeau aussi coûteux, même pour son anniversaire – elle vient d'avoir vingt ans.

— Alors, comment t'y es-tu pris ?

— Il a fallu que je fasse des cadeaux à son père et à Kim, pour les remercier de leur coopération pendant le tournage chez eux, répondit Victor en riant. Grâce à ce biais, les perles sont passées presque inaperçues.

— Elles lui vont fort bien. Francesca m'a paru particulièrement en beauté, l'autre soir. Tu te rends compte, au moins, qu'elle est très éprise de toi ? ajouta Nick d'un ton redevenu sérieux.

— Oui, oui, je sais... »

Les sourcils froncés, Victor se détourna. Visiblement, il ne souhaitait pas poursuivre la discussion sur ce sujet. Pris de court par cette réaction inattendue, où il croyait déceler de l'indifférence, Nick observa son ami avec étonnement. Malgré lui, un cri de protestation lui échappa :

« Ne me dis pas que tu te moques d'elle, Victor !

– Je suis encore marié avec Arlene, tu devrais le savoir, s'écria Victor. Sans même parler de ce léger contretemps, les obstacles ne manquent pas, permets-moi de te le préciser, et proviennent de Francesca elle-même pour la plupart. Enfin, si cela ne te suffit pas, j'ai encore trop de soucis avec le film pour me jeter à corps perdu dans une histoire d'amour. Compris ? »

Le ton agressif de Victor plongea Nick dans un renouveau de stupeur et d'inquiétude. Il s'en voulut d'avoir fait dévier la conversation sur un terrain aussi manifestement piégé et réfléchit avant de répondre :

« Je comprends tes raisons et je n'oublie pas que tu es toujours marié. Mais je sais également que tu es sur le point de te libérer d'Arlene alors que tu me semblais sérieusement " accroché " avec Francesca. Mais n'en parlons plus. Excuse-moi d'avoir fait une nouvelle gaffe.

– Il ne s'agit pas de cela, vieux frère, dit Victor d'un ton radouci. Ecoute, c'est plutôt à moi de te présenter des excuses. Je n'aurais pas dû décharger ma bile sur toi, tu n'y es pour rien. L'énervement, la fin du film, tout cela finit par me faire craquer, j'imagine... Allons, viens. On nous attend pour commencer, j'ai grand besoin de boire un bon verre et de me changer les idées. »

Nick se leva, réussit à sourire :

« D'accord, je te suis. »

Deux assistants frappèrent à ce moment-là; ils venaient prendre les cadeaux. Ensemble, ils traversèrent le terrain en direction du studio de tournage qui avait pris une allure de fête. Sous des guirlandes multicolores, de longues tables couvertes de nappes blanches étaient chargées de bouteilles, de sandwiches et d'amuse-gueule. L'équipe entière et les invités étaient déjà rassemblés. On n'attendait plus que l'arrivée de Victor, à la fois vedette et producteur. Pendant que les assistants disposaient les paquets sur une table vide, Victor se noya dans la foule qui l'entoura aussitôt. Il serra les mains tendues, rendit les bourrades amicales, lança des répliques aux compliments qui pleuvaient.

Nicolas Latimer préféra rester légèrement à l'écart. Déconcerté par son entretien avec Victor, il ne se sentait plus d'humeur à se joindre aux autres. Son amitié pour Victor n'avait jamais connu de nuages durables et Nick éprouvait pour la première fois un certain ressentiment envers l'apparente désinvolture dont son ami venait de faire preuve vis-à-vis de Francesca. Normalement, Nick considérait avec indulgence le libertinage de Victor, qu'il pratiquait lui-même sans l'ombre d'un scrupule. Mais Francesca... Non, son cas était différent, elle ne pouvait être traitée comme les autres. Dès les premiers jours, Nick avait retrouvé des traits communs entre Francesca et sa sœur, dont la mort le marquait encore douloureusement. Aussi la froideur indifférente décelée chez son ami lui avait-elle causé un choc. Pour une fois, Nick prenait fait et cause contre Victor – et ce retournement dans ses sentiments le laissait mal à l'aise.

Il regarda autour de lui, vit Jake Watson lui faire des signes amicaux. Il le rejoignit près d'un des bars et, après s'être fait servir à boire, les deux hommes bavardèrent quelques instants. A peu de distance, Katherine Tempest et Terry Ogden paraissaient plongés dans une conversation animée.

« Je vais féliciter Terry, il le mérite amplement, dit Nick.

– Katherine aussi », fit observer Jake Watson.

Nick hésita brièvement :

« Oui, bien sûr... »

Elle était élégamment vêtue d'une robe noire à la coupe très simple, rehaussée de larges revers de lin blanc. L'ensemble mettait en valeur la délicatesse de ses traits et son teint clair paraissait d'une finesse presque transparente. En s'approchant, Nick remarqua qu'elle portait déjà le bracelet de diamants offert par Victor. Elle chuchotait à l'oreille de Terry en riant gaiement lorsqu'elle aperçut le scénariste qui s'approchait; aussitôt, lui sembla-t-il, son regard devint froid et son sourire s'effaça.

Surpris par son propre geste, Nick l'embrassa sur la joue :

« Vous étiez parfaite, Katherine.

— Merci, Nicolas, répondit-elle.

— Parfaite ? Sublime, tu veux dire ! s'exclama Terry.

— Toi aussi, répliqua Nick. Accepte mes plus sincères félicitations.

— Merci, mon vieux. Merci surtout pour ces merveilleuses répliques grâce auxquelles j'ai pu briller sans effort.

— Je n'y suis vraiment pour rien. Remercie plutôt Emily Brontë.

— Tu en as fait une adaptation géniale. Dis-moi, Jake, poursuivit-il en prenant le directeur de production par l'épaule, je voudrais te dire deux mots en particulier, si ça ne t'ennuie pas. »

Lorsqu'ils se furent éloignés, Nick se tourna vers Katherine.

« Je vous l'ai déjà dit mais je tiens à le répéter, Katherine : vous avez donné de ce rôle une interprétation inoubliable. Vous êtes Catherine Earnshaw comme Vivien Leigh restera toujours Scarlett O'Hara. »

Elle lui rendit son regard, ouvrit la bouche pour parler mais garda le silence. Nick avait changé, depuis leur dernière rencontre au mois de mars. Son deuil l'avait visiblement éprouvé et, un instant, elle fut tentée de lui présenter ses condoléances. Elle s'en abstint, cependant. Méfiante, prête à essuyer l'ironie mordante d'une critique sous le compliment qu'il venait de lui décerner, elle se mit sur la défensive et répondit d'un ton acerbe :

« Vous êtes vexant, Nicolas. Ne me jugez-vous donc capable que de jouer un seul type de rôle ? Victor et Mark ont pourtant une tout autre opinion de mon talent.

— Voyons, Katherine, je ne voulais pas...

— Ah ! Voilà Ossie Edwards. Il faut que j'aille le remercier de m'avoir si bien photographiée. Excusez-moi, je vous prie », dit-elle sèchement.

Elle lui décocha un sourire charmeur, démenti par l'éclair glacial de son regard. Puis, alors qu'elle s'éloignait, elle lui jeta par-dessus son épaule :

« Quant à vous, mon cher ami, votre *adaptation* des *Hauts de Hurlevent* restera, elle aussi, inoubliable. »

La garce ! murmura Nick en la suivant des yeux. Une sale gamine vaniteuse et vindicative, qui se venge de s'être fait tirer les cheveux à la récréation... Il regrettait cependant qu'elle se fût méprise sur la signification de ses paroles. Mais la colère succéda très vite à l'agacement. Il la revoyait pour la première fois depuis la mort de sa sœur et elle n'avait pas même eu la décence de proférer un mot de condoléances. Même une Estelle Morgan avait fait le geste... Un moment oubliée, son antipathie envers Katherine Tempest redoubla de virulence. Pour se calmer et se donner une contenance, il se fit remplir son verre, alluma une cigarette et regarda autour de lui. Il lui tardait de repérer un visage amical, voire indifférent.

Un appel, une main levée attirèrent son attention. Il reconnut aussitôt les cheveux blonds, le ravissant visage de Diane dans la cohue et se fraya un chemin jusqu'à elle. Elle s'était réfugiée avec Francesca auprès d'une des caméras. Son sourire réchauffa le cœur de Nick, qui oublia sa mauvaise humeur.

« Vous voilà enfin, vous deux ! s'écria-t-il en posant un baiser sur la joue de Diane. Tout le monde s'ennuyait de vous.

– La circulation était épouvantable, répondit-elle en souriant.

– Mieux vaut tard que jamais. Bonjour, Francesca, poursuivit-il en l'embrassant à son tour. Victor s'est laissé accaparer par les membres de l'équipe et j'ai bien peur qu'il ne soit retenu un bon moment.

– C'est normal et nous nous y attendions. Où est Katherine ? Je ne l'ai pas vue depuis notre arrivée.

– Oh ! Elle est sûrement quelque part, dit-il en faisant un geste vague. Je l'ai aperçue tout à l'heure avec Ossie Edwards... Et maintenant, mes toutes belles, si nous prenions un verre ? Que préférez-vous ? Je suis votre serviteur.

– Champagne, répondirent-elles à l'unisson.

– Je reviens dans une minute. Gardez-moi mon verre et surtout ne bougez pas d'ici, sinon vous seriez piétinées par la foule. »

Quand il les retrouva, quelques instants plus tard, Terry Ogden leur tenait compagnie et déployait ses charmes. Nick fut le premier surpris de ressentir une bouffée de jalousie. Dans la jalousie, se dit-il en paraphrasant La Rochefoucauld, il y a plus d'amour-propre que d'amour. Il lui suffit d'un regard de Diane pour comprendre combien ses craintes étaient peu fondées. Tout en observant Francesca, il prêta une oreille distraite à la conversation.

La jeune fille lui parut particulièrement fraîche ce jour-là, dans une simple robe d'été de toile blanche semée de petites fleurs bleues. Son apparente fragilité lui serra le cœur. Il aperçut Victor, au milieu d'un groupe qu'il dépassait d'une tête. Autour de lui, il reconnut Katherine, Hillard Steed, Mark Pierce et sa femme Barbara, Ossie Edwards, un ou deux techniciens. Victor remarqua le regard de son ami, lui adressa un imperceptible signe de tête. Peu après, il les rejoignit, salua les jeunes filles, plaisanta, sourit.

« Venez, dit-il en empoignant Diane par le bras. Je vais vous présenter. »

Terry s'excusa à son tour. Puis, lorsqu'elle fut seule avec Nick, Francesca se tourna vers lui, la mine inquiète :

« Comment s'est passé le tournage, cet après-midi ? »

Il la rassura en quelques mots, résuma les événements de la journée. Alors, prenant conscience qu'elle ne l'écoutait plus, il suivit la direction de son regard. Elle s'absorbait dans la contemplation de Victor, seul avec Katherine Tempest à quelques pas de là. Ils soutenaient une conversation, très proches l'un de l'autre. Isolés au milieu de la foule, ils paraissaient liés par une intimité dont Nick fut frappé. Craignant que Francesca n'interprétât mal la scène, il lui dit :

« Victor ne s'intéresse pas du tout à elle...

— Je le sais bien ! répondit-elle avec étonnement.

— Et Katherine ne s'intéresse pas davantage à Victor, ni à aucun homme, d'ailleurs. Elle est trop absorbée par sa propre personne pour se soucier de quiconque. »

Cette déclaration stupéfia Francesca :

« C'est indigne de vous, Nick ! Vous ne connaissez pas Katherine, elle n'a rien de l'égoïste que vous dépeignez. Quant à dire qu'elle ne s'intéresse pas aux hommes, c'est faux. Elle va épouser mon frère. »

Ce fut au tour de Nick de manifester de l'ahurissement :

« Comment ? Je savais qu'ils se voyaient de

342

temps en temps, mais de là à se marier... Ils ne sont absolument pas faits l'un pour l'autre !

– Je ne suis pas de votre avis, répliqua-t-elle sèchement.

– C'est vrai, je ne devrais pas réagir ainsi, dit Nick avec un ricanement amer. De la part de Katherine, il faut s'attendre à tout...

– Votre méchanceté gratuite m'effare, Nick ! Katherine est bonne, généreuse, aimante, la meilleure personne que je connaisse ! Sachez, en plus, que je la considère comme ma meilleure amie. »

Peut-être, mais êtes-vous sûre d'être la sienne ? faillit-il laisser échapper. Peu convaincu par les protestations de Francesca, il tenta une dernière fois de lui faire partager ses vues :

« Je vous plains de l'avoir pour belle-sœur. Et puis, comment s'adaptera-t-elle à votre monde ? Avez-vous réfléchi à la manière dont les vôtres, vos amis, votre famille, vont l'accueillir ? Jamais ils ne l'accepteront ! Une actrice, grand dieu ! Autant dire une...

– Pour l'amour du Ciel, Nick cessez de dire des bêtises ! Nous ne vivons pas au temps de Dickens. Ces choses-là n'ont plus d'importance. Actrice ou pas, Katherine est parfaite à tous égards et vos commentaires désobligeants me déplaisent souverainement. »

Il y eut un silence embarrassé. Francesca reprit d'un ton radouci :

« Ce que je voulais dire, en voyant Victor et Katherine si absorbés dans leur conversation tout à l'heure, c'est que je regrettais une fois de plus de me sentir à l'écart de leur vie professionnelle. J'ai l'impression de n'être que la cinquième roue du carrosse. Mais jamais je n'ai un seul instant soupçonné entre eux des rapports autres que strictement professionnels. Je sais que Katherine aime Kim sincèrement et j'ai la plus entière confiance en Victor.

« – Est-il au moins conscient de la chance qu'il a ? »

Un sourire d'assurance paisible apparut sur les lèvres de Francesca :

« En a-t-il vraiment, à votre avis ?

– Naturellement. C'est un bonheur inestimable de vous avoir rencontrée, Francesca.

– Eh bien, moi, je considère que j'ai encore plus de chance que lui. »

Tout en disant ces mots, elle tourna les yeux vers Victor sans chercher à dissimuler l'adoration dans son regard.

« Ne pensez plus à ce que je vous ai dit. Venez, allons plutôt retrouver Diane. »

Tout en l'entraînant dans la foule, il se demandait pourquoi tout lui apparaissait aujourd'hui sous un jour aussi sombre. Désormais, il fallait se surveiller.

Ils contournèrent le plateau et repérèrent enfin Diane qui parlait à une jeune femme très brune et d'allure exotique, Barbara Pierce, la femme du réalisateur Mark Pierce et costumière du film. Il s'inclina, écouta distraitement la conversation banale des trois femmes. Lorsque Barbara prit congé, il lui serra la main poliment, mais il avait la tête ailleurs.

« Elle est charmante ! déclara Diane après qu'elle se fut éloignée. Elle m'a donné d'excellentes adresses de couturiers et de boutiques à Londres. »

Quelques instants plus tard, quand Victor les eut rejoints, son humeur sombre ne l'avait toujours pas quitté.

« Allons, vieux frère, parle ! Dis-moi ce qui te chiffonne. »

Nonchalamment assis dans la chambre de Nick au Claridge, un verre à la main, Victor dévisageait son ami en souriant.

« Cela fait cinq jours, depuis le cocktail de fin de

344

tournage pour être exact, que tu me fais la tête, reprit-il. De quoi suis-je coupable, qu'ai-je dit pour te vexer ?

– Rien du tout, voyons, rien du tout...

– Tu ne sais pas mentir, répondit Victor en souriant de plus belle. Je te connais trop bien et je devine déjà ce dont il s'agit. Cela a quelque chose à voir avec Francesca, n'est-ce pas ?

– Oui, en quelque sorte. »

Victor se donna le temps d'allumer soigneusement un cigare pour observer Nick avec attention.

« Je m'en doutais, figure-toi. Tu me reproches sans doute la manière désinvolte dont je t'en avais parlé, l'autre jour dans ma loge. Il se trouve simplement que l'instant était mal choisi et je n'avais ni le temps ni l'envie de t'expliquer que j'ai de nombreux problèmes sur les bras, en ce moment. Des problèmes personnels sérieux, ajouterai-je. »

L'inquiétude transparaissait assez clairement sur le visage de Victor pour que Nick en conçût à son tour de l'anxiété.

« Tu aurais pu m'en parler plus tôt », commença-t-il.

Victor l'interrompit d'un geste :

« Justement pas à ce moment-là. Tu avais raison, bien entendu, je tiens énormément à Francesca. Mais, jusqu'à ce que mes ennuis avec Arlene soient résolus, que veux-tu que je fasse au sujet de Francesca ? Regarde les choses en face, Nick. Elle a juste vingt ans, elle a toute la vie devant elle. Avec sa beauté, son intelligence, ses qualités, son père est en droit d'espérer un mariage avec un jeune homme de son rang et de sa génération. Voudrais-tu que je me mette en travers de ses espérances, pour peu que je ne parvienne pas à me sortir de mon bourbier ? Tu comprends donc que j'ai le devoir de me montrer extrêmement prudent. Imagine un peu la tête de ce cher comte en apprenant que sa fille est traînée dans le scandale d'un divorce à sensation, parce qu'elle s'est entichée de moi ? Une vedette de cinéma déjà trois fois mariée et père de jeunes gens de son âge ? Allons, Nick, réfléchis ! J'ai presque l'âge de son père, j'ai vingt ans de plus qu'elle et ma réputation, tu en conviendras, n'est pas des plus flatteuses. Tu vois bien pourquoi ce cher M. Cunningham aurait d'excellentes raisons de mettre son veto, quand bien même je réussirais à me dégager de la situation dans laquelle je me trouve.

– Ton divorce va-t-il se conclure ? demanda Nick.

– Pour le moment, les choses se présentent mal, répondit Victor sombrement. Arlene s'ingénie à mettre des bâtons dans les roues. Elle vient de se surpasser dans l'ignominie. Sais-tu ce qu'elle exige, maintenant ? Le ranch et cinquante pour cent de *Bellissima* ! Elle a décidé de me ruiner. »

Nick étouffa un juron. Pour la première fois, il comprenait les raisons de l'étrange comportement de Victor, son humeur irritable de ces derniers jours. Arlene Mason, pour mieux l'atteindre, cherchait à le dépouiller des deux possessions auxquelles il tenait le plus et pour lesquelles il avait le plus durement travaillé.

« C'est impensable, Vic ! Aucun juge au monde ne lui laissera...

– J'aime autant ne pas tenter le diable, l'interrompit Victor. Qui sait ce qui peut passer par la tête d'un juge, influencer un tribunal...

– N'y aurait-il pas moyen de lui offrir un compromis, une somme assez substantielle pour la calmer ?

– C'est déjà fait. La semaine dernière, mes avocats ont soumis aux siens une contre-proposition : trois millions de dollars cash et dix mille de pension mensuelle pendant cinq ans. Elle a refusé.

– Quelle garce !... Mais enfin, grand dieu, Arlene

a toujours détesté le ranch! Quant aux actions de *Bellissima*, qu'en ferait-elle?

– Rien, sinon m'empoisonner la vie. Elle déclare à qui veut l'entendre qu'elle est décidée à me faire connaître sous mon vrai jour, celui d'un mari dénaturé, d'un obsédé sexuel toujours prêt à se vanter de ses aventures alors même que nous vivions ensemble, que sais-je encore? Alors, tu comprends que, même si toutes ses menaces me laissent froid, il n'est pas question d'exposer Francesca à sa malveillance.

– Voyons, Victor, Arlene ignore l'existence de Francesca. Tu as pris de telles précautions... Je l'espère, du moins? ajouta-t-il, soudain inquiet.

– Mais oui, tu le sais bien. Je ne me suis jamais montré seul avec elle en public.

– Et votre voyage à Königssee?

– Nous nous y sommes rendus séparément. Une fois là-bas, nous n'avons pour ainsi dire jamais quitté le château ensemble. Quant au tournage dans le Yorkshire, nous nous y sommes à peine rencontrés. Lorsque cela nous arrivait, nous étions toujours entourés d'une foule de gens. Alors, même si Arlene m'a fait filer par un détective privé, elle n'a rien pu découvrir. Mais avoue que ce n'est pas une vie de se cacher continuellement, comme nous le faisons...

– Que vas-tu faire?

– Ai-je le choix? Négocier. De toi à moi, je suis même prêt à ajouter un million de dollars à ma dernière proposition, à lui faire cadeau de la maison de Bel-Air par-dessus le marché. Mais jamais, au grand jamais je ne la laisserai mettre la main sur le ranch ni sur *Bellissima Productions*, je te le garantis!

– Et moi qui avais toujours pris Arlene pour une de ces starlettes à la tête vide... Je me suis bien trompé.

– Je n'ai pas fait preuve de beaucoup plus de discernement, si cela peut te consoler. Une jolie frimousse, des jambes de déesse et me voilà tout feu tout flammes... Oui, une belle garce, ajouta-t-il avec un rire amer. A côté d'elle, un Mike Lazarus a l'air d'un enfant de chœur. Si seulement je pouvais la laisser tomber aussi facilement que je me suis débarrassé de ce forban... »

Victor but une gorgée de son scotch, sourit :

« Au fait, Francesca ignore tout de mes ennuis, tu t'en doutes. Il vaudrait mieux qu'elle continue à n'en rien savoir.

— Bien entendu, Victor. Compte sur moi, je tiendrai ma langue.

— Merci, Nick. Mais cela ne sert à rien de remâcher toute cette histoire. Parlons d'autre chose, veux-tu ? »

Pendant quelques instants, ils n'abordèrent plus que leurs prochaines vacances sur la Côte d'Azur, évoquèrent gaiement leurs projets.

« Francesca part-elle toujours en voiture comme prévu ? demanda Nick. J'ai cru comprendre que Katherine l'accompagne et qu'elles se relaieront.

— Non, Katherine s'est décommandée hier et Francesca rejoindra sa famille par avion. Katherine reste à Londres une quinzaine de jours. Des réunions importantes au sujet de son prochain film avec Richard Stanton, paraît-il.

— Tiens, vraiment ?

— Je n'en sais pas plus que toi », répondit Victor.

Les deux amis échangèrent un regard où la curiosité se mêlait au scepticisme. Sans le savoir, ils se posaient tous deux la même question : dans quelle sombre manigance Katherine Tempest s'apprêtait-elle encore à fourrer son joli nez ?

FIN DU PREMIER VOLUME

TABLE

IMPRIMÉ EN FRANCE PAR BRODARD ET TAUPIN
58, rue Jean Bleuzen - Vanves - Usine de La Flèche.
LIBRAIRIE GÉNÉRALE FRANÇAISE - 14, rue de l'Ancienne-Comédie - Paris.

ISBN : 2 - 253 - 03679 - X   ✥ 30/6066/2